ALPHAS PREIS

EINE MILLIARDÄRS-WERWOLF-ROMANZE

RENEE ROSE
LEE SAVINO

Bearbeitet von
YANINA HEUER
Übersetzt von
VALORA FANELL

MIDNIGHT ROMANCE

Veröffentlicht in den Vereinigten Staaten von Amerika

Renee Rose Romance, Silverwood Press, und Midnight Romance

Editor: Yanina Heuer

Dieses E-Buch ist ein Werk der Fiktion. Während auf aktuelle historische Ereignisse oder bestehende Orte Bezug genommen werden kann, sind die Namen, Charaktere, Orte und Vorfälle entweder das Produkt der Vorstellungen des Autors oder werden fiktiv verwendet, und jede Ähnlichkeit mit tatsächlichen Personen, lebenden oder toten, Geschäftsbetrieben, Ereignissen oder Orten sind völlig zufällig.

Dieses Buch enthält Beschreibungen von vielen BDSM und sexuelle Praktiken, aber da dies ein Werk der Fiktion ist, sollte es nicht in irgendeiner Weise als Leitfaden verwendet werden. Der Autor und Verleger haftet nicht für Verluste, Schäden, Verletzungen oder Todesfällen, die aus der Nutzung der darin enthaltenen Informationen resultieren. Mit anderen Worten versuchen Sie das nicht zu Hause, Leute!

 Erstellt mit Vellum

RENEE ROSE: HOLEN SIE SICH IHR KOSTENLOSES BUCH!

Tragen Sie sich in meine E-Mail Liste ein, um als erstes von Neuerscheinungen, kostenlosen Büchern, Sonderpreisen und anderen Zugaben zu erfahren.

https://www.subscribepage.com/mafiadaddy_de

KAPITEL EINS

 *edona*

MEINE AUGEN ÖFFNEN SICH. Sie sind sandig und wund. Ich würde sie reiben, wenn ich nicht in Wolfsform wäre.

Wo bin ich?

Ich versuche, mich zu bewegen, und treffe auf Metallstäbe. *Oh Schicksal.* Ich bin in einem Käfig – *einem verdammten Käfig.*

Es kommt alles zurück zu mir. Ich war bei meinem Morgenlauf am Strand in San Carlos. Frühlingssemesterferien in Mexiko. Ich witterte den Geruch eines männlichen Wandlers und ich hielt an, drehte mich in einem langsamen Bogen, um zu identifizieren, woher er kam. Ein Mann hebt seine Hand winkend. Er kommt rüber, lässig wie es nur geht, aber die Haare in meinem Nacken stellen sich auf.

Ich weiß, er wird ein Problem sein.

Ich glaube auch, dass ich eine gute Chance habe, mit

ihm fertig zu werden. Ich bin die Tochter eines Alphas. Ich bin einundzwanzig Jahre alt – jung. Fit. Bereit.

Der Typ geht mit einem freundlichen Lächeln auf mich zu. Er sagt etwas auf Spanisch.

Ich fange an, ihm zu sagen: „*No hablo*–", als mir mit etwas von hinten in den Nacken gestochen wird. Ich wandle mich, aus Angst und Notwendigkeit. Meine Wölfin will mich beschützen. Mein Tanktop und meine Jogging-hose reißen, als ich die Form wandle, aber meine Beine halten mich nicht. Ich bin auf meiner Seite im Sand, mein weißes Fell zu heiß in der Sonne. Über mir stehen fünf Männer im Kreis und blicken nach unten.

Von dort an wird es unscharf. Ich erinnere mich, dass ich in den Käfig gelegt wurde und der Käfig in den Gepäckraum eines kommerziellen Flugzeugs gebracht wurde. Als wäre ich ein verdammter Hund oder sowas. Jemandes verdammtes Haustier.

Scheiße.

Mein Kopf schmerzt und ich habe einen fusseligen Mund. Viele schlimmer als jeder Kater, den ich in den letzten drei Jahren auf der Uni je hatte. Nicht, dass ich ein Partygirl oder sowas bin.

Nun, ab und an mag ich es zu feiern, aber wer nicht?

Ich drehe mich im engen Käfig um, aber es ist unmöglich, sich wohlzufühlen. Ein tiefes Knurren grollt in meiner Kehle und meine Wölfin schnappt, als wäre sie bereit, jemanden anzuspringen, obwohl es keinen Ausweg aus diesem verdammten Käfig gibt. Ich weiß es, weil ich mich jetzt daran erinnere, bei früheren Gelegenheiten aufge-wacht zu sein und es versucht zu haben. Maria Jesus. Wie lange verliere ich schon das Bewusstsein? Zwölf Stunden? Vierundzwanzig?

Es sieht aus, als wäre ich in einem großen Lagerhaus. Es gibt andere Käfige, die ein riesiges Metallregal mit Regalen auskleiden – wie Produkte in der Metro oder die beim Großhandel gelagert werden. Die meisten sind leer. Ein dünner schwarzer Wolf mit gelben Augen blinzelt mich an, von wo aus er in einem von ihnen auf seiner Seite liegt.

Zigarrenrauch wabert durch die Luft und der Klang von Männerstimmen, die Spanisch sprechen, kommt von hinter einer Tür durch.

Ich erinnere mich, wie ich in meinem Käfig von der holprigen Fahrt hier her oder vielleicht nur von den Drogen gekotzt habe. Jemand hat mich danach gewaschen und leise auf Spanisch gesprochen, als wollte er mich beruhigen. Ich entblößte ihm meine Zähne und versuchte, ihm die Hand abzubeißen, aber er stieß mir noch eine Nadel in den Hals und ich fiel zurück in den tiefen Schlaf.

Die Tür schwingt auf und lässt einen Lichtschacht vom Flur hereinfallen. Die männlichen Stimmen nähern sich, bis sich eine Gruppe von Männern um meinen Käfig versammelt. Dieselben Arschlöcher, die mich am Strand entführt haben.

Wenn ich schlau wäre, würde ich mich wandeln und ein paar Informationen aus ihnen kriegen. Wer sie sind, was sie von mir wollen. Aber meine Wölfin will nicht reden.

Ich springe auf meine Füße, schlage mit meinem Rücken und dem Kopf gegen die oberen Gitter, das Gefängnis zu klein, um mich stehend zu beherbergen.

Meine Lippen ziehen sich zurück, um meine Zähne zu zeigen, und das Knurren, das tief in meinem Hals beginnt, ist tödlich.

„*Que belleza, no?*", fragt einer der Männer.

Sie sind Wölfe, nach ihrem Duft zu urteilen. Alle von ihnen. Und wie sie mich anstarren, jagt einen eiskalten Schauer von Angst durch mich.

Ich schnappe meinen Kiefer durch die Stäbe und fletsche meine Zähne.

Die Männer nehmen meinen Käfig und bringen mich zu einem strahlend weißen Transporter. Die Männer öffnen die Hintertüren des Wagens und heben mich hinein.

Ich werfe mich gegen die Gitter des Käfigs, belle und knurre.

Einer der Männer kichert. „*Tranquila, ángel, tranquila.*" Er schwingt die Türen mit einem entscheidenden Klick zu und lässt mich noch einmal allein.

~.~

ICH HÜPFE im Dunkeln im Käfig herum. Der Transport scheint hochzufahren, über holprigen und immer holpriger werdenden Boden – es muss ein Feldweg sein. Ich verwandle mich zurück in menschliche Form, um zu denken, nackt zwischen den Metallstäben kauernd.

Mein Kopf klärt sich langsam vom Beruhigungsmittel, obwohl mein Magen immer noch rumpelt, als wäre ich grade doppelt Achterbahn kopfüber gefahren.

Ich brauche einen Plan. Eine Strategie, um hier verdammt nochmal rauszukommen. Ich ertaste das Vorhängeschloss an der Außenseite des Käfigs. Es ist solide. Ich bräuchte Drahtschneider oder ein Werkzeug zum Schlösserknacken, um freizukommen, aber ich habe nichts. Mein älterer Bruder Garrett hatte mir beigebracht, wie man Schlösser knackt. Ich habe ihn als Teenager beobachtet, wie er jedes Schloss auseinandernahm, das unser Vater benutzte, um ihn je nach Situation drinnen oder draußen zu behalten.

Aber ich habe keine Haarnadel, keine Handtasche. Nicht einmal ein Kleidungsstück.

Wo bringen sie mich hin? Mein Magen ist in Knoten verheddert. Wenn dies eine zufällige Entführung wäre, würde ich sagen, dass sie Lösegeld von meiner Familie verlangen würden. Aber ich bin die Tochter eines Alphas. Jemand könnte ein Hühnchen mit meinem Vater rupfen wollen, in welchem Fall … ich von einem fremden Rudel massenvergewaltigt werde. In ihre Sexsklavin verwandelt werde. Schicksal, ich hoffe, sie stehen nicht auf Folter.

Mein Wolf jammert, als der Duft meiner eigenen Angst meine Nase verstopft.

Denk nach, Sedona, denk nach!

Sie sind Wölfe. Sie haben mich von einem Touristenstrand in San Carlos entführt. Ich bin jung und weiblich. Sie werden mich wahrscheinlich nicht töten. Weibliche Wandlerinnen sind seltener als männliche. Ich bin ein Bedarfsartikel. Vielleicht versteigern sie mich?

Scheiße. Das ist schlecht. So schlecht.

Garrett mochte es nicht, dass ich mit Menschen nach San Carlos reiste. Wie ein Depp habe ich seine Sorge abgewinkt. Dachte, er wäre übervorsichtig. Ich bin ein Wandlerin. Was ist das Schlimmste, was passieren kann?

Wie sich herausstellt, eine krasse Menge. Ich kann fast meinen Vater sagen hören: *Ich habe es dir doch gesagt.* Wenn ich hier lebend rauskomme, stimme ich ihm gerne zu.

Der Transporter hält rumpelnd an. Meine Wölfin kämpft, um mich zu beschützen, aber ich zwinge sie zurück. Meine einzige Chance ist, so zu tun, als ob ich kooperiere, und dann ihre verdammten Augen mit meinen Daumen ausstechen und wegrennen. Fügsam zu spielen ist besser, als nackt und verängstigt zu sein wie in dieser dummen Reality-Serie.

Ich rolle mich zur Seite, ziehe meine Knie hoch und bedecke meine Brüste mit meinen Unterarmen. *Da.* Hilflos wie ein Baby-Häschen.

Die Transportertür öffnet sich.

„Bitte", raspele ich. „Ich bin so durstig."

Einer der Männer murmelt etwas auf Spanisch. Oh ja. Dieses Spiel wird schwieriger sein, weil ich nicht die Sprache sprechen kann.

Verdammt nochmal, warum habe ich nicht Spanisch in der Oberstufe genommen? Ach ja, ich wollte in jedem Kunstkurs sein. Und ich hatte keine Ahnung, dass ich eines Tages mit meinen mexikanischen Entführern sprechen müsste.

„Lasst mich aus diesem Käfig", flehe ich und bete, dass jemand Englisch spricht.

Sie ignorieren mich. Zwei Männer nehmen meinen Käfig an den Griffen auf jeder Seite und führen ihn aus dem Transporter. Sie tun ihn auch nicht runter. Sie gehen einen von Bäumen gesäumten Weg hinauf, der Käfig rempelt und schwingt zwischen ihnen. Jenseits der gepflegten Rasenflächen und hohen Mauern des Gebäudes gibt es nur dichten Wald. Meine Entführer bringen mich zu einer Festung auf einem Berg.

Mein Puls galoppiert in die Höhe. „Bitte", flehe ich. „Ich brauche Wasser. Und Essen. Lasst mich raus."

„*Cállate*", zischt einer von ihnen. Selbst ich kenne dieses Wort. Ich bin schließlich aus Arizona. *Halt die Klappe.*

Okay, also sind sie eher weniger mitfühlend.

Zwei ältere Männer – auch Wandler, beurteilend nach ihrem Geruch – in italienischen Anzügen und Schuhen, die wie Spiegel glänzen, tauchen hinter einem riesigen Fallgitter aus Stahl und geschnitztem Holz hervor.

Drogendealer.

Das ist mein erster Gedanke, basierend auf der Art, wie sie angezogen sind, obwohl … wenn es ein Wandler-Drogenkartell gäbe, hätte ich davon gehört. *Oder nicht?* Aber wer sonst trägt Tausend-Euro-Anzüge auf einem bewaldeten Berg?

Die betuchten Männer sprechen mit meinen Wärtern in tiefen Tönen und führen sie rein.

Ich versuche mein nacktes und verängstigtes Spiel wieder. „Bitte helfen Sie mir, *Señor*. Ich bin so durstig."

Einer der älteren Männer dreht sich um und schaut mich direkt an und ich weiß, dass er mich versteht. Er sagt etwas in scharfen Tönen zu meinen Wärtern, die zurückmurmeln.

Ja, das hat mich nicht sehr weit gebracht. Aber sie müssen diesen Käfig irgendwann öffnen. Und wenn sie es

7

tun, werde ich Nasen zerbrechen, mich verwandeln und verdammt nochmal hier abhauen. Keine nette Wölfin mehr.

Mein Magen taumelt, während der Käfig schaukelt. Ich muss die Metallsprossen umgreifen, um nicht mit der Bewegung zu rutschen.

Die Männer folgen einem Pfad entlang der Innenseite der total polierten Lehmwände. Eine riesige Villa oder ein Herrenhaus aus glänzendem weißem Marmor erhebt sich auf der anderen Seite majestätisch. Es hat eine jenseitige Qualität, als wären wir in einer ganz anderen Ära. Oder Realität.

Wir kommen an einer modernen Sicherheitstür an und einer der älteren Männer zieht eine Schlüsselkarte hervor. Er öffnet die Tür und führt meine Entführer eine Treppe hinunter. Es liegt eine feuchte Kühle in der Luft. Meine Nase rümpft sich von dem muffigen Geruch.

Ich blinzle, als sich meine Augen an die trübe Beleuchtung gewöhnen. Oh mein Gott. Ich bin in einem Verlies. Ich schwöre auf mein Grab, es gibt Eisentüren mit Guck-loch-Fenstern den ganzen Flur entlang. Einer der alten Männer bellt etwas auf Spanisch und sie halten an und stellen den Käfig ab, um darauf zu warten, dass er eine Zellentür aufschließt.

Sobald ich sehe, was drinnen ist, wandle ich mich, mein Knurren hallt von den Steinmauern.

Das Zimmer enthält nichts als ein Bett mit eisernen Fesseln an den vier Pfosten, bereit, eine Gefangene zu halten. Und jetzt weiß ich, warum sie mich hierhergebracht haben.

Ich werfe mich gegen die Käfigwände. Irgendjemand wird meine Reißzähne zu spüren bekommen.

Ein scharfes Piksen sticht mir in den Nacken und meine Beine geben wieder unter mir nach.

Mein Knurren hallt in meinen Ohren, als meine Sicht sich verblasst und wieder schwarz wird.

~.~

CARLOS

DIE RÜCKSEITE MEINES HALSES KRIBBELT, als Don José mich die Marmorstufen des Palastes hinunterführt.

„Wohin gehen wir?" Meine Schuhe klicken auf dem Stein und hallen an den Wänden des schwach beleuchteten Durchgangs zurück, der täglich geschrubbt und poliert wird.

Der Leiter des *El Consejo*, des Ältestenrats, neigt seinen Kopf. „Wir müssen dir etwas zeigen." Er geht weiter und erwartet, dass ich ihm folge, als wäre ich immer noch ein ahnungsloser Welpe.

Ein tiefes Knurren steigt in meinem Hals hoch. Don José blickt zurück und ich schlucke die Antwort meines Wolfs zurück.

„Beruhige deinen Wolf, Alpha. Das hier wirst du sehen wollen." Die leichte Achtung in seinen Worten berührt seinen arroganten Ton nicht. Ich zermalme meine Zähne, bis er eine Kurve geht, um in die Verliese zu gehen – den Aufbewahrungsbereich für feindliche Wölfe und Aufständische.

„Genug", fauche ich. Das Misstrauen meines Wolfs ist zu groß, um es zu ignorieren. „Was ist es, dass du mir zeigst?"

Don José zögert.

„Ich bin kein Welpe mehr", sage ich leise. „Ich bin dein Alpha."

Für einen Moment trifft der Blick des alten Wolfs auf meinen. Er senkt ihn eine Sekunde später, bevor es zu einer echten Herausforderung wird. „Du weißt, dass unsere Geburtenrate in den letzten Jahren gesunken ist."

„Eher seit einem halben Jahrhundert", korrigiere ich.

„Wahrlich. Und viele der Geburten produzieren nur *defectuosos*", schimpft Don José. „Schwächlinge, nicht in der Lage, sich zu wandeln. In den alten Tagen–"

Ich hebe mein Kinn und fordere ihn heraus, zum Punkt zu kommen. Ich hasse diese ‚*in den alten Tagen'*-Proklamationen.

„In den alten Tagen war ein Wandler, der kein Tier besitzt, kein Wandler", sagt er steif. „Sie wurden vom Rudel entfernt."

Entfernt. Eine nette Art, *umgebracht* auszudrücken.

„Du kennst meine Entscheidung darüber, Don José. Jeder Wolf, der in diesem Rudel geboren wurde, ist Teil des Rudels. Wir wenden uns nicht von uns selbst ab."

„Natürlich", beugt er seinen Kopf wieder, sein Rücken starr, als er böse auf einen Punkt auf meiner Krawatte starrt. „Aber das Rudel muss stark bleiben. Sonst wird uns das schwache Blut verdünnen, bis kein Welpe mehr die Fähigkeit hat, sich zu wandeln."

„In Ordnung." Ich überkreuze meine Arme über meiner Brust. „Komm auf den Punkt."

„Der Rat hat an einer Lösung gearbeitet. Während du in der Schule warst, mussten wir viele schwierige Entscheidungen treffen. Zum Wohle des Rudels."

„Zum Wohle des Rudels", murmele ich. „In Ordnung dann. Zeig es mir."

Ich streife hinter Don José her durch die schwach beleuchtete Passage.

„Du wirst sehen." Josés dunkle Augen sind gerissen, als er einer Wache befiehlt, die Zellentür zu öffnen.

Das Problem ist, ich habe keinen Beta. Ich habe José als Teil des *El Consejo,* dem Ältestenrat. Ich könnte jedes einzelne Mitglied leicht überstimmen, aber zusammen sind sie stärker als ich. Der einzige Grund, warum sie mich als ihren Marionettenanführer behalten, ist, weil das Rudelgesetz Blutkönige verwendet, um den Alpha zu bestimmen. Jemand aus der ursprünglichen Alpha-Blutlinie trägt den Namen des Alphas, auch wenn er nicht wie einer regiert.

Die Zellentür schwingt auf und ich erstarre.

Angekettet auf dem Bett liegt eine schöne, nackte Frau. Ihre langen, dicken braunen Haare umschmeicheln ihren Kopf auf einer kissenlosen Matratze. Üppige Brüste, ein flacher Bauch, Beine, die Kilometer lang sind. Und zwischen ihnen – ah, *carajo* – ein perfekt gewachster Venushügel und ihr zartes rosa Zentrum, zur Ansicht für alle zu bestaunen.

Was zum Teufel? Ein Schwall von Hitze durchdringt mich, mein Schwanz wird dick. Meine Hände ballen sich zu Fäusten. Mein Wolf heult, Adrenalin pumpt durch meine Adern, aber ich weiß nicht, ob es mich vorbereitet, die wunderschöne Frau zu beanspruchen, oder um für ihre Freiheit zu kämpfen.

Die Frau wehrt sich gegen ihre Fesseln, das Weiß ihrer riesigen blauen Augen blitzt auf. Ihre vollen Lippen sind rissig und bluten. Als sie wimmert, schießt rote heiße Rage durch mich. Das Bedürfnis, sie zu beschützen, sie vor dieser Notlage zu retten, schiebt sich in den Vordergrund und löscht alle Spuren meiner fehlgeleiteten Lust.

„Was zum Teufel ist das hier?" Ich stolziere nach vorne, greife eines ihrer Handgelenke und ziehe an der Kette. „Entfessele sie", donnere ich.

Später würde ich die Szene immer wieder wiederholen und mich für meine Dummheit beschimpfen. Ein finsteres Kichern ist alles, was ich höre, bevor ich mich umdrehe, um zu sehen, wie die schwere Tür verschlossen wird.

Rage lässt mich wie einen Blitz wandeln, ich zerreiße meine maßgeschneiderte Kleidung mitten in der Luft, als ich zur Tür sprinte und mit meinem riesigen Wolfskörper mit voller Kraft dagegen schlage, aber sie bewegt sich nicht einmal einen Millimeter. Ich knurre, springe durch den Raum, meine Wut zu groß für rationale Gedanken, als ich schnappe und knurre, die Zelle durchstreife auf der Suche nach jeglichem Ausweg, um zu entkommen. Natürlich gibt es keinen. Ich kenne diese Zellen gut.

Scheiße.

Ich wende mich dem Mädchen zu. Seltsamerweise enthalten ihre blauen Augen trotz meiner Darstellung von wilder Wut jetzt keinerlei Panik. Sie beobachtet mich mit eifrigem Interesse. Vielleicht, weil wir im selben Boot sind

– zwei Gefangene, die zurückgelassen wurden, um … *verdammt.*

Ich weiß, was sie wollen.

Irgendwie haben sie eine Wölfin aus einem anderen Rudel gefunden und entführt, um mit ihr zu züchten. Ich wusste, sie wollten, dass ich mich verpaare, aber ich hatte keine Ahnung, dass sie so weit gehen würden.

Ich werde sie alle töten – ihre verdammten Kehlen herausreißen, jeden einzelnen der *pinche* Ratsmitglieder. Mich – ihren Alpha – gegen seinen Willen festhalten, um als verdammter Zuchthengst benutzt zu werden?

Verdammt nochmal, nein.

Ich brülle und werfe mich noch einmal gegen die Tür, obwohl ich weiß, dass es nutzlos ist. Ich erinnere mich, dass sich eine Kamera in der Ecke befindet, springe darauf, klemme meine Reißzähne um den glatten Kunststoff und zertrümmere die Glaslinse zwischen ihnen.

Scheiß. Auf. Sie alle.

Ich umkreise die kleine Zelle wieder und kehre zum Bett zurück, wo ich meinen Kiefer um die Kette beiße, die eines der Handgelenke des Mädchens festhält.

Sie schließt ihre geballte Hand zu einer Faust und hält ihre Finger von meinen Zähnen fern.

Schicksal, ihr Duft.

Sie riecht wie … der Himmel. Zuckerplätzchen und Mandeln mit einem Hauch von Zitrusfrüchten. Und Wölfin. Dieses Weibchen ist ganz sicher nicht *defectuosa*. Ich frage mich, wie ihre Wölfin aussieht. Schwarz wie meiner? Grau? Hellbraun?

Ich schüttle meinen Kopf. Es spielt keine Rolle. Ich

verpaare mich nicht mit ihr. Ich bringe sie verdammt nochmal hier raus.

Ich knurre und ziehe mit all meiner Macht, reiße an der verdammten Kette, um sie aus der Wand zu ziehen.

Die wunderschöne Frau schließt sich mir an, ihre jugendlichen Muskeln wölben sich in einer Darstellung ihrer spektakulären Athletik. Wir beide ziehen mit aller Macht zusammen, aber die Kette löst sich nicht.

Ich senke mich auf meine Hüfte.

„Danke für den Versuch." Ihr amerikanisches Englisch enthält ein süßes, musikalisches Trällern.

Nein. Ich interessiere mich nicht für diese verlockende Amerikanerin, egal wie charmant und schön sie auch sein mag. Das ist es, was sie wollen.

Sie denken, wenn sie mich mit ihr hier reinwerfen, beanspruche ich den Preis, den sie für mich gefangen haben. Versenke meine Zähne in ihr und markiere sie für immer. Sie verlassen sich auf meinen Alpha-Instinkt, sich mit einem anderen Alpha-Weibchen zu paaren und zu reproduzieren.

Glauben sie, ich werde diese Manipulation verzeihen oder vergessen? Glauben sie ernsthaft, ich lasse sie nach diesem Trick am Leben?

Ich verwandle mich zurück in menschliche Form.

Carajo. Jetzt bin ich auch nackt, meine Kleidung zerfetzt von der Wandlung. Und dieser Ständer wird die Schönheit in Ketten sich nicht sicherer fühlen lassen.

Ich drehe meinen Rücken zum Bett. Nun, verdammt. Natürlich ist mein Schwanz härter als Stein. Egal wie sauer ich bin oder wie sehr ich sie retten will, die angekettete

Schönheit ist unbestreitbar der erotischste Anblick, den ich je erlebt habe.

„Scheiße." Ich nehme die zerfetzten Reste meiner Hose und finde meine Boxershorts darin. Sie sind zerrissen, aber vielleicht bleiben sie an, wenn ich sie festhalte. Ich ziehe sie an.

„Du sprichst Englisch." Es liegt ein Ton der Erleichterung in ihrer Stimme.

Ich blicke finster rein. Sie sollte mir nicht Vertrauen. Denn wenn sie wüsste, was ich mit ihrem üppigen, nackten, *voll verfügbaren* Körper machen will, würde sie schreien.

Mein Hemd liegt ein paar Meter entfernt. Ich greife danach und versteife mich gegen ihre berauschende Präsenz, bevor ich mich umdrehe.

Es hilft nicht. Sie ist so schön, wie ich dachte. Nein – noch schöner. Irgendwie schaffe ich es auf die Seite des Bettes, drapiere mein Hemd über so viel von ihrer Haut wie möglich. Ihr Hautton ist wie von poliertem Gold mit Bikinistreifen in der Form von etwas, was ein winziger Bikini-Tanga gewesen sein muss. Mir läuft das Wasser im Mund zusammen, während ich mir vorstelle, wie sie am Strand aussieht, wo sie sich ihre Bräune verdient hat. Ich weiß, sie sieht in ihrem Bikini so gut aus, dass jeder Mann in der Gegend stöhnen muss.

Ich drapiere den Stoff über ihrer Muschi und ziehe das andere Ende über ihre Brüste.

Sie bebt, ihre Schenkel ziehen an den eisernen Fesseln an ihren Knöcheln und ich schnuppere den Duft ihrer Erregung.

Schicksal, ist das alles? Ein einziges Streicheln von

Stoff gegen ihre empfindlichsten Stellen und sie ist bereits feucht genug, um rangenommen zu werden?

Ich werde diesen Test nicht überleben.

Das Anordnen des Hemdes wird zu einer Qual, denn als der Duft meine Nasenlöcher trifft, ziehe ich den Stoff zu hoch und entblöße ihre Muschi, dann fällt es von ihren Brüsten, als ich ihm einen ungeduldigen Ruck gebe.

Die Art, wie sich ihre Brustwarzen heben und senken mit ihrem beschleunigten Atem hilft nicht, auch nicht diese großen blauen Augen, die auf mich fixiert sind.

„Um Himmelswillen", murmele ich und ziehe an beiden Enden gleichzeitig. Meine Finger streifen über ihre Haut und ich halte kaum ein Knurren der Aufregung zurück. Sie ist babyweich. Glatt. Mein Schwanz streckt sich eifrig in ihre Richtung und wie ein Idiot atme ich tief ein. Der Geruch ihrer Pheromone und Erregung lässt mich schwindlig werden. Nach ihrem Duft zu urteilen, ist sie kurz vor dem Eisprung – das müssen sie gewusst haben. Mussten gewusst haben, dass kein vollblütiges Wandler-Männchen es überleben könnte, mit einer nackten Alpha-Wölfin in Hitze über den Vollmond eingesperrt zu sein, ohne sie zumindest zu beanspruchen, wenn nicht für immer als sein zu markieren.

Ich schaffe es, ihre Muschi und eine Brust mit meinem Hemd zu bedecken, bevor ich den Stoff fallenlasse und zurücktrete. Noch ein Streicheln gegen ihre Haut und ich schwöre, ich werde jeden Zentimeter von ihr betatschen.

Ich ziehe irgendwie meine Augen weg von ihrer unbedeckten Brust mit dem pfirsichfarbenen Nippel, der aufsteht und hart ist. Ich frage mich, welcher Teil dieses Szenarios sie anmacht – die Fesseln, Nacktheit oder meine

Aufmerksamkeit auf ihrem wunderschönen Körper. Nein, ich will es definitiv nicht wissen.

Mein Atem wird kurz, als ein frischer Schuss der Lust durch mich rollt. Ich räuspere meine Kehle. „Du bist Amerikanerin?"

Sie nickt. „Du auch?" Ihre Stimme kommt halb flüsternd, halb krächzend raus und sie räuspert sich und lässt ihre rosa Zunge entlang ihrer rissigen Lippen fahren.

Ich beiße ein Stöhnen zurück.

Schicksal, ich will lügen und *ja* sagen. So tun, als wäre ich auch aus Amerika entführt worden wie sie. Nach Monte Lobo gebracht und in eine Zelle geworfen worden. Die Wut über meine eigene missliche Lage bringt fast eine neue Wandlung mit sich.

„Nein." Ich greife wieder zum Stoff, aber es gelingt mir nur, dass er von beiden Brüsten wegrutscht.

Scheiße – diese Nippel. Sie betteln, um in meinem Mund genommen zu werden, meine Zunge würde ihnen das Vergnügen ihres Lebens geben.

Ich schließe meine Augen und gehe ein paar Schritte zurück, um meine Lust in den Griff zu bekommen. „Bist du verletzt?" Es kommt gröber raus, als ich es meine.

„Ich habe Durst."

Ich gehe zur Tür und schlage meine Handfläche gegen sie, sodass der Donner des Stahls gegen die Wände unserer Zelle hallt.

Ich bin nicht überrascht, als es keine Antwort gibt. „Sie braucht Wasser", brülle ich auf Spanisch. Ich kann nicht aus dem Fenster sehen, weil es ein Einwegglas ist und von innen matt ist. Diesmal höre ich eine leise Stimme hinter der Tür. Diese Hurensöhne. Sie stehen da und hören sich die ganze Sache an. Wenigstens habe ich die verdammte Kamera deaktiviert.

„Mein Name ist Carlos. Carlos Montelobo." Ich stehe ihr noch einmal gegenüber. „Es tut mir so leid, dass du so misshandelt wurdest."

Sie leckt wieder ihre Lippen. Sie muss aufhören, das zu tun. „Es ist nicht deine Schuld."

Da irrt sie sich und ich bin ein Arschloch, wenn ich es ihr nicht sage.

Ihre Augen bewegen sich von meinem Gesicht bis zu meinem nackten Oberkörper und gleiten bis zu meiner Taille, bevor sie wieder hoch zu meinem Gesicht springen. Sie errötet.

Oh Schicksal. So süß. So verdammt süß.

Ich streiche mit meinen Fingern durch meine Haare. „Leider ist es meine Schuld."

Ihre Augen werden schmal.

Ich halte meine Hände hoch. „Ich meine, ich wusste nicht, dass sie das hier tun, aber dies ist mein Rudel. Ich sollte hier der verdammte Alpha sein. Nur wurde ich vom Ältestenrat mit dir eingesperrt."

„Warum?"

Sie weiß, warum. Ich kann es an der Art und Weise erkennen, wie ihr Blick auf meine Erektion springt.

Ich schlucke und setze mich auf das Bett, mein Fokus kehrt noch einmal zu ihren Fesseln zurück, als ob ich einen anderen Weg entdecken könnte, sie zu befreien. „Unser Rudel leidet unter zu viel Inzucht. Wir sind in der Größe geschrumpft und viele von uns können sich nicht einmal wandeln. Wir nennen sie *defectuosos*. Die meisten Weibchen sind unfruchtbar und können nicht gebären. Ich wusste, dass *el consejo* an einem Plan zur Einführung neuer Zuchtsklaven gearbeitet hatte, aber ich hatte keine Ahnung, dass es das hier sein würde." Ich recke eine Hand in die Luft, um auf die Zelle zu zeigen.

„Sie wollen, dass du mit mir einen Welpen zeugst?"

„Ja." Schuld fällt auf meine Brust wie ein Anker und zieht mich in seine Tiefe.

Ihre Wangen werden rosa und sie zieht an ihren Ketten.

„Pst." Ich fasse sie an, bevor ich meine eigene Absicht erkenne, streichele ihre Wange mit meinem Daumen. „Keine Sorge, Schönheit. Ich zwinge mich dir nicht auf, versprochen." Als sie weiter an ihren Fesseln zerrt, greife ich beide Handgelenke unter den Fesseln. *„Hör auf."* Meine Stimme verschärft sich mit dem Befehl.

Sie erstarrt, ihre Wölfin reagiert instinktiv auf die Dominanz eines Alpha-Männchens. Ihr böser Blick passt aber nicht zu ihrem Gehorsam.

Und die Reaktion ihres Körpers passt nicht zu ihrem mürrischen Blick.

Ja, mein Körper ist genau wie ihrer. Sie zu bändigen lässt meinen Schwanz wie eine Flagge wehen. Ihre exquisiten Brüste sind nur Zentimeter von meiner Brust entfernt. Ich spüre die Hitze ihres Körpers, den Hauch ihres Atems gegen meinen Hals.

„Ich will nicht, dass du dir selbst mehr weh tust, als dir schon passiert ist." Ich lockere mein Gewicht von ihr und lasse ihre Handgelenke los.

Sie läuft rot an und ich will meine eigene Kehle herausreißen, als Tränen in diesen unglaublichen blauen Augen überlaufen. Eine entkommt und läuft ihr über die Wange runter. Ich strecke die Hand aus, um sie mit meinem Daumen wegzureiben. „Weine nicht, *muñeca*. Ich werde dich nicht beanspruchen und sie dich nicht verletzen lassen. Du hast mein Wort."

Sie zuckt mit ihrem Gesicht von meiner Hand weg. „Warum sollte ich dir vertrauen?"

Sie ist schlau. „Das solltest du nicht."

Ich bin mir nicht mal sicher, ob ich mein Wort halten kann, aber ich weiß, dass ich beim Versuch sterben werde. „Richtig." Sie lacht bitter.

ltestenrat

ICH STEHE mit den anderen ältesten Don José und Don Mateo vor der Zelle und beobachte die beiden jungen Wölfe. Ich habe die Wachen weggeschickt. Sie sind nicht nötig – es ist unmöglich, aus diesen Zellen auszubrechen. „Es ist nur eine Frage der Zeit. Ihre Anziehungskraft ist bereits offensichtlich."

„Ich stimme zu", sagt Mateo. „Er wird sie noch vor Mitternacht markieren. So viel von dem Plan wird erfolgreich sein. Aber wenn wir ihn rauslassen, reißt er uns vielleicht allen die Kehle raus. Sein Wolf ist mächtig geworden, seit wir ihn zuletzt gesehen haben."

„Ich habe einen Plan dafür." Don José tippt mit einem Finger auf die Tür. „Wir betäuben sie beide, bevor wir sie trennen, dann geben wir seiner Mutter eine Überdosis. Wenn Carlos aufwacht, muss er zuerst auf diese Krise reagieren. Er wird seinen Zorn vergessen, denn seine Mutter wird all den Sanftmut brauchen, den er in sich hat."

„Das ist kein guter Plan", sagt Mateo.

„Wenn er seine Frau wiederfindet, wird sie in einem Gästezimmer eingesperrt sein, in edlen Roben gekleidet und wie eine Königin behandelt werden. Er wird keinen Grund haben, uns für unser Handeln zu bestrafen, da er mit dem Ergebnis zufrieden sein wird – ein schöner Preis für einen starken Alpha. Genau das, was dieses Rudel benötigt. Natürlich bitten wir ihn demütig um Vergebung."

Ich verenge meine Augen. „Es ist riskant. Was, wenn er sie gehen lässt?" Obwohl ich derjenige war, den die Menschenhändler benachrichtigten, als sie die amerikanische Wölfin entführten, war es die Idee von Don José, sie mit unserem Alpha einzusperren. Ich hätte eine *In-Vitro*-Befruchtung bevorzugt. Um das Mädchen als Zuchtsklavin für das gesamte Rudel zu verwenden. Ein wissenschaftliches Experiment. Wir können uns nicht auf Natur oder die animalische Natur verlassen, um das Rudel gesund zu halten.

„Wenn er sie markiert, kann er sie nicht gehen lassen. Die Biologie wird ihren Lauf nehmen, genau wie sie es heute Abend tun wird."

„Du bist dir sicher." Ich sage es eher wie eine Aussage als eine Frage.

„Ja."

Juanito, ein neunjähriger Diener, kommt mit dem Wasser an, das er holen sollte. Er ist ein kleines Risiko, weil er Carlos' Liebling ist, aber deshalb habe ich ihn auch ausgesucht. Wir brauchen jemanden, der dem Paar Essen und Trinken liefert, und ich traue Carlos zu, die helfende

Hand anzugreifen. Er wird dem Jungen aber nicht wehtun. Es ist zu viel Güte in ihm. Genau wie sein Vater.

Und genau deshalb mussten wir ihn loswerden.

~.~

SEDONA

CARLOS TRITT von mir weg und ich registriere den Verlust seiner Nähe wie eine Pflanze, die kein Wasser hat. Was mich wütend macht. Ich will nicht so angemacht sein von dem dunklen, grübelnden, fast nackten Alpha, der in unsere Zelle herumstolziert. Auch wenn er aus purem Muskel geformt ist, so muskulös, dass er ein Bodybuilder sein könnte. Ich beobachte ihn fasziniert. Seine Brust ist haarlos und ein Tattoo bedeckt seine linke Schulter und seinen Bizeps, eine Art geometrisches Muster. Ein zweites Tattoo bedeckt seinen rechten Bizeps.

Ich hatte noch nie eine so starke Reaktion auf einen Mann – Mensch oder Wandler. Aber dann wiederum, wurde ich auch noch nie für einen Mann angekettet; mit meinem nackten Körper auf dem Präsentierteller.

Ich wiederhole die Szene, in der er mich festhält, damit ich nicht mehr an meinen Fesseln zerre. Er bewegte sich blitzschnell, stürzte sich über mich und drückte mich gegen das Bett. Für eine Sekunde dachte ich, er würde mich küssen. *Verdammt.* Er hat ordentlich getrimmte

Gesichtsbehaarung. Wie würde sie sich auf meiner Haut anfühlen?

Wie wäre es, wenn meine Handgelenke über meinem Kopf von ihm gefesselt würden, während er in mich pflügt? All dieses Kommando und diese Macht auf mich konzentriert zu haben. Würde er wehtun? Oder ist er ein zärtlicher Liebhaber?

Auch wenn seine Selbstherrlichkeit mich verärgert hatte, hatte er doch recht, mich zu stoppen. Meine Handgelenke sind schon blau vom Zerren und der alberne Teil in mir liebt, dass er meinen Willen für mein eigenes Wohl gebeugt hat. Es ist, was ein guter Alpha tun sollte.

Ein quadratisches Fenster an der Basis der schweren Tür gleitet zurück und eine kleine Hand schiebt einen Plastikbecher durch.

Carlos springt in Aktion, greift danach, aber anstatt den Becher zu nehmen, packt er das Handgelenk, das ihn abliefert.

„*Ay!*" Der Schmerzensschrei von der anderen Seite klingt eindeutig kindlich.

Carlos flucht. „Juanito?"

„*Perdóname, Don Carlos.*" Der Junge hört sich an, als würde er gleich weinen.

Carlos lässt eine Reihe an spanischen Flüchen raus, von denen ich viele erkenne. Er verlangt etwas auf Spanisch, aber der Junge antwortet nur mit einem Schniefen. Carlos gibt sein Handgelenk frei und sagt etwas in beruhigenderen Tönen. Die kleine Hand faltet sich zusammen und stößt gegen Carlos' Faust, bevor sie sich zurückzieht. Carlos nimmt die Wasserkaraffe und läuft auf mich zu. Eine streng regulierte Wut strahlt von ihm aus, die ich seltsam attraktiv finde. Aber ja, ich wurde von einem dominanten, allgemein angepissten Alphawolf erzogen, also denke ich natürlich, das wäre mein männliches Ideal. Es ergibt eigentlich Sinn, warum bis jetzt kein anderer Mann mein Interesse geweckt hat. Meine Wölfin zeigt nur einem echten Alpha ihren Bauch.

Großartig. Ich hoffe, es gibt eine Therapie dafür, denn das Letzte, was ich brauche, ist ein weiterer großer Kerl, der mir sagt, was ich tun soll. Ich habe schon einen zu beschützenden Vater und Bruder dafür.

Ich beobachte, wie seine Muskeln sich wölben, während er zur Seite des Bettes geht.

„Sie haben einen Jungen mit dem Wasser geschickt, weil sie wissen, dass ich ihm nichts tun werde. *Chingada bola de pendejos.*"

„Wer ist der Junge?" Ich denke, er ist ein Verwandter von Carlos.

„Ein Diener."

„Gibt es keine Kinderarbeitsgesetze in Mexiko?"

Carlos' Ausdruck verdunkelt sich noch mehr. „Ich weiß. Mein Rudel ist … archaisch. Sie … *Wir*" – seine Stimme nimmt einen bitteren Ton an – „leben in einer anderen Ära. Die Schwachen bedienen die Starken. Und sie werden aus Prinzip schwach gehalten. Kongress oder Handel mit Außenstehenden ist verboten, Technologie und Medien sind nicht erlaubt, noch handeln wir mit anderen Rudeln. Nur der Rat und ich sind von all diesen Regeln ausgenommen."

Wasser spritzt über den Rand des lila Plastikbechers. Mit weitaus größerer Finesse als vorhin, als er versuchte, mich mit seinem Hemd zu bedecken, schiebt er eine Hand hinter meinen Kopf und hebt ihn an, um dem Becher zu begegnen. Ich kippe die Hälfte des Wassers runter und es ist mir egal, dass mir etwas davon an meinem Kinn runterläuft. „Danke", keuche ich, als ich fertig bin. „Wenn du nicht zustimmst, warum änderst du nicht die Dinge?"

Ein Muskel in seinem Kiefer springt hervor. „Ich bin – ich werde es. Es ist ein Kampf – immer ein Kampf gegen den Rat. Aber ich werde es."

Ich nehme noch einen Schluck Wasser aus dem Becher.

Carlos starrt mich mit glitzernden dunklen Augen an. „Ich kenne nicht mal deinen Namen."

„Sedona."

Er hebt eine Braue. „Wie die Stadt?"

„Meine Eltern haben sich dort getroffen." Vor ein paar Jahren hatte ich Angst, Sedona und Tucson wären die entferntesten Orte, die ich je bereisen würde von meinem Heimatrudel in Phoenix. Und jetzt bin ich irgendwo in Mexiko, angekettet an ein Bett mit einem sexy Latino-Wolf, der meinen nackten Körper mit seinen Augen verschlingt. Nicht ganz das Abenteuer, das ich mir erhofft hatte.

Carlos wiederholt meinen Namen in seinem spanischen Akzent und gibt ihm einen exotischen und sexy Klang. „Ein wunderschöner Name für eine wunderschöne Wölfin." Die Tatsache, dass er mich schön findet, scheint ihn zu verärgern, denn er schaut böse drein, als er es sagt. Er hebt seine Hand zu meinem Mund, als würde er mir das Wasser vom Kinn wischen wollen, und zieht sie dann mit einer Grimasse zurück.

„Na danke", sage ich trocken.

Er bringt seinen Daumen an meine Unterlippe und reibt langsam hin und her, seine dunklen Augen werden schwarz.

Ein Pochen beginnt zwischen meinen Beinen und meinen Brustwarzen werden hart.

Oh Scheiße.

Ich bin hier total überfordert. Die ehrliche Wahrheit ist, … dass ich eine Jungfrau bin. Mein Vater hätte jeden Jungen getötet, mit dem ich in der Oberstufe rumgemacht hätte. Und ich meine das wortwörtlich. Ich hatte nicht mal ein Rendezvous für meinen Abschlussball. Ich hätte Sex an der Uni haben können, aber ich hänge mit Menschen ab und menschliche Männer machen mich einfach nicht an. Nicht, dass sie es nicht versucht hätten. Ich habe ein bisschen rumgemacht, aber hatte keinen Geschlechtsverkehr.

Das Nächste, was passiert, ist das Carlos seinen Daumen zwischen meine Lippen schiebt und ich spiele mit meiner Zunge an ihm. Ein tiefes Knurren hallt in seiner Brust wie der Beginn eines Motors und alle meine weiblichen Teile schalten hoch in Reaktion.

„Sedona", nuschelt er wieder in seinem sexy Akzent. *Say-doh-na.* Er spricht meinen Namen aus, als wäre es ein magischer Ort. Er zieht seinen Daumen aus dem Sog meines Mundes, als ob es ihn schmerzt. „Hier mit dir eingesperrt zu sein, wird mich umbringen."

Es müssen die wiederholt gegeben Beruhigungsmittel sein, die sie mir gegeben haben, weil ich ihn ernsthaft einladen will, das Sedona-Buffet zu probieren, da ich sowieso hier für seinen Genuss bin.

„Was ist dein–" Ich räuspere meine Kehle, weil ich es jetzt schwer finde, zu sprechen, seit er mit seinem dicken

Finger in meinen Mund eingedrungen war. „Was ist genau dein Plan? Es aussitzen? Ich glaube nicht, dass das funktionieren wird. Wenn sie dich hier eingesperrt haben, um zu züchten, werden sie uns dann rauslassen, bevor wir es tun?"

Ein Muskel in seinem Kiefer zuckt. Er ist so schön wütend, eine Locke aus dickem dunklem Haar, die über seine Stirn fällt, akzentuiert die starken Linien seines Gesichts, den festen Satz seines Mundes. Seine Finger schließen sich zu Fäusten an seiner Seite. „Ich weiß es noch nicht."

Wenn ich keinen Alpha-Vater und Bruder hätte, könnte ich die Legionen von Schuld und Frust übersehen, die von ihm in Wellen kommen. Alphas können es nicht ertragen, nicht zu handeln, keine Antwort zu haben oder ihre Hände gebunden zu haben. Wenn man bedenkt, wie sein Schwanz in aufrechter Position festgefroren ist, ist die wahrscheinlichste Handlung, in meine warme, feuchte Muschi zu stoßen. Nicht, dass ich total gegen die Idee bin. Flüssigkeit rinnt zwischen meinen Oberschenkeln hinab, während ich darum kämpfe, meinen Verstand zu behalten.

„Wie lange bist du schon Alpha?", frage ich.

Er reibt sich den Nacken. „De facto – seit dem Tod meines Vaters, als ich sechzehn war. Aber *el consejo* hatte mich ermutigt, zu gehen, meine Internatsausbildung fortzusetzen und dann die Universität in den Vereinigten Staaten zu besuchen. Und dann weiter zu studieren. Ich bin erst im Herbst zurückgekehrt." Es liegt eine Schwere in seinen Worten. Ich spüre das Gewicht von mehr Schuld oder einer anderen Last, als er die Wand gegenüber anstarrt.

„Du wolltest nicht zurückkehren."

„Nein." Er begegnet meinen Augen auf eine neue Art und Weise, als ob sich die Wolke der Lust erhoben hat und er mich tatsächlich sieht, Sedona, nicht meinen nackten Körper, der ihm auf einem Teller angeboten wird. „Das habe ich noch nie zuvor zugegeben. Sogar nicht mal vor mir selbst."

„Wie lange warst du weg?"

„Sieben Jahre. Lange genug, um zu verstehen, dass, wenn wir diesen archaischen Ort nicht verändern, dieses Rudel aussterben wird."

Ich erschaudere. Ich bin die Lösung, die sein Rat vorbereitet hat, um das Rudel zu retten. Es gibt eine gewisse Pflicht, auf die ich als Tochter eines Alphas vorbereitet wurde. Teil eines Zuchtprogramms zu sein, war kein Teil davon. Mein Vater ist von der alten Schule, aber das hier ist im Vergleich uralt.

Er sitzt am Rand des Bettes neben meiner Taille und untersucht die Schlösser an meinen Fesseln. Meine Handgelenke müssen so wund aussehen, wie sie sich anfühlen, denn er reibt meine Haut an den Rändern der Fesseln und knurrt. „Sag mir, wie du hier gelandet bist, Sedona."

Der dominante Ton lässt mich erzittern. Es spielt keine Rolle, dass er versucht, ein Gentleman zu sein. Mein Körper reagiert auf ihn. „Es sind meine Frühlingssemesterferien – oder waren es. Ich war in San Carlos mit meinen Freunden und ein Wandler näherte sich mir am Strand. Ein anderer kam hinter mich und stach mir eine Nadel in den Hals, um mich zu betäuben. Sie steckten mich in einen Käfig und flogen mich in eine Stadt, wo ich die Nacht in einem Lagerhaus verbrachte. Dann fuhren sie mich her."

Carlos knurrt während meiner ganzen Geschichte, während sein Daumen auf der Innenseite meines Handgelenks Wunder vollbringt und leichte Kreise auf meiner empfindlichen Haut zieht. Ich hatte nie bemerkt, dass eine Berührung am Handgelenk so sexy sein kann. Meine Muschi pocht auf eine Weise, die schwer zu ignorieren ist. Die seltsame Hitze überflutet wieder mein System.

„Menschenhändler", sagt er, als ich fertig bin. „Aus Mexiko-Stadt. Ich hatte ein Gerücht gehört, dass Wandler Wölfe in meinem Land verkaufen, aber ich glaubte es nicht. Die Geschichten erzählen von einem Dämon namens Harvester, der Wandler kauft, ihr Blut trinkt und ihre Organe stiehlt."

Ich erschaudere.

„Wenn wir hier rauskommen, töte ich jeden der Menschenhändler, die dich berührt haben. Du hast mein Wort."

Ich schlucke und nicke. „Danke."

Er streift seine Lippen über meinen Puls. „Sag mir, wo gehst du zur Uni und was studierst du, Sedona?"

Ich lecke meine Lippen, um sie zu benetzen, und sein Blick springt zu meinem Mund. Schicksal, ich werde vielleicht gerade rot. Ich hatte mein ganzes Leben Aufmerksamkeit von Männern und hatte nie diese Reaktion. Ich verlagere meine Hüften, um das Kitzeln zwischen ihnen zu lindern, und antworte: „Ich gehe auf die Universität von Arizona in Tucson. Ich mache einen Abschluss in kaufmännischer Kunst."

Er neigt den Kopf zur Seite, als hätte ich das faszinierendste auf Erden gesagt. „Eine Künstlerin. *Claro que si.*"

„Was bedeutet das?"

Er lächelt und lenkt seine Aufmerksamkeit auf mein anderes Handgelenk. „*Ja, natürlich.* Ich hätte wissen sollen, dass eine Wölfin so schön wie du nur noch mehr Schönheit in die Welt bringen würde."

Ich rolle meine Augen.

„Welche Art von Kunst praktizierst du?"

Ich knabbere an meiner Lippe. „Im Moment stehe ich wirklich auf Aquarelle mit schwarzen Umrissen."

„Wie Landschaften?"

Ich weiß nicht, warum es mir peinlich ist zu sagen, was ich gezeichnet habe. Ich sage es trotzdem. „Feen."

Er neigt seinen Kopf und mustert mich. Ich warte darauf, dass er spottet, aber stattdessen fragt er: „Warum Feen?"

„Ähm." Ich laufe rot an. Niemand hat mich jemals so viel über meine Kunst gefragt. Nicht mal meine Eltern. „Als ich klein war, hatte ich ein Kindermädchen. Nun, eine ältere Wölfin, die manchmal am Nachmittag auf mich aufgepasst hat. Sie hat mir immer gesagt, wenn ich ein Mittagsschläfchen mache, wenn sie es wollte, würden gute Feen kommen und mein Leben mit Magie füllen. Ich, ähm, erinnere mich an den Versuch, sie zu zeichnen." Ich beeile mich, meine lahme Geschichte zu beenden, aber er unterbricht mich nicht oder sieht gelangweilt aus. „Später, als sie krank wurde, machte ich ihre kleinen Karten verziert mit Feen. Irgendwie bin ich nie aus dieser Phase gekommen."

„Ich würde sehr gerne deine Feen sehen, Sedona."

Sein intensiver Blick lässt mein Herz flattern. Ich schaue weg. „Ich zeige sie niemandem wirklich", murmele ich.

„Warum nicht?"

„Meine Professoren würden es für dumm halten. Meine Eltern denken, dass Kunst nur eine Phase ist, die ich durchmache. Etwas Süßes für mich, mit dem ich meine Zeit verbringen kann, bis ich verpaart bin. Es ist, als hätten sie mich da für den Ehefrauen-Uniabschluss 1950 hingeschickt."

Carlos gluckst. „Sie sollten stolz auf dich sein und dich deiner Kunst überlassen."

„Ja. Mein Vater und mein Bruder wollen mich nur beschützen. Der Rest ist nicht so wichtig."

„Aber nur du kannst dein Leben leben. Du solltest frei sein, deine eigenen Entscheidungen zu treffen."

Ich pruste. „Ich war nie frei. Sie sind … dominant." Ich erinnere mich gerade noch rechtzeitig, nicht zu erwähnen, dass Vater und Garrett beide Alphas sind. „Entscheiden dominante Wölfe nicht gerne für andere?"

„Ein Alpha sollte ein Anführer sein, ja." Carlos nickt. Er hat ertappt, was ich nicht sagen wollte, und ich sollte besorgt sein, aber alles, was ich denken kann, ist: *schlauer Wolf.* „Er sollte das Wohl des Rudels überwachen, die Schwachen beschützen und sie in Sicherheit halten. Aber er sollte auch wissen, was seine Mitglieder interessiert, was sie ausmacht. Das ist wahre Führung."

Ich schlucke hart. Das ist gefährliches Territorium. Zumindest scheint Carlos nicht zu denken, dass alle Frauen an Betten gefesselt werden sollten, damit ein Alpha-Arschloch sie schändet und schwängert. Oder er tut es und macht nur auf gut, um mich zu manipulieren. Ich bin mir noch nicht sicher.

„Was ist mit dir?" Ich lenke das Gespräch um. „Wo bist du zur Uni gegangen?"

„Stanford für meinen Bachelorabschluss, Harvard für meinen MBA."

Wow. Okay, er *ist* ein kluger Wolf. Kein Wunder, dass er nicht zurück zu seinem Rudel wollte. Ein Funke von Wut in seinem Namen entzündet sich in meiner Brust. Er sollte seine eigene Zukunft wählen können, nicht an dieses verrückte Rudel gefesselt sein.

Aber ein drängenderer und noch verstörender Gedanke drängt sich in den Vordergrund meines Verstandes. „Carlos? Ich muss pinkeln."

~.~

CARLOS

MEIN WOLF LIEBT DIE ART, wie Sedona mich ansieht und ihr Problem preisgibt, als wäre ich der Typ, der es beheben kann.

Und dann bin ich wütend. Es gibt eine Toilette im Zimmer, aber meine Frau ist *an ein Bett gekettet*. Ja, ich habe sie *meine Frau* genannt. Ich weiß, ich kann sie nicht behalten, aber in diesem Moment steht sie unter meinem Schutz. Sie ist nackt und verletzlich und – *mein*. Mein Wolf schnappt bei dieser Behauptung seine Zähne zusammen. *Platz, Junge.*

Ich stampfe zur Tür und klopfe wieder dagegen. „Gib mir die Schlüssel zu ihren Handschellen. Jetzt."

Ich höre leise Stimmen hinter der Tür murmeln, dann macht Don José ein Angebot: „Die Schlüssel für die Kleidung."

Verdammte Scheiße.

Wut lässt die Sehnen in meinem Hals hervortreten, aber ich bin machtlos zu handeln. Ich zermalme meine Zähne und wende mich an Sedona. „Sie sagen, sie werden die Schlüssel gegen die Fetzen unserer Kleidung tauschen."

Ihre Nasenlöcher beben, ihr Unterkiefer richtet sich stur hoch. „Richtig. Weil sie auf ein Schäferstündchen hoffen. Wie sexy wird es sein, wenn ich das Bett nässe?"

Ich kann das Lachen, das aufsteigt, nicht zurückhalten. Es überrascht mich – ich kann mich ehrlich nicht erinnern, wann ich das letzte Mal so gelacht habe. Es ist Jahre her. Wahrscheinlich noch, bevor mein Vater starb.

Sedonas Lippen verziehen sich zu einer schiefen Grimasse und ich verliere mich in dem Hellblau ihrer Augen. Und weil ich meine Frau sich nicht erniedrigen lasse, indem sie das Bett nässt, treffe ich die Entscheidung für sie. Ich marschiere rüber und schnappe mein Hemd von ihrem Körper.

„Hey", protestiert sie, aber ihre Nippel versteifen sich.

„Deine Freiheit ist mir meine Unannehmlichkeit wert", sage ich ihr und lasse meine Boxershorts auf den Boden fallen.

„*Deine* Unannehmlichkeit?" Unglauben drängt sich in ihren Ton.

„Ja, *muñeca*. Ich bin derjenige, der gegen meine Instinkte kämpfen muss."

Sie errötet wie eine Unschuldige und ich frage mich, wie viel sexuelle Erfahrung sie hat. Sie ist erwachsen, aber noch jung.

Es spielt keine Rolle. Sie sollte nicht mit einem Wolf wie mir eingesperrt sein.

Ich sammle die anderen Reste überall im Raum auf und gebe der Liefertür einen scharfen Tritt. Das Türchen gleitet zurück und ich stopfe die Gegenstände durch. Juanitos Hand erscheint mit dem Schlüssel. Sein Handgelenk ist immer noch mit roten Abdrücken von meinen Fingern markiert und Schuld durchdringt mich.

Von allen Wandlern in der Hacienda ist Juanito der, den ich nie verletzen möchte. Juanito und meine Mutter, möge das Schicksal sie beschützen.

Ich wollte Juanito bitten, mir den Schlüssel zu ihren Handschellen zu geben, als er das Wasser ablieferte – ich weiß, dass der Junge alles tun würde, was ich frage –, aber ich konnte ihn nicht in diese Position bringen. Er würde bestenfalls eine schreckliche Tracht Prügel bekommen. Im schlimmsten Fall würde *el consejo* ihre Rache an seiner Mutter nehmen und sie hatte bereits genug Kummer in diesem Leben gehabt, nachdem sie ihren Mann in den Minen verlor und ihr ältester Sohn verschwand.

Wenn ich einen Weg finden könnte, mit ihm alleine zu kommunizieren, kann er mir vielleicht den Schlüssel zur Tür besorgen und ich komme rechtzeitig raus, um ihn und seine Mutter zu beschützen. Schicksal, wie gerne ich ihn von diesem dunklen Ort fortbringen würde.

Ich nehme den Schlüssel und Juanitos andere Hand

erscheint mit einer reifen Mango, noch mit Schale. Ich rolle meine Augen. Wirklich? Es ist, als würden sie Ratschläge aus einem schlechten Dating-Buch nehmen. *Eine Mango zu essen kann sinnlich und anregend im Vorspiel sein. Den Saft von der Haut deines Liebhabers zu lecken oder sie am Kern saugen zu lassen.*

Ich nehme die Frucht. Meine Wölfin hat vielleicht Hunger. Ich stoße meine Faust wieder mit Juanito zusammen, schreite zurück zum Bett und öffne Sedonas Handschellen. Sie stöhnt, als sie ihre Arme nach unten zieht und sie ausschüttelt. Als ich ihre Knöchel befreit habe, helfe ich ihr zu sitzen und reibe ihre Arme, um die Durchblutung zu fördern.

„Was ist *moon-yeca?*", fragt sie.

Ich lächle. „Püppchen."

„Oh." Ihre Wangen röten sich wieder und sie springt auf ihre Füße. „Umdrehen. Ich brauche Privatsphäre."

„Sie gehört dir, Püppchen." Ich stehe auf und gehe auf die andere Seite des Raumes, wende meinen Rücken zur Toilette und beiße in die Schale der Mango, um ein Stück abzureißen.

Die Toilette spült und ich drehe mich um. Sedona gießt ein wenig Wasser aus der Karaffe über ihre Hände, um sie zu waschen. Mein Schwanz wird hart bei diesem neuen Blick auf sie. Sie ist eine Göttin. Lange Beine, Brüste, eine perfekte Handvoll, ihr kupferfarbenes braunes Haar fällt in Wellen über ihren schlanken Rücken.

Und dieser Arsch …

In weniger als einer Minute könnte ich Sedona auf Händen und Knien haben, ihre Arschbacken gespreizt für mich, während ich eine Handvoll ihrer seidigen Haare greife und in sie hämmere. Sie ist heiß darauf. Ich könnte sie dazu bringen, es zu wollen. Es wäre nicht mal eine Vergewaltigung …

Ich schüttle meinen Kopf und schlucke das Knurren herunter, aber nicht bevor sie mich erwischt.

Sie dreht sich um und zieht ihre Brauen hoch. „Was?" Dann fällt ihr Blick auf meinen erigierten und wippenden Schwanz und sie weiß, was Sache ist.

Ich weiß nicht, was ich erwartet hatte, ein weiteres Erröten oder Irritation. Vielleicht eine Abwehrhaltung. Stattdessen befeuchtet mein amerikanisches Püppchen ihre Lippen mit ihrer Zunge.

Ich stöhne. „Tu das nicht, *muñeca*. Nicht, wenn du nicht herausfinden willst, wie es ist, Gesicht nach unten auf die Matratze geworfen und gefickt zu werden, bis du schreist."

Ihre Augen weiten sich und ich weiß, ich bin zu weit gegangen. Vielleicht wollte ich sie verärgern, damit sie eine Art Schutzschild errichtet, um mich fernzuhalten. Weil das Schicksal weiß, dass meine Kontrolle am Bröckeln ist.

Ich stehe in Richtung Wand, damit sie meinen Schwanz nicht sehen muss, während ich mit solch eklatanter und vulgärer Respektlosigkeit spreche.

Und dann trifft es mich – der Duft ihrer Erregung. So rein, so unbestreitbar, dass meine Sicht tunnelt.

Scheiße. Mein Wolf will sie markieren. Ich habe noch nicht mal das Weibchen geküsst und er ist bereit, sich fürs Leben zu binden.

Meine Fingernägel verwandeln sich zu Krallen. Ich vergrabe sie in der Wand, ziehe sie nach unten und genieße den Schmerz. Weniger als eine Stunde und meine Kontrolle ist gefährlich nahe am Zerbrechen. Ich weiß wirklich nicht, wie ich die Nacht überleben werde.

„Geht es dir gut?" Ihre sanfte Stimme tut meinem Körper böse Dinge an.

„Gut", sage ich mit einem erwürgten Lachen. „Ganz prima."

„Du scheinst nicht in Ordnung zu sein."

„Nur … Gib mir einfach einen Moment." Ich drücke meine Stirn gegen die Wand. Der Rat ist klüger, als ich es ihnen zugetraut hatte. Mich mit einem Weibchen in Hitze einzusperren – es ist zu viel.

„Bist … bist du mondverrückt?", fragt sie.

„Nein." *Noch nicht.* Ich stütze eine Hand auf die Wand. Ich sterbe, um meinen Schwanz zu streicheln, mir genau hier einen runterholen, um sie nicht zu markieren. Ich würde es tun, aber ich bezweifle, dass es hilft. „Was weißt du über die Mondkrankheit, Sedona?"

„Ich weiß, dass dominante Wölfe es bekommen, wenn ihr Wolf sich verpaaren muss und sie ihm das verweigern."

„Nicht nur verpaaren. *Markieren.* Fürs Leben."

„Hast du es jemals gehabt?"

„Nein, wenn ich es hätte, … würde ich eine Gefährtin nehmen. Aber nicht so", beeile ich mich weiter zu erklären. „Ich würde sie umwerben. Ihr den Hof machen. Sie hätte die Wahl. Natürlich."

„Dein Rat hat nicht die gleiche Haltung über die Rechte von Wölfinnen."

„Nein", atme ich aus, dankbar, dass sie mich nicht mit ihnen in eine Schublade steckt. „Das haben sie nicht. Sie haben mich gedrängt, eine Gefährtin zu nehmen. Aber ich bin noch nicht bereit."

„Vögelst du dich immer noch durch die Weltgeschichte?" Ihr Ton hat ein scharfes Trällern, das mich dazu bringt, mich umzudrehen. Ich klammere mich fest, als ihre Schönheit auf mich trifft wie eine Backpfeife.

„Eifersüchtig?", versuche ich zu scherzen. Meine Stimme kommt gewürgt heraus.

Sie beißt sich auf die Lippe.

„*Madre de Dios*", murmele ich. „Tu das nicht."

Ihre lieblichen Augen weiten sich. „Was tue ich?"

„Nichts." Ich will sie nicht erschrecken. Es ist nicht ihre Schuld, dass sie perfekt ist. „Ich bin kein Aufreißer, egal was du über Latino-Liebhaber gehört hast. Ich hatte noch nie eine Wölfin, nur menschliche Frauen."

„Ich war auch noch nie mit einem Wolf zusammen."

Meine Faust ballt sich bei dem Gedanken an einen anderen Mann – Wolf oder Mann –, der sie berührt hat. Ich drücke meinen Körper gegen die Wand und vergrabe meine Nägel in meinen Handflächen, bis das Brennen mich meine Zähne knirschen lässt.

„Du hast Schmerzen." Die Sorge in ihrer Stimme umschließt mich.

Und sie wurde entführt, betäubt und in einem Raum eingesperrt, um gegen ihren Willen in einem schwindelhaften Zuchtprogramm zu dienen. Ich verdiene ihr Mitgefühl nicht.

„Schau, Carlos. Keiner von uns will in dieser Situation sein, aber …"

Ich rolle mit meinen Augen. Sie knabbert wieder an

ihrer Lippe. Freche Wölfin. Ich würde sie dafür bestrafen, dass sie mich neckt, wenn sie mein wäre.

„Vielleicht kann ich etwas tun, um dir zu helfen–" Sie senkt ihre Augen in Richtung meines Schwanzes und läuft rot an. Ich unterdrücke ein Lachen. Wenn ich gewusst hätte, dass eine so verführerische Unschuldige existierte, hätte ich die Welt durchforscht, um sie zu finden.

„Ich meine", fährt Sedona fort, „wir sind offensichtlich zueinander hingezogen–"

Das Rauschen in meinen Ohren ist das Geräusch von all dem Blut in meinem Körper, das zu meinem Schwanz eilt. Es ist so laut, dass ich fast ihren nächsten Kommentar überhöre: „Wir könnten, ich weiß ja nicht, vielleicht miteinander rummachen." Sie zuckt mit den Schultern und schluckt. „Es muss nichts weiter bedeuten außer für heute Nacht."

Ich bin auf der anderen Seite des Raums, bevor ich bemerke, dass meine Kontrolle zerbrochen ist. Sedona zieht sich zurück, ihr Gesicht ist weiß vom Wolf in meinen Augen. Ich gehe auf sie zu, bis ihr Rücken gegen die Wand drückt, platziere dann meine Hände neben ihrem Kopf und umgebe sie. Ich lehne mich nah heran, vorsichtig, sie nicht zu berühren, aber es nützt nichts. Ihr süßer Duft lässt mich schwindlig werden.

„Ist das, was du mit deinen kleinen Menschen gemacht hast? Mit ihnen rumgemacht?" Meine Stimme kommt als ein Knurren heraus.

„Nein", haucht sie. Ihre Pupillen sind wie durch-gebrannt.

Ich wirbele eine Locke ihrer Haare um meinen Zeige-finger. „Nein? Bist du dir sicher, *ángel*? Weil ich jeden

Jungen, der dich je berührt hat, ernsthaft in den Arsch treten will." Ich bin viel zu weit gegangen, aber ich kann die Konkurrenzaggression, die jetzt unter der Oberfläche brennt, nicht unterdrücken.

Sie drückt auf meine Brust und als ich mich nicht bewege, versucht sie sich unter meinen Arm zu ducken.

Ja, ich bin definitiv zu weit gegangen.

„Warte." Ich fange sie und ziehe sie zurück. „Es tut mir leid. Ich weiß, ich bin ein Arschloch."

„Ja. Das bist du."

Ich drehe sie um, halte sie gegen mich, bis sie aufhört zu kämpfen. Ihr Duft umhüllt mich und ich weiß, dass sie wirklich ein Engel ist. Ich bin im Himmel. Meine Lippen nuscheln in ihr Ohr. „Ich versuche es. Du siehst, wie schwierig das hier für mich ist …" Ich reibe meinen Schwanz an ihrem nackten Hintern.

Ihr Atem kommt in Stößen. „Ich weiß. Ich kann dir damit helfen."

„Danke, Sedona." Obwohl es mir weh tut, lasse ich sie frei. „Aber ich glaube nicht, dass das eine gute Idee ist."

Sie versteckt ihre verletzte Verwirrung in ihrem Gesicht. „Was auch immer." Sie geht zum Bett und setzt sich hin, Arme über ihre Brust gekreuzt.

„Du kannst nicht ernsthaft denken, dass ich dich nicht will." Mein gottverdammter Schwanz wippt vor mir, als würde er in Zustimmung nicken.

Sie zuckt mit den Schultern.

„Nein, ich meine, für mich gibt es kein Rummachen. Nicht mit dir. Weil ich nicht mit nur einer Nacht zufrieden wäre."

Sie schüttelt ihren Kopf, murmelt etwas über Männer und ihre übertriebene Meinung über ihre eigene Ausdauer.

„Eine Nacht wäre nicht genug, weil ich mehr von dir will. Nicht Sex. Nicht Rummachen. *Dich.*" Ich atme tief ein und sage ihr die Wahrheit. „Wenn mein Wolf bereit wäre, eine Gefährtin zu wählen, würde ich eine Wölfin wie dich wählen."

„Was?"

„Gütig. Intelligent. Gebildet."

Ein Lächeln umspielt ihre Lippen. „Du hast super heiß vergessen."

„*Muñeca*, das habe ich nicht vergessen."

Sie lacht und ihre Brüste hüpfen leicht. Mein Schwanz ist so hart, dass ich Schmerzen habe. Aber ich würde alles geben, um sie wieder lachen zu sehen.

Ich sitze neben ihr und lasse Raum zwischen uns. Mein Herz hört auf zu rasen, als ich ihren Duft inhaliere. Mein Wolf scheint zufrieden mit meiner Frau zu sein. Vielleicht kann ich das hier tun.

Ich stoße ihre Schulter gegen meine. „Ich habe meine Meinung geändert. Lass uns rummachen."

„Mach dich nicht über mich lustig."

„Mach ich nicht. Das würde ich nie tun." Ich suche nach einem Friedensangebot und erinnere mich an die Mango. „Bist du hungrig?" Als ich die Frucht hole, reiße ich ein Stück ab. Sie greift danach und ich schüttle meinen Kopf. *Du willst spielen, Püppchen? Mal sehen, wie du mit diesem Spiel umgehen kannst.*

Ich bringe die Mango zu ihren Lippen. Sie hält noch einen Moment an der Starre in ihrem Körper fest und lehnt sich dann nach vorn, um in das reife gelbe Fleisch zu beißen. Wie erwartet läuft der Fruchtsaft an ihrem Kinn und Hals herunter und läuft in klebrigen Flüssen zu ihren Brüsten. „Oh mein Gott", ruft sie mit vollem Mund aus, ihre Hände fliegen hoch, um den Saft aufzufangen. Sie kaut und stöhnt. „Das ist so lecker. Mangos sind nie so gut in den Vereinigten Staaten."

„Sie ist frisch. Wir haben ein Wäldchen innerhalb der Hacienda-Mauern mit allen Arten von Obstbäumen – Mandel, Avocado, Zitrone, Limette, Aapote, Papaya."

„Mmm." Sie lehnt sich nach vorne und nimmt einen weiteren Bissen. „Das ist ein Grund, warum ich schon immer reisen wollte. Das Essen."

„Du bist nie verreist?" Ich schäle einen neuen Abschnitt und lächle wie ein Depp, während sie mich sie füttern lässt.

Sie leckt ihre Lippen und meine Sicht verdunkelt sich. Das Einzige, was mich davon abhält, sie zu beanspruchen, ist meine Zufriedenheit, sie beim Essen zu beobachten. Mein Wolf ist zufrieden, fürs Erste.

„Ich wollte immer raus, die Welt sehen. Meine Eltern lassen mich nicht. Sie sind sehr beschützend."

„Aus gutem Grund", sage ich leise und füttere sie mit einem weiteren Bissen.

„Ich dachte, nach einer Stadt in Arizona benannt zu werden, wäre ein Fluch. Als würde ich nie von dort gehen dürfen. Natürlich endete meine eine Reise mit mir hier–" Sie wedelt mit einer Hand in der Zelle rum.

„Du wirst hier sicher rauskommen, Sedona. Du bekommst deine Chance zu reisen. Du hast mein Wort."

„Danke." Sie schluckt und erzwingt ein Lächeln. „Bis dahin werde ich nur so tun, als stecke ich in einem zweitklassigen Resort fest mit einem unglücklichen Kerker-Thema. Natürlich ist der Essens-Service hier sehr übergriffig." Sie wackelt mit den Augenbrauen. Ein Witz. Sie steckt in diesem Höllenloch mit mir fest und sie macht einen Witz. Sie ist ... *unglaublich.*

Ich kann mich nicht davon abhalten, mich runterzulehnen und die Seite ihres Mundes zu küssen. Ich ziehe mich sofort zurück, aber ihr Geschmack verweilt auf meinen Lippen mit ein bisschen Mangosüße. „Vergib mir, ich ... Du hattest da etwas." Ich gestikuliere auf ihr Gesicht.

„Wie gesagt", grinst sie. „Sehr übergriffig."

Ich finde keine passenden Worte mehr und so hebe ich die Mango wieder. Sie isst, als wäre sie am Verhungern, und verschlingt das zarte Fruchtfleisch. Ich arbeite schnell an der Schale, lasse sie zu unseren Füßen fallen und drehe die klebrige Frucht herum, bis das ganze orange Fruchtfleisch aufgegessen ist. „Sorry. Ich habe dir nichts übriggelassen."

„Mir geht es gut, *muñeca.* Willst du den Kern?" Ich sterbe innerlich, als ich ihn ihr anbiete. Sie gewinnt dieses Spiel, ohne es auch nur zu versuchen. Ich werde die Folter nicht überleben, wenn ich zusehe, wie sie am Kern lutscht, und dennoch *muss* jede Zelle in meinem Körper das ansehen.

Sie hebt ihre Augenbrauen. „Was macht man damit?"

Da. Es ist alles vorbei. Ich muss es ihr zeigen. Ich schiebe den Kern zwischen ihre Lippen, ficke ihren Mund damit.

Ihre Augen weiten sich, die Zähne klemmen sich zusammen und kratzen das restliche Fruchtfleisch vom

Kern. Ich ziehe den Kern raus, damit sie schlucken kann, und sie klingt atemlos.

Schicksal, nimm mich jetzt.

Ihre hübsche rosa Zunge streckt sich aus ihrem Mund, um etwas Saft von ihren Lippen zu lecken. „Glaube nicht, dass ich nicht weiß, was du da tust."

„Was mache ich denn?" Meine Stimme ist purer Kies.

„Du machst Liebe mit mir mit der Mango."

Ich stoße den Kern wieder zwischen ihre Lippen. „Nein, Schönheit. *Das* war nicht Liebe machen mit einer Mango." Ich ziehe den Kern zurück und ziehe ihn ihren Hals und zwischen ihren Brüsten runter. Ich folge mit meinem Mund und lecke der süßen Saftspur nach, die ich hinterlassen habe. „*Das* ist Liebe mit einer Mango machen."

Ich ziehe sie den ganzen Weg über ihren Bauch runter, drehe den Kern flach nach oben und reibe zwischen ihren Beinen.

Sie schreit auf und versucht, ihre Schenkel zu schließen, aber ich mache ein scharfes missbilligendes Geräusch und sie verstummt.

Schicksal, ich mache das hier wirklich.

Sie wimmert und schaukelt ihr Becken dagegen, um gegen die Frucht zu reiben. Wir keuchen beide, während ich sie hin und her über ihren Schlitz reibe, ihre Säfte vermischen sich mit der von der Mango. Das Geräusch ist glitschig – wie Sex. Ich ziehe den Mangokern weg und bringe ihn mit einem leichten Schlag zurück und versohle ihre Muschi. Ihre Augen weiten sich und sie gibt ein bedürftiges Stöhnen von sich.

„Soll ich mein Chaos da unten wieder sauber machen,

Baby?" Ich verhaue sie wieder mit dem Mangokern. Unsere Augen sind verschlossen und ich hoffe, sie wird sehen, dass ich den Wolf streng genug an der Leine habe, um das hier für sie zu tun. Mein Schwanz könnte wahrlich abbrechen, so hart ist er, aber sie befriedigen zu müssen ist ein Treibstoff wie kein anderer.

Ihr Kopf wackelt in einem Nicken.

Dem Schicksal sei Dank.

Ich falle auf meine Knie neben dem Bett und hebe eines ihrer Beine und stütze es auf meine Schulter. Mit einer flachen Zunge schlecke ich den Mangosaft auf und verputze ihn, bis ich zu ihrer natürlichen Essenz komme, jener Geschmack, der mein Blut zum Summen bringt.

Hier gehöre ich hin.

Es ist als, ob sich mein ganzes Leben, das wie ein riesige, lebendige Existenzkrise war, zwischen ihren Beinen auflöst. Meine Frau zu befriedigen ist das Einzige, was auf der Welt zählt. Es ist mir scheißegal wegen der Ältesten, weder stört es mich, dass sie das hier wollten, noch dass sie es so geplant hatten. Sie beobachten es wahrscheinlich vom Fenster aus. Ich lebe nur für diese Lustschreie, die aus Sedonas Kehle kommen, wie ihre Finger an meinen Haaren reißen und mich vorantreiben. Ich mache meine Zunge steif und dringe in sie ein, dann bewege ich mich zu ihrem süßen kleinen Kitzler. Ich lutsche daran, flicke ihn, wirbele mit meiner Zunge darum. „Magst du das, Schönheit?"

„Nein", stöhnt sie und zieht meinen Mund zurück an ihre Klitoris. Ich lächle gegen ihr Fleisch und kehre zu meiner auserwählten Pflicht zurück.

Als ich ihre Dringlichkeit spüre, gebe ich ihr mehr und

schraube einen Finger in ihre Muschi. Sie ist so eng –
unglaublich eng – und sie stöhnt bei jedem Ausatmen, als
würde sie gleich kommen. Ich ziehe meine Finger hoch,
um ihre Vorderwand zu erreichen, ertaste sie, bis ich den
Ort, wo das Gewebe hart wird, finde, wenn ich es berühre.
Ihr G-Punkt.

Sie schreit und reibt ihre Muschi über mein Gesicht,
während ihre Muskeln meine Finger festklemmen in einer
einzigartigen glorreichen Erlösung.

Wie um das Ende der Show hervorzuheben, gehen die
Lichter in der Zelle abrupt aus.

edona

ALS WÄRE mir vom Orgasmus nicht schwindelig genug, haben diese Wichser das Licht ausgemacht. Es wäre stockfinster für einen Menschen. Wandler können im Dunkeln sehen, also bin ich nicht ganz blind.

Sie müssen entschieden haben, dass es unsere offizielle Schlafenszeit ist. Ich klammere mich an Carlos' Kopf, weil ich etwas Echtes und Solides brauche, um mich zu stabilisieren.

Carlos murmelt einen Fluch und legt mein Bein von seiner Schulter ab. Er fährt meine Oberschenkel mit seinen Handflächen hoch, bis er meine Taille erreicht. „Okay, *ángel*?"

„Ja." Ich klinge atemlos. Nun ja, ein Orgasmus kann einem das antun.

Seine Handfläche gleitet leicht über meine Gesäßkurve, dann drückt er zu. „In Ordnung", räuspert er sich. „Ich sollte dich schlafen lassen. Ich werde den Boden nehmen."

Er steht auf und mein Magen dreht sich bei dem Verlust seiner Wärme. „Ich habe nichts dagegen zu teilen."

„Oh *muñeca.* Ich würde töten, um ein Bett mit dir zu teilen, aber es würde damit enden, dass ich deine süße Pussy nageln würde, bis das Licht wieder an ist. Also nein, ich werde den Boden nehmen."

Himmel Herrgott, er weiß, wie man schmutzig redet. Seine Worte jagen über meine Haut dahin und hinterlassen überall Spuren von Hitze. Der Raum dreht sich immer noch vom besten Cunnilingus meines Lebens.

Kein Wunder, dass er beleidigt war, als ich vorschlug, dass wir rummachen. Ein Mann wie Carlos gibt alles, was er im Bett hat, und nimmt alles im Gegenzug. Er ist ein totaler Alpha. Dominant. Fordernd. Ich hatte keine Ahnung, dass sowas mich anmacht, aber das tut es.

Obwohl er sagte, er würde den Boden nehmen, steht er immer noch neben dem Bett und starrt mich mit dem Blick eines verhungernden Mannes an. Seine Erektion ist riesig und lang und wölbt sich zu seinen Waschbrettbauchmuskeln.

Ich lecke meine Lippen, der Geschmack von Mango noch immer süß auf ihnen. „V-vielleicht solltest du den Druck nehmen. Du weißt schon, mit deiner Hand."

Carlos atmet hörbar aus. Als ob er auf Erlaubnis gewartet hätte, streichelt er sofort seinen Schwanz. „Lehne dich zurück, Püppchen. Zeig mir, was ich nicht haben werde."

Er muss einen Hauch von Masochismus haben entlang mit dieser dominanten Prahlerei.

Aber wie kann ich ihm dies verweigern? Er hat mir gerade den besten Orgasmus meines Lebens gegeben. Ich lege mich auf das Bett zurück und umschließe meine eigenen Brüste.

Er knurrt und beginnt seinen dicken Schwanz zu pumpen. „Wirst du mich dich mit meinem Sperma bemalen lassen, *muñeca*?"

„Ja", flüstere ich, bevor ich überhaupt weiß, wie ich antworten soll.

„Süße Wölfin", murmelt er.

Ich greife mit meinen Fingern zwischen meine Beine und streichle meine Muschi.

Carlos' Knurren erfüllt den Raum. Ermutigt krieche ich hoch, setze mich auf meine Fersen und öffne meinen Mund. Carlos schlägt den Kopf seines Schwanzes gegen meine Zunge, als er sich selbst berührt. „*Carajo*, Sedona. Diese Zunge ist meine Folter."

Ich wickle meine Hände um seine Faust und ziehe seinen Schwanz in meinen Mund, schließe meine Lippen um seinen Umfang und streichele die Unterseite mit meiner Zunge.

„Oh Schicksal", stöhnt er. Ich sauge härter und wippe mit meinem Kopf nach vorne und zurück über seine Länge. „Baby, ja. So süß." Er verkrallt seine Finger in meinen Haaren und schließt sie dann, stoppt meinen Kopf mit einem sanften Ziehen.

„So ein gutes Mädchen", haucht er, als er langsam seinen Schwanz in meinen Mund drückt. Ich versteife mich, da ich weiß, dass ich seine ganze Länge nicht nehmen kann. Er hält auf halbem Weg inne und zieht raus, dann wiederholt er die Aktion. „Mmm, so gut." Seine Stimme ist tief und rau. „Ich kann nicht glauben, dass du mir deinen sexy Mund angeboten hast. Ich wollte ihn küssen, seit ich dich gesehen habe, Sedona. Jetzt ficke ich ihn."

Meine Muschi krampft sich zusammen. Ich will, dass er mich fickt, aber ich weiß, dass es eine schlechte Idee ist. Ich wirbele meine Zunge um seinen Schwanz und sauge lange.

„Genug", bellt er. Er klingt wütend und seine Brauen sind fest hochgezogen. Er zieht meinen Mund weg, indem er meine Haare benutzt, und schiebt mich auf meinen Rücken. „Berühre dich selbst."

Kein Streit hier. Meine Muschi stirbt schon für Runde zwei. Ich umschließe meinen Venushügel, drücke den Ballen meiner Hand gegen meine Klitoris und schließe meine Finger über den Rest.

Carlos brüllt und Sperma schießt aus seinem Schwanz in Strömen raus, bedeckt meine Brüste, meinen Bauch, meine Oberschenkel. Er bemalt mich damit, als ob es ihm Freude macht, meine Haut mit seinem Samen geschmückt zu sehen. Ich wölbe mich auf dem Bett, meine Brüste drücken sich Richtung Decke, meine Knie fallen weit auseinander. Er schiebt meine Hand aus dem Weg und schlägt meine Muschi mit kurzen, scharfen Klapsen direkt über meiner Klitoris. Ich kann nicht verstehen, woher er weiß, dass mich so etwas befriedigen würde, aber das tut es. Es ist genau die richtige Intensität, die richtige Geschwindigkeit, das richtige Gefühl. Lichter blitzen vor meinen Augen, als ich in einem zweiten Orgasmus explodiere und mich in Ekstase und vor Qual auf dem Bett wälze.

„Sedona."

Schicksal, ich liebe die Art, wie er meinen Namen sagt.

Er fällt auf mich herab, hält meine Handgelenke zusammen, genau so, wie ich es mir vorgestellt hatte, und vergräbt sein Gesicht in meinem Nacken. „Wunderschöne Wölfin. Was soll ich nur mit dir machen?" Er beißt mir in die Schulter, saugt an meinen Ohrläppchen.

Behalte mich für immer.

Aber das ist lächerlich. Nur weil ein Wolf mir einen guten Orgasmus gibt, heißt das nicht, dass er mein Gefährte ist.

Nein, er kann einfach nicht anders, denn wir sind nackt in einer Zelle über Vollmond eingesperrt. Und Gott weiß, wenn wir hier rauskommen, will ich ihn sowieso nie wiedersehen.

Ja, das ist eine Lüge, aber ich will meine Gefühle über das Thema hier nicht untersuchen. Jedenfalls jetzt nicht.

Ich schließe meine Augen und atme Carlos' Duft ein. Es ist wie im Freien – waldig und sauber. Und lecker.

Carlos lässt meine Handgelenke los und legt sich neben mich auf das Bett. Ich rolle in ihn hinein, akzeptiere seinen Arm als mein Kissen. Meine Nase reibt sich an der glatten Haut seiner Brust. Meine Wölfin entspannt sich. Ihrer Meinung nach bin ich bei ihm völlig sicher.

Ich weiß nicht, wie wir von der beschissenen Kidnapping-Situation hierhergekommen sind, aber ich werde es genießen, solange ich kann.

~.~

CARLOS

SEDONA SCHLÄFT in meinen Armen ein und ich kann mich nicht ausruhen. Ihr Duft ist in meinen Nasenlöchern, ihre nackte Haut berührt meine. Ich bin in wenigen Minuten wieder hart. Ich schließe meine Augen und lenke mich ab, indem ich über die Ältesten grüble. Ich bin blind für die Probleme, die ich gesehen habe, seit ich diesen Monat nach Monte Lobo zurückgekehrt bin. Die Dinge schienen schlecht, aber ich wollte nicht das Schlimmste über den Rat denken. Diese Männer waren Vorbilder für mich, als mein Vater starb. Sie unterstützten meine Ausbildung, ermutigten mich, meine Flügel auszubreiten. Oder so dachte ich zumindest.

Damals war ich dankbar, dass ich gehen konnte. Meine Mutter war am Verrücktwerden nach dem Tod meines Vaters und ich war zu jung, um die Rolle des Alphas zu übernehmen. Die Ältesten kümmerten sich um sie und ich war erleichtert, sie nicht Tag für Tag leiden zu sehen.

Jetzt sehe ich, dass sie mich aus dem Weg gebracht hatten. Ich wusste nicht, wie machtverrückt und beschissen sie waren, bis sie diese Nummer hier abgezogen hatten.

Als ich vor drei Wochen nach Hause kam, um meinen Platz als Alpha einzunehmen, hatte ich Ideen vorgestellt, an denen ich gearbeitet hatte, während ich meinen MBA machte. In diesem Rudel agiert der Alpha nicht allein, er muss zuerst *el consejos* Unterstützung holen. Das war schon immer so.

Die Ältesten verwarfen die meisten meiner Vorschläge. Sie hatten eine Million Gründe, warum jede meiner Änderungen nicht funktionieren würde. Sie drängten mich dazu, wieder raus in die Welt zu gehen und eine Gefährtin zu holen. Sie wie gewohnt sich um das Geschäft kümmern lassen. Wie sie es seit Jahren getan hatten.

Ich war frustriert, aber ich dachte, ich bräuchte nur etwas mehr Zeit, um mich als Alpha zu beweisen. Ich sagte mir, sie seien vernünftige und intelligente Männer, die das Beste für das Rudel wollten. Aber ich ignorierte mein Bauchgefühl, das mir sagte, *el consejo* hatte ihre Sicht von Macht trüben lassen.

Diese Nummer hier beweist es. Eine entführte amerikanische Frau kaufen und sie als Gefangene behalten? Sind sie wahnsinnig? Sie hat eine Familie, die sicherlich Rache wollen wird, und dieses Rudel ist schlecht auf Krieg vorbereitet.

Und jetzt weiß ich, was sie von mir als ihren Anführer halten. Ich bin nichts anderes als ein viriler junger Hengst, der die Montelobo-Blutlinie neu bevölkern soll. Eine Marionette oder Galionsfigur für die Bauern zum Folgen, während sie Entscheidungen treffen, von denen nur sie profitieren.

Ich war ein gottverdammter Narr. Ich blieb blind für diese Situation, weil ich es vorzog, es nicht zu sehen. Genau wie ich es vorzog, nicht zurückzukehren. Seit dem Tod meines Vaters und der psychischen Erkrankung meiner Mutter war die Atmosphäre auf der Hacienda bedrückend geworden, aber ich wählte, nicht herauszufinden, warum, und es nicht zu reparieren. Ich habe meinem Rudel gegenüber versagt und jetzt ist Sedona mitten in einem schrecklichen Machtspiel gefangen.

Sedona seufzt und reibt ihre Nase an meinen Brusthaaren. Mein Schwanz streckt sich noch länger.

Vielleicht sollte ich mir wieder einen runterholen. Oh Schicksal, jetzt kommt mir das Bild in den Sinn, wie meine Essenz über ihre wunderschönen Brüste verrieben ist, und alles ist vorbei. Bevor ich es weiß, ist Sedona unter mir gefangen, mein Schwanz drückt in der Kerbe zwischen ihren Beinen. Ihre Muschi wird feucht an meinem dicken Schwanz, ihr Arsch drückt gegen meine Lenden, weich und einladend.

„Was zum–?"

Der Drang, in ihre enge Muschi einzudringen und meinen Wolf zu befriedigen, ist so groß, dass ich kaum mit ihm diskutieren kann. *Runter. Runter von ihr. Sofort.*

Ich werfe mich zur Seite und keuche, als wäre ich eine Meile gerannt. „Fessele mich", raspele ich. „Leg mir die Handschellen an, Püppchen, sonst überlebt deine Unschuld die Nacht nicht." Ich strecke meinen Arm aus und sperre mein Handgelenk in die Fesseln, dann reiche ich in die Richtung der anderen zweiten Fessel. „Mach es", zische ich.

Ihre Hände zittern, als sie die Handschellen einrasten lässt, was mich fast umbringt.

„Es tut mir leid. Tut mir so leid, Sedona. Ich wollte es nicht tun." *Madre de Dios*, ich hätte fast das Mädchen beansprucht.

„Es ist okay." Ihre Stimme ist zittrig. Sie ist auf den Knien, ihr herrliches Haar fällt über ihre Brüste. Sie starrt mich an. „Warum denkst du, dass ich unschuldig bin?"

„Du sagtest, du warst nie mit einem Wolf zusammen."

„Ich bin nicht prüde. Und ich hasse das Wort *unschuldig.*"

Ich strecke meine Handflächen aus, wo sie gefesselt sind. „Sorry." Ich kann mich nicht entscheiden, ob das nur das Alpha-Weibchen ist, das keine Schwäche zugeben will, oder ob sie wirklich Jungfrau ist.

Sie schnippt mit ihrem Finger gegen mein Ohr. „Ich habe nicht viel Erfahrung. Das heißt aber nicht, dass ich Sex nicht mag."

Oh Schicksal. Musste sie das sagen? Ich will plötzlich alles herausfinden, was sie daran mag. Aber alles, was ich ihr in dieser Zelle antue, wäre wie Vergewaltigung. Sie ist hier gegen ihren Willen. Dank dem Schicksal, dass ich gefesselt bin und sie vor mir sicher ist.

Sedona befeuchtet ihre Lippen mit ihrer Zunge und meine Hüften bäumen sich auf als Antwort. Sie erwischt mich bei der Bewegung, aber anstatt sich zu erschrecken, bringt es sie zum Lächeln. „Hmm, ich dachte, wir haben uns darum gekümmert." Sie greift die Basis meines Schwanzes und gibt ihm ein Rütteln.

Ich stöhne. „Setz dich auf mein Gesicht", flehe ich. Ich muss sie wieder befriedigen, ihren Nektar schmecken.

„Ich weiß ja nicht", sagt sie mit neckender Stimme. „Ich bin nicht sicher, ob du diese Muschi verdient hast, nachdem du versucht hast, mich anzugreifen."

Oh Schicksal. Wenn sie jetzt dominant spielt, werde ich ihren Hintern rot versohlen, wenn ich aus diesen Handschellen herauskomme.

Und *dieser* Gedanke tut nichts, um meinen pochenden Schwanz zu erleichtern. Wie ich es lieben würde, wenn diese Wölfin über meinem Schoß liegen würde, während ich ihr ein wenig schmerzhaftes Vergnügen liefere. Eine Korrektur für die Führung, die mir doch sonst zusteht.

„Baby, du solltest diese Muschi besser nicht vor mir verstecken. Ich muss sie schmecken. Jetzt, *muñeca.*"

Sedonas Lippen ziehen sich hoch und ihre Augenlider senken sich. Sie kriecht auf mich und besteigt mein Gesicht. „Diese Muschi?"

Ich flicke ihre Klitoris mit meiner Zunge. „Diese Muschi." Es ist eine Qual, meine Hände nicht benutzen zu können, denn ich will ihren üppigen Arsch ergreifen und ihre Hüften im perfekten Winkel nach unten ziehen, aber ich muss mich mit dem Winkel meines Kopfes begnügen. Ich habe sie für einen Moment meiner Barmherzigkeit ausgeliefert, aber sie zieht ihre Hüften hoch und tanzt weg, wenn es zu intensiv wird. Sie kann das Tempo vorgeben, was mich wahnsinnig macht.

„Bring diese Muschi wieder über mir runter", knurre ich und füge dunkle Autorität in meine Stimme hinzu.

Ihre Erregung überflutet ihre Mitte, als sie gehorcht, und ich lecke alles auf, necke ihren Eingang mit meiner Zunge und wirbele über ihren Kitzler.

Sie greift meinen Schwanz wieder an und ich erschaudere, komme fast von dem Gefühl. „Ich denke, ich sollte mich revanchieren."

„Nein, Schönheit. Das hier ist für dich."

Sie ignoriert mich und lehnt sich nach unten und legt ihren Mund über meinen Schwanz.

Ich schreie und flicke mit meiner Zunge über ihre

Klitoris, als ob mein Leben davon abhängt. Sie schiebt ihren heißen nassen Mund nach unten, runter und weiter runter, verlangsamt, als die das Ende ihrer Kehle erreicht, und macht dann weiter.

„*Carajo ... carajo. Muñeca,* sag mir, dass du deine menschlichen Jungs nie tief in deine Kehle genommen hast."

„Gefällt dir das?", schnurrt sie, hebt aber ihre Hüften von meinem Mund und kriecht von mir weg.

„Was machst du da? Komm zurück", verlange ich.

Sie setzt sich zwischen meine Beine und lächelt. „Ich bin mir nicht sicher, ob du hier Befehle erteilen kannst, *Señor.*"

Ich zerre an den Ketten, die meine Handgelenke halten, und sie lacht. „Sedona, es gibt Konsequenzen für Wölfinnen, die mich necken."

Ihr Lächeln wird breiter. „Oh ja?" Sie lässt ihren Kopf fallen, um meinen Schwanz wieder zwischen ihre Lippen zu nehmen, und ich schließe meine Augen, das Gefühl zu angenehm, um zu widerstehen. Sie setzt ihr Necken fort, übt ihre Deep-Throat-Fähigkeiten in ihrem eigenen Tempo aus, zieht manchmal weg und würgt, aber dann geht es weiter.

Meine Eckzähne verlängern sich, mein Wolf ist bereit, sie zu markieren. Ich schließe meinen Mund und wende mein Gesicht weg, will nicht, dass sie es sieht und Angst kriegt. Nicht, dass meine Sedona Angst vor vielem hat. Angesichts der Tatsache, dass sie vor Tagen entführt und seitdem gefangen gehalten wird, ist ihre Widerstandsfähigkeit atemberaubend. Ein Knurren hallt in meinem Hals und ich kann mich nicht davon abhalten, mit meinen Hüften hoch zu zucken und in ihren Mund zu stoßen.

„Oh nein." Sie zieht sich ganz zurück und bläst auf meinen nassen Schwanz. „Wer ist hier der Chef?"

Ich schmeiße meinen Kopf von Seite zu Seite. Sollte ich versuchen zu sprechen, würde es als Fauchen herauskommen.

„Brauchst du etwas Zeit zum Abkühlen?"

„Nein", beiße ich durch geballte Zähne hervor.

Sie lacht und genießt mein Elend und legt ihren Mund wieder über meinen Schwanz. Der Kontrast der kühlen Luft und jetzt ihrer feuchten Hitze schickt mich in einen Krampf der Lust. Ich buckle und stoße ohne Kontrolle in ihren Mund, während Sperma aus meinem Schaft schießt.

„Ich komme", warne ich und sie springt weg und biegt meinen Schwanz so, dass meine Essenz zum zweiten Mal heute ihre schönen Brüste bemalt.

Sie benutzt meinen Schwanz, um alles über sie zu schmieren, drückt ihn dann zwischen ihre Brüste und lässt mich sie ein paar Mal ficken, bevor sie meinen Schwanz mit einem selbstzufriedenen Grinsen freigibt.

„*Ángel*, dafür werde ich dich bestrafen", knurre ich.

Sie grinst. „Du gehst davon aus, dass ich dich aus diesen Handschellen freilasse."

Ich schließe meine Augen vor Verzweiflung, aber ein Lächeln umspielt meine Lippen. Die Leichtigkeit in meiner Brust – in meinem Wesen – habe ich so noch nie erlebt. Mein ganzes Leben war Finsternis. Sogar meine Zeit weg von diesem Ort war eine Zeit für ernsthafte Studie, Hingabe, harte Arbeit und Leistung. Und ich trug immer die Last von Montelobo. Aber jetzt, in diesem

Moment, mit Sedonas neckischem Lächeln, schwöre ich, ich könnte vom Bett schweben.

Aber sie gehört mir nicht und wenn ich ihrer würdig sein will, muss ich herausfinden, wie ich sie befreien kann, bevor sie mit mir in den Abgrund gezogen wird.

~.~

ÄLTESTENRAT

ES IST SCHON SPÄT, aber ich stehe mit den vier anderen Mitgliedern unseres Rates vor der Gefängniszellentür. Keiner von uns wird heute Nacht schlafen. Wenn Carlos die amerikanische Wölfin nicht unter dem Einfluss des Vollmondes beansprucht, wird ihre Zusammenkunft viel schwieriger zu gewährleisten sein.

Sie sind sich nah, so verspielt, aber wir hatten nicht damit gerechnet, dass er die Fesseln an sich selbst benutzt.

„Vielleicht sollten wir das Licht wieder einschalten, damit sie nicht schlafen", rät José. Er hatte befohlen, diese vor einer Stunde auszuschalten, weil er dachte, es würde sie von jeglicher Repression befreien. Während sie an sind, scheint die Wölfin unerfahren zu sein. Sie scheint es jetzt jedoch nicht zu sein.

„Essen", schlage ich vor. „Lasst uns Essen reinschicken. Und Wein." Vielleicht wird Carlos darum bitten, dass seine Fesseln zum Essen entfernt werden. Ein Teller wurde bereits in Erwartung vorbereitet, dass Carlos mehr zu essen verlangen würde, also gehe ich ihn holen. „Juanito, schiebe das durch die Serviertür."

Der Junge fügt sich. Ich gieße Wein in eine Plastikkaraffe. Wir würden etwas Romantischeres benutzen, aber wir können nicht riskieren, dass sie irgendetwas als Waffe gegeneinander verwenden oder uns, also ist leichtes Plastik das Beste, was wir tun können.

Die Wölfin nähert sich, um alles zu untersuchen. Sie ist spektakulär. Gemessen an der Art und Weise, wie unsere kleine Gruppe älterer Männer sich um die Tür versammelt, bin ich nicht der Einzige, der seine Libido wiederfindet, wenn wir mit einem solchen Symbol der Wandler-Fruchtbarkeit konfrontiert sind. Sie ist wirklich ein Hauptgewinn. Wenn ich nicht so alt wäre, würde ich sie als mein eigen markieren. Auch gegen jedes Ratsmitglied kämpfen, um dies zu tun. Das ist, was mich besorgt. Wenn sie Carlos zu sehr inspiriert, wenn wir ihn freilassen, wird er Blut sehen wollen.

~.~

SEDONA

ICH HABE NOCH NIE die ganze Notgeilheit während des Vollmondes verstanden, aber jetzt bin ich total angemacht. Ich dachte, nur männliche Wandler wären betroffen. Und ja, Carlos hat es definitiv schwer, seinen Wolf in Schach zu halten. Ich kann es in seinen Augen leuchten sehen. Das tiefe Schokoladenbraun flackert mit bernsteinfarbenen Lichtern.

„Ist dein Wolf ganz schwarz?" Ich konnte es vorher nicht genau erkennen, denn er raste zu schnell durch den Raum.

„Ja. Komm her", murmelt Carlos und wickelt seine Beine um meine Taille und zieht mich zu seinem Körper hinunter.

Ich tanze von ihm weg und rutsche mit einem Kichern von seiner Beinumklammerung fort. Ojemine, ich will spielen. Meine Wölfin kommt raus, ich muss laufen und gejagt werden, zu Boden gedrückt und festgehalten werden, wenn ich beansprucht werde.

Carlos knurrt vor Missbilligung. „Komm hier rüber." Ich liebe seinen herrischen Ton. Es ist reines Alpha-Kommando. Bei meinem Vater oder Bruder ist es nur nervig. Bei ihm ist es ultra-sexy.

Ich schlittere näher und lecke eine Linie hoch über seine Bauchmuskeln.

Ein Grollen der Frustration klingt in seiner Kehle. „Welche Farbe hat deine Wölfin, Sedona?"

„Weiß."

„*Claro que si.*"

Ich rolle meine Augen. „Warum *natürlich?* "

„Du bist wirklich ein Engel. Weiß und rein. Nicht wie ich. Solche Leichtigkeit gehört nicht zur Dunkelheit."

„Carlos …" Ich spüre das Gewicht von all dessen, was auf seinen Schultern sitzt, und noch einmal werde ich wütend für ihn. Ich lasse meine Nägel über seine wohlgeformte Brust gleiten. „Du musst nicht die Dunkelheit sein."

„Nein?" Dort ist Zweifel in seinem Wort. „Ich bin mir nicht sicher, ob ich jemals etwas anderes kannte."

Ich kneife eine seiner Brustwarzen und er knurrt. „Nun, du bist ein kluger Wolf. Ich bin mir sicher, du könntest dazulernen."

Sein Lächeln ist traurig, aber sein Blick ist warm, als wäre ich ein Kind, das gerade etwas Süßes, aber unmöglich Naives gesagt hat, wie meinen Kaugummi den hungernden Kindern in Afrika zu geben oder so.

„Was? Warum nicht?", bohre ich weiter.

„Ich wünschte, du könntest es mir zeigen", sagt er wehmütig, als ob er wüsste, dass er mich nicht behalten kann.

Für einen Moment kann ich nicht atmen – seine Worte erwürgen mich. Er hat recht – ich werde nicht hierbleiben. Seine Probleme sind nicht meine. Außer, dass es einen scharfen Splitter von Panik gibt, der von meinem Bauchnabel zu meinem Solarplexus reicht, der sagt, dass ich diesen Wolf nicht verlassen will.

„Du brauchst mich nicht." Ich zwinge die Worte vorbei am Kloß in meinem Hals. „Du hast einen MBA von Harvard. Ich wette, du hast allerlei mögliche Ideen, wie du diesen Ort modernisieren kannst." Meine Worte klingen hohl, weil ich weiß, dass Licht und Dunkelheit so viel mehr sind als nur Modernisierung. Es ist die Seele des Ortes, der mentale Zustand des Eigentümers. Etwas lässt Carlos glauben, dass er nichts ändern kann. „Ich sag dir was. Du holst mich hier raus und … ich werde dir schreiben." Ein weiteres verrücktes Zwicken erscheint in meinem Bauch bei dem Gedanken, getrennt von ihn zu sein.

„Schickst du mir deine Feen, Sedona?"

„Ja. Versprich nur, dass du sie niemandem zeigen wirst."

„Es wird mein Geheimnis sein, obwohl ich sicher bin, dass ich jedem, den ich treffe, dein Talent zeigen will."

Meine Wangen werden rot. Er weiß, wie man mich bezaubert.

„Wenn ich deine Bitte erfülle, musst du mir etwas versprechen–"

Ein kratzendes Geräusch an der Tür lässt meinen Kopf hochschnellen. Eine Plastikplatte mit Lebensmitteln erscheint durch das kleine Servicefenster an der Basis der Tür, zusammen mit einer neuen Plastikkaraffe. Gefängnisrationen. Carlos benutzt die Ketten an seinen Handgelenken, um sich zum Sitzen zu bringen, seine Brauen sind zusammengezogen.

Ich stehe auf und trotte rüber, um die Dinge zu holen. Die Karaffe enthält Rotwein. Die Platte hat eine Reihe von zugeschnittenen Früchten, Crackern, Käse und Schokolade. Es gibt sogar eine pürierte Avocado mit Pistazien und einem weißen krümeligen Käse. Plötzlich hungrig tauche ich einen Cracker hinein und beiße ab.

„Abendessen ist serviert." Ich gehe zurück, Essen und Wein in der Hand. „Siehst du? Die Bewirtung hier ist gar nicht so schlecht."

Er murmelt etwas auf Spanisch.

„Sieht so aus, als könnte ich dich dieses Mal füttern." Während ich ihm den Wein anbiete, rutsche ich näher zu ihm auf das Bett.

„Äh, nee. *Nein.* Befreie mich jetzt."

Es ist urkomisch, wie felsenfest Carlos in seiner Moralvorstellung ist. Er kann es ertragen, dass ich ihm einen Blowjob gebe, aber anscheinend ist ihn füttern eine Nummer zu viel.

„Tut mir leid, Carlos." Meine Brustwarzen verhärten sich, als ich einen Cracker mit Avocado an seine Lippen halte. Es ist irgendwie heiß, einem Alphawolf etwas splitterfasernackt zu servieren.

Er nimmt einen Bissen, seine dunkelbraunen Augen sind auf mein Gesicht gerichtet. „Ich sollte dich füttern", klagt er, obwohl seine steinharte Erektion beweist, dass das auch für ihn heiß ist.

Ich rolle meine Augen. „Du bist so altmodisch."

Er hebt eine Braue an. „Schau, wo ich aufgewachsen bin."

Ich stecke noch einen Bissen des Crackers mit Dip in seinen Mund, beobachte seine vollen Lippen, wie er kaut.

Ich knie mich neben ihn und liebe die Art und Weise, wie seine Augen über meine Brüste streifen, den Hunger, den ich dort sehe. „Erzähl mir über diesen Ort. Wie ist es hier denn so? Wie bist du Alpha geworden?"

Ein dunkler Schatten überkommt sein Gesicht. „Es ist … schrecklich", gibt er zu. „Völlig isoliert von der modernen Welt. Nicht arm, aber zurückgeblieben. Wir haben Gold- und Silberminen, was ein Grund ist, warum die Vorfahren isoliert waren – um sie geheim zu halten –, aber die Techniken des Bergbaus sind alt und gefährlich. Der Großteil des Rudels überlebt von Subsistenzlandwirtschaft und niedrigen Löhnen aus der Mine. Wir haben auch Grundstücke mit Zuckerrohr, ein wenig Kaffee und

Kakao. Alle Gewinne gehen an meine Familie und den Rat, die in dieser *Gran Hacienda* leben."

„Das Rudel wird vom Rat angeführt, nicht dir?"

„Ja, genau so. Ich weiß nicht, wie es dazu kam, aber es gab immer einen Rat, der endgültige Entscheidungen für das Rudel trifft. Der Alpha ist eher eine Galionsfigur."

„Nun, ich denke, dein Rat ist scheiße."

„Wahrlich." Seine Stimme ist dunkel. Ich füttere ihn mit einer Scheibe oranger sternförmiger Frucht.

„Warum bist du zurückgekommen?" Ich glaube, ich weiß es. Er ist ein natürlicher Alpha, was bedeutet, dass er sich der Verantwortung nicht entziehen würde, besonders für die Schwachen, die von ihm abhängig sein könnten. Aber ich will hören, was er sagt.

„Weißt du", lacht er humorlos, „wenn meine Mutter nicht gewesen wäre, hätte ich es vielleicht nicht getan. Und manchmal bin ich mir nicht einmal sicher, ob sie weiß, dass ich hier bin."

Ich warte auf die Geschichte.

„Sie leidet an Demenz. Das tut sie seit dem Tod meines Vaters. Die arme Frau gehört nicht hierher. Sie wurde meinem Vater von einem Rudel an der Küste geschenkt und obwohl sie meinen Vater liebte, mochte sie es nie in Monte Lobo."

„Als *Geschenk gegeben*?"

Carlos nickt.

„Wie in ‚gezwungen zu heiraten' wie eine mittelalterliche Prinzessin? Was ist das hier, das dunkle Mittelalter?" Und ich dachte, die Rendezvous-Regeln meines Vaters wären altmodisch.

„Es könnte es genauso gut sein. Monte Lobo ist eine

Festung gegen die Zeit sowie die Menschen. Die meisten Mitglieder des Rudels leben als Leibeigene."

„Lass mich raten. Der Rat macht es so." Ich streiche mit meiner Hand durch meine Haare. „Dieser Ort ist am Arsch. Kein Wunder, dass diese Arschlöcher denken, sie können mich einfach vom Strand entführen und mich ihrem Alpha präsentieren."

Carlos zuckt zusammen. „Ich weiß, es klingt barbarisch für dich." Sein Ausdruck wird grübelnd. „Ich würde einer Frau nie ein Leben aufzwingen, das sie hasst."

Ich kann nicht sagen, ob er darüber redet, was sein Vater getan hat, oder mir ein Versprechen macht, aber ein Schauer läuft über meine Haut.

Ich nehme einen tiefen Schluck aus dem Becher mit Wein. Ich bin kein großer Trinker, aber mein Bruder betreibt einen Nachtclub. Der Wein ist teuer. Köstlich. Er erwärmt meinen ganzen Körper. Ich schlucke mehr und bringe ihn an Carlos' Lippen.

„Was wolltest du, das ich dir verspreche?"

Er nimmt einen Schluck und ein Tropfen läuft ihm das Kinn herunter.

Ich lecke ihn ab und lache, als sein Schwanz als Antwort zuckt. „Im Austausch für meine Feen", erinnere ich ihn, meine Stimme reine Verführung.

„Ich möchte nicht, dass dieses Ereignis dich traumatisiert. Du bist eine außergewöhnliche Wölfin. Du hast viel vom Leben zu genießen und viel zu geben."

„Danke."

„Versprich mir, dass, wenn du frei bist, du dich nicht fürchten wirst. Du wirst immer noch deine Entscheidungen treffen. Reisen, wie du wolltest. Vergiss diese Zeit. Vergiss mich."

„Ich verspreche, ich werde ohne Angst leben", flüstere ich. „Aber ich kann nie vergessen." Nicht diese Zeit. Nicht ihn. Tief unten weiß ich, dass es wahr ist. Ich kenne ihn nur wenige Stunden, aber irgendwie ist er ein Teil von mir.

„Komm her." Er hebt sein Kinn, blickt auf meine Lippen.

Ich weiß, er will einen Kuss, aber ich kann der Versuchung nicht widerstehen, zuerst mich auf seinen Schoß zu setzen und dann meine Lippen über ihn zu neigen.

Er knurrt, zieht meine Unterlippe in seinen Mund, nimmt die Kontrolle zurück, selbst mit gefesselten Handgelenken. Er schmeckt nach Wein und Obst. Sein Gesichtshaar reibt an meinem Gesicht, während er seinen Kopf neigt und mich mit seinem Kuss beherrscht, seine Zunge zwischen meine Lippen taucht.

Mein Atem wird schneller, flüssige Hitze sammelt sich zwischen meinen Beinen. Ich stöhne und reibe meine Klitoris über seinen erigierten Schwanz. Seine Zunge verbindet sich mit meiner. Ich frage mich, ob dies die Art von Kuss ist, die er auf Rendezvous gibt, und ich bin sofort wütend auf jedes Mädchen, mit dem er Sex hatte. Als ob eine von ihnen jetzt hier wäre und darauf wartet, ihn mir wegzunehmen, schlinge ich einen Arm um seinen Hals und beanspruche seinen Mund zurück, drücke meine Brüste gegen seine muskulöse Brust.

Nichts hat sich jemals so richtig in meinem Leben angefühlt. Wäre es das Schlimmste auf der Welt, Sex mit ihm zu haben? Er ist ein Alpha-Wolf, ein großartiger Liebhaber. Für ein erstes Mal wird es wahrscheinlich nicht besser als das hier. Und er hat keine Illusion, mich zu behalten. Er hat sich nur verabschiedet, des Schicksals willen.

Der Wein versprüht seine Magie zusammen mit Carlos' Zunge, die rein und raus meinem Mund rutscht im gleichen Rhythmus, wie ich über seinen Schwanz reibe.

Ein williges Geräusch verlässt meinen Mund. Ich will ihn. Meine Wölfin will ihn.

Ich schaue auf seinen aufrechten Schwanz zwischen uns. Ich verlagere mich zurück und packe ihn und Carlos unterbricht den Kuss. Ich beobachte, wie er mit seinem Wolf kämpft, seine Augen wechseln von Schokoladenbraun zu Bernstein und zurück zu Braun.

„Tu es nicht", knurrt er.

Ich erstarre. Ich hatte Ermutigung erwartet. Er hat mir gerade gesagt, ich soll meine eigenen Entscheidungen treffen. Ich positioniere seinen Schwanz an meinem Eingang und reibe mit dem Kopf über meine Säfte.

Seine Augen weiten sich, fast in Panik. „*Sedona.*"

„Was?"

„Was machst du da *ángel?*"

Ich stoße meine Hüfte nach vorn und nehme zwei Zentimeter seiner Eichel in meinem Kanal auf. Er ist riesig und ich bin eng, also gibt es eine kurze Dehnung.

Carlos reißt an den Fesseln, als wolle er mich aufhalten.

„Bitte", wimmere ich. „Ich brauche das hier."

„Sedona, du bringst mich um."

Ich ziehe mich zurück und sitze auf meinen Fersen. Sein riesiger Schwanz wippt vor mir und lädt mich ein, ihn zu berühren. Ich wickle meine Hand darum und er stöhnt.

„Ich will dich." Ich schaue ihm in die Augen, als ich es ihm sage. „Ich will es."

„Du weißt nicht, was du tust." Schweißperlen stehen auf seiner Stirn, sein Atem ist schwer und mühsam.

„Das tue ich. Du hast es mir selbst gesagt. Es ist Zeit, dass ich mein eigenes Leben lebe. Meine eigenen Entscheidungen treffen. Ich wähle dich." Ich lehne mich zu ihm. „Das hier passiert."

Er schließt seine Augen.

Ich führe den Schlüssel zu den Handschellen. Ich habe vielleicht beschlossen, meine Jungfrauenkarte stanzen zu lassen, aber es wird wahrscheinlich eine viel bessere Erfahrung sein, wenn er frei ist, da er derjenige ist, der weiß, was er tut.

Ich fange an, ihn zu befreien, und seine Augen öffnen sich.

„*Nein*", brüllt er. Es liegt eine Dringlichkeit in seiner Stimme, die meine Wölfin aufsitzen und zuhören lässt. Ich habe eine biologische Antwort auf sein Alpha-Kommando. Meine Muschi schmilzt, mein Körper wird schwach vor Unterwerfung. Aber das macht nur, dass ich das hier noch mehr will. „Lass mich nicht frei. Du bist bei mir nicht sicher."

„Ich will nicht in Sicherheit sein", erinnere ich ihn. Ich necke ihn, bin aber in Wahrheit nicht so mutig. Nicht, wenn er die Alpha Nummer abzieht. Aber ich habe meine Entscheidung getroffen. Ich lasse nicht zu, dass irgendeine männliche Autorität mir meine Entscheidungen wegnimmt, so wie es mein ganzes Leben schon ist.

Ich befreie eines seiner Handgelenke. Sobald seine Hand freikommt, schnappt er sich meinen Nacken und reißt meinen Mund zu seinem. Seine Zunge taucht ein, bevor ich atmen kann. Er dominiert meinen Mund und bestraft mich mit einem harten, anspruchsvollen Kuss.

Aber als er sich zurückzieht, schüttelt er den Kopf, seine dunklen Augen leuchten bernsteinfarben an den Rändern. „Ich kann nicht", keucht er – „es … ist nicht sicher."

Aber meine Wölfin braucht das genauso wie er. Sie hat entschieden, dass sie ihn haben wird. Meine Finger zittern, als ich die zweite Fessel löse.

Carlos ist frei.

Er stürzt sich auf mich. In Sekundenschnelle liege ich flach auf dem Rücken, Knie bis zu meinen Schultern gespreizt. Carlos stürzt sich mit seinem Mund auf meine Muschi, hungrig, verschlingend. Er saugt und knabbert an meinen Schamlippen, legt seinen Mund direkt über meine Klitoris und saugt hart.

Ich schreie und bäume mich auf der Matratze hoch.

Schicksal, ja.

„Fuck, Sedona", knurrt er, lässt meinen Arsch in seiner großen Hand verschwinden, drückt meine Pobacken fest genug, um Spuren zu hinterlassen. Es befriedigt mich auf einer tieferen Ebene, seine Intensität erfüllt ein brennendes Bedürfnis in mir.

Er zieht seinen offenen Mund über meinen Bauch und hält mit seinen Lippen auf meiner Brustwarze an, beißt, bevor er hart daran saugt.

Ich bäume mich auf, meine Muschi zieht sich zusammen, während ich das Gefühl habe, als ob der Geist seiner Zunge immer noch dort verweilt. „Bitte", wimmere ich. Ich brauche kein Vorspiel. Eigentlich werde ich sterben, wenn er mich noch mehr erregt. Ich brauche Befriedigung. Keine Zunge. Keine Finger. Obwohl ich noch nie einen Schwanz hatte, schreien meine Instinkte auf diese Weise nach Vollendung. Ich weiß irgendwie, dass nichts anderes reichenwird, als die harte Länge von ihm zwischen meinen Beinen zu spüren.

Carlos lässt von meiner Brustwarze ab und elektrisiert mich bis in meine Zehen, indem er die gleiche Brust verhaut, die er gerade noch liebkost hat.

„*Oh.*" Ich wusste nicht einmal, dass das etwas ist, was man tut, aber ich liebe es. „Carlos, bitte. Ich bin bereit."

Er verhaut meine Brust erneut. Seine Brauen sind tiefgezogen; Leidenschaft, Hunger und reine animalische Natur brennen in seinen Augen. Wut auch, weil er immer noch hart daran arbeitet, seinen Wolf in Schach zu halten. „Du nimmst, was immer ich dir gebe, *muñeca*. Ich *sagte* dir doch, du solltest mich *nicht* befreien. In der Tat denke ich, ein wenig Strafe ist an der Reihe."

Warte ... Was? Ich ziehe mich schnell auf meine Ellbogen.

Er reißt mich in seine Arme, dreht sich um und setzt sich auf die Seite des Bettes, wo er mich über seinen Schoß legt. Seine Hand kracht dreimal runter, bevor ich mit meinem Arsch wackeln kann. „Das ist, weil du mich geneckt hast, *mi amor.*"

Oh, jetzt gehts aber los. Meine Wölfin will kämpfen, nur um seine Überlegenheit zu fühlen. Wenn wir in Tierform wären, würde er mich jetzt durch den Wald jagen und an meiner Flanke knabbern.

Er versohlt mich weiter. „Und das ist, weil du nicht auf mich hörst. Die Handschellen waren für *deine Sicherheit.*"

Oh mein Gott. Mein Arsch brennt, aber es fühlt sich so richtig an. Auch hier ist es genau die Intensität, nach der ich mich sehne. Ich brauche diesen Schmerz, brauche etwas, um den Druck, der sich in mir aufbaut, zu lindern.

Weil meine Wölfin das Spiel liebt, trete ich und versuche, mich von ihm zu werfen, aber er ist zu schnell und klemmt sein Bein über meins und hält meine Handgelenke hinter meinem Rücken zusammen. Ich liebe es, seine körperliche Kraft zu spüren, wie leicht er mich für seine Bestrafung hält. Er schlägt mir weiter auf meinen Arsch. Die Hitze, die seine Schläge erzeugen, sind wunderbar. Berauschend.

„Du überschätzt meine Kontrolle, *muñeca*. Du denkst, ich kann dir geben, was du willst, ohne dich zu zerreißen?"

Mich zu zerreißen klingt ein wenig beängstigend, aber ich habe immer noch Vertrauen in ihn. Er wird nicht die Kontrolle verlieren. Nicht, wenn es ihm so wichtig ist, mich zu beschützen.

„Schicksal. *Dieser Arsch.*" Ich schätze, das ist ein Kompliment. Der reiche Bariton in seiner Stimme hallt bis zu meinen weiblichen Körperteilen. Er schlägt eine meiner Pobacken und dann die andere. „Er ist wie *gemacht* fürs übers Knie legen."

Ich erschaudere, die Idee der echten Disziplin durch seine Hände lässt etwas Seltsames in meinem Bauch rumoren. Wölfe werden von Natur aus von physischer Dominanz beherrscht. Schnelle körperliche Bestrafung kommt innerhalb des Rudels vor und auch zwischen Partnern. Wölfe heilen schnell, also gibt es keinen bleibenden Schaden, kein übles Nachspiel. Es geht um Dominanz, es wird neu etabliert, wer oben ist. Ich hatte nie Angst davor, aber ich wusste nie, dass es so aufregend sein würde. Sexuell. Genüsslich. Oder vielleicht ist es nur so mit Carlos. Oder während des Vollmondes.

Aber nein, ich weiß, dass das Pochen zwischen meinen Oberschenkeln nichts mit dem Vollmond zu tun hat, sondern vor allem damit, von diesem sexy Wolf genommen zu werden, meinen Arsch rot durch seine großen mächtigen Hände versohlt zu bekommen.

Ich drücke meine Oberschenkel zusammen und versuche, das Drücken in meinem geschwollenen Geschlecht zu lindern. Carlos versohlt mich mit einem stetigen Klaps. Als der Schmerz beginnt, wackele ich meinen Hintern und winde mich auf seinem Schoß, versuche, den Klapsen auszuweichen. „Carlos", keuche ich. Mein Arsch kribbelt und brennt.

„*Sedona.*" Seine tiefe Stimme ist immer noch rau. Er trifft die Rückseite meines Oberschenkels, wo das Fleisch noch zarter ist.

„Oh!"

Seine Erektion drückt in meine Hüfte und quält mich mit ihrer Nähe, wie ich ihn zuvor gefoltert hatte.

„Bitte", flehe ich.

Seine schlagende Hand greift mein Haar und er zieht meinen Kopf hoch. „Denkst du, ich habe *jegliche* Kontrolle, wenn du mit diesem saftigen Arsch über meinen Schoß wackelst?"

„Mehr", keuche ich heiser.

Er knurrt, ein sattes Geräusch, das in seiner Brust rumpelt und meine Zehennägel zum Aufrollen bringt. Als er wieder beginnt mich zu versohlen, sind die Klapse noch härter, aber mein Fleisch, schon warm und kribblig, scheint die Schläge zu begrüßen. Ich winde mich immer noch unter dem Gefühl, meine alarmierten Instinkte versuchen, den Schmerz zu meiden, auch wenn meine Grundinstinkte es begrüßen.

„Carlos." Bedürfnis liegt in meiner Stimme.

„So ist es richtig, Schönheit. Sag meinen Namen." Er schlägt meinen anderen Oberschenkel und lässt mich aufschreien. „Sag es noch mal."

„Carlos!"

Er erhöht die Geschwindigkeit und Intensität seiner Klapse, sodass die Schläge kurz nacheinander kommen, sie stechen und lassen jeden Zentimeter meines Hinterns brennen.

„Aua, Carlos! Aua, bitte! Oh … oh!" Es ist zu viel und nicht genug auf einmal. Ich hebe meinen Hintern an, um seine Hand zu begrüßen, teile meine Schenkel. Feuchtigkeit tropft aus meiner willigen Muschi.

„Bitte was?" Er keucht so hart wie ich.

Ich trete mit meinen Füßen und reibe mich an seinem Schoß, wild nach etwas mehr, nach etwas weniger, nach allem.

Er hält inne, gibt mir dann einen weiteren harten Schlag und zieht mich auf seinen Schoß, mein Gesicht von ihm weg gerichtet. Er teilt seine Knie und zieht meine Beine breit, die über seinen gespreizt sind. „Willst du noch mehr, Sedona?" Sein Atem ist glühend heiß an meinem Ohr. „Du wirst diese Muschi versohlt bekommen." Er wickelt einen festen Arm um meine Taille und bringt seine Hand zwischen meine Beine.

„Ooh, ooh!" Ich quietsche, aber lasse meine Knie offen.

Er schlägt wieder zu. Mit seiner anderen Hand drückt er meine Brust und massiert sie hart. Nach dem dritten Schlag gegen meine tropfenden Falten schluchze ich förmlich vor Bedürfnis. Zum Glück bleiben seine Finger unten und ergreifen meinen Venushügel. Ich winde mich gegen sie. Er schraubt einen Finger hinein und ich greife seine Hand und dränge sie tiefer. „So nass für mich." Er stöhnt wie ein gebrochener Mann. „Unmöglich zu widerstehen."

Ich kämpfe, mein Bedürfnis macht mich ungeduldig. Der Kampf befriedigt jedoch alles. Es gelingt mir, mich aus seinem Griff zu winden, und er packt mich auf dem Bett, greift meine Handgelenke und hält sie mit einer Hand über meinem Kopf zusammen.

Er erhebt sich über mich. Dunkle Entschlossenheit ringt mit wildem Wolf in seinem Ausdruck.

Ich spreize meine Beine, hebe mein Becken für ihn hoch, während seine Hüften über meinen schweben. Er senkt seine Hand, um seinen Schwanz zu greifen, Schmerz auf seinem Gesicht, als ob er um die Kontrolle kämpft.

„Ja, *ja*, Carlos." Ich stöhne wie ein Pornostar und er ist noch nicht einmal eingedrungen.

Er reibt seinen Schwanz über meinen Schlitz und ich stöhne lauter.

Dieses samtweiche Fleisch über steinharten Muskeln ist genau das, was ich mein ganzes Leben vermisst habe. Finger sind ein schlechter Ersatz. „Besorg es mir."

In einem einzigen Stoß füllt er mich aus und ich schreie vor Schock. Sein Schwanz ist so viel größer als sein Finger. Ich spüre, wie der Kopf tief ins Innere dringt, während er meinen Eingang weit ausdehnt.

„*Sedona!*" Seine Augen fliegen weit auf, rasende

Atemzüge kommen von seiner an Ort und Stelle festgefrorenen Position. „*Ángel, nein.*"

Es ist anscheinend offensichtlich, dass ich Jungfrau war. Ich weiß auch nicht, warum ich es nicht früher zugeben wollte.

Sein Blick leuchtet jetzt als purer Bernstein, Schweiß tropft über seine Schläfen, aber irgendwie hält er sich davon ab, seine Hüften zu bewegen. Er ist ein gottverdammter Heiliger, weil er sich zurückhält. Ich mag darum gebettelt haben, aber ich kämpfe, um meinen Atem von dem Schmerz zu befreien, als er in mich rammte.

„Du hättest es mir sagen sollen", knurrt er durch zusammengebissene Zähne. „Du hast so viel Besseres verdient."

Er mag es bereuen, mein Erster gewesen zu sein, aber es tut mir nicht leid. Schon jetzt ist der scharfe Schmerz weg und das Gefühl, von ihm gefüllt zu sein, ist der reine Himmel. Meine Hüften bewegen sich wie von selbst. „Halt die Klappe." Ich stoße sie nach oben. „Besorg es mir, Carlos."

Carlos erschaudert, seine Augen wechseln zurück zu Braun – nein, Schwarz. Mit schmerzverzerrtem Gesicht konzentriert er sich und bewegt seine Hüften.

Es ist eine Mischung aus Schmerz und Lust für mich, dann geht der Schmerz zurück und Lust überschwemmt jede Zelle in meinem Körper. „Mehr." Ich wickle meine Beine um seine Taille und dränge ihn tiefer und schneller.

Carlos brüllt und knallt in mich, sein Tier ist komplett entfesselt. Seine Augen blitzen wie Bernstein, als er die Ketten an den Bettpfosten greift und mich immer wieder ausfüllt.

Ich werfe meine Hände an die Wand, damit mein Kopf nicht dagegen schlägt. Er zieht ihn raus und schüttelt seinen Kopf. Ich denke, er versucht zu sprechen, aber alles, was rauskommt, ist ein Knurren. Er erhebt sich auf die Knie und umfasst meinen Arsch, den er dann in die Luft hebt. Er hält mich in einem Winkel fest, zieht meine Hüften so heran, dass sie seinen Stößen begegnen. Er ist so tief in mir drin, ich schwöre, er wird mich zweiteilen.

Meine Augen rollen zurück in meinem Kopf, mein Mund steht offen für meine stetigen Schreie.

Carlos füllt den Raum mit Knurren, seine bernsteinfarbenen Augen leuchten wie Feuer im Kontrast zu der Dunkelheit seiner Haare und Haut. Ich frage mich, ob sich meine zu Eisblau gewandelt haben. Kurz bevor ich komme, zieht er ihn raus, dreht mich um und zieht meine Hüften hoch, sodass ich auf den Knien bin. Als ich auf meine Hände klettere, drückt er mich zwischen meinen Schulterblättern runter und zwingt meinen Oberkörper nach unten.

Oh. Anscheinend mag er dieses Winkelding.

Sobald er in mir ist, verstehe ich, warum. Schicksal, er kommt noch tiefer in dieser Position, aber es fühlt sich so richtig an. Er greift meine Hüften mit roher Kraft und pflügt in mich, seine Lenden klatschen hart gegen meinen noch immer brennenden Arsch. Sein Schwanz gleitet rein und raus in der perfekten Bahn. Seine Eier klatschen gegen meine Klitoris.

Es ist schwer vorstellbar, noch härter gefickt zu werden, aber es gibt keine Schmerzen, keine Beschwerden, keine Angst. Ich ertrinke vor Lust und nur Carlos weiß, wie man es mir gibt. Vielleicht verliere ich den Verstand, vielleicht falle ich in Ohnmacht, vielleicht war ich für einen Moment auf dem Weg zum Jupiter. Das Nächste, was ich weiß, ist Carlos' Knurren bei meinem Ohr. Ich komme, meine Muskeln melken seinen Schwanz und drücken und pulsieren immer wieder um ihn. Er zieht uns beide flach nach unten, mich auf meinen Bauch, seinen Körper bedeckt meinen.

Und dann beißt er mich.

~.~

CARLOS

SEDONA JAULT vor Schmerz und das bringt mich vom Abgrund zurück. Ich bemerke, dass meine Zähne in ihrer Schulter vergraben sind. *Mierda.*

Ich löse meine Reißzähne und lecke an ihrer Wunde, lecke das Blut auf, biete die heilenden Enzyme meines Speichels für ihre schnelle Genesung an. Es ist aber nicht die eigentliche Wunde, die das Problem ist. Es sind die Konsequenzen dessen, was ich getan habe.

Sie markiert zu haben.

Sie wird meinen Duft für den Rest ihres Lebens tragen. Darüber hinaus bin ich für immer mit ihr verbunden. So sehr ich die Ältesten bekämpfen wollte, um sie freizulassen, werde ich jetzt jeden töten, der versucht, sie mir wegzunehmen.

Scheiße.

„Es tut mir leid", raspele ich. Ich gleite mit meinem Schwanz aus ihrem glorreichen Kanal und rolle mich von ihr ab. Ich will sie in meine Arme nehmen, aber sie verlagert sich, ob aus Wut oder Schmerz, ich weiß es nicht. „Sedona."

Ihre Wölfin ist wunderschön, Schneeweiß mit silbernen spitzen Ohren und den blassesten blauen Augen. Groß, gesund. Schön. Sie läuft durch den Raum und bewegt sich steif, als hätte ich ihr an mehr Stellen Schmerzen verursacht als nur ihrer Schulter.

Doppelter Scheißdreck. Ich bin der König aller Arschlöcher dieses Kontinents.

„Es tut mir leid. Ich wollte dich nicht markieren, *ángel.*" Ich kann es nicht ertragen, wie sie so auf und ab schreitet – mein Bedürfnis, sie zu trösten, ist zu groß und es ist schwerer in Wolfsform. Ich stehe vom Bett auf und treffe sie in der Mitte des Raumes. Sie schwenkt den Kopf, um sich von mir abzuwenden. „Sedona, *wandele dich.*" Ich lege ordentlich Alpha-Einfluss in meine Stimme. Sie wird nicht in der Lage sein, sich mir zu widersetzen, obwohl es sie wütend machen wird.

Sie wandelt sich, erhebt sich aus ihrer knienden Position und Zorn blitzt in ihren Augen. Sie geht vorwärts und schlägt mir ins Gesicht.

Ich nehme es hin. Ich verdiene es. Ich verdiene viel Schlimmeres. Ich habe sie für immer an mich gebunden, nachdem ich versprochen hatte, ihr zu helfen, sie zu befreien. „Vergib mir. Bitte."

Tränen schwimmen in meinen Augen. „Was du getan hast, kann nicht rückgängig gemacht werden, Carlos."

Ich beuge meinen Kopf. „Ich weiß."

„Was weißt du schon?", verlangt sie.

Ich weiß, dass dieses Gespräch nicht produktiv sein wird, aber ich weiß auch, dass sie sauer ist und einen Weg braucht, um es rauszulassen. Ich weiß, dass ich sie halten will, um sie zu trösten, aber ich hasse es, ihr meinen Trost aufzuzwingen, wenn sie mich jetzt hasst.

Ich wende mich frustriert von ihr ab. Wut auf *el consejo* kehrt zurück. Ich nehme das Eisenbett hoch und werfe es gegen die Wand, wo es scheppert und zur Seite fällt.

Sedonas Augen sind weit aufgerissen.

Weil es sonst nichts zu tun gibt, hebe ich es wieder hoch und werfe es wieder, dieses Mal in Richtung Tür. Ich weiß, dass diese Zimmer aus Stahl sind, dass ich mich nicht rausdreschen kann, selbst mit einem eisernen Bett, aber ich bin bereit, es zu versuchen.

Als ich es ein drittes Mal hole, ruft Sedona: „Hör auf!" Ich drehe mich um, um zu sehen, dass sie ihre Hände über ihre Ohren hält, Tränen schwimmen in diesen schönen blauen Augen.

Ich stürme zu ihr, hebe sie gegen meinen Körper mit einem Arm um ihre Taille und gehe vorwärts, bis ihr Rücken gegen die Wand knallt. Ich küsse sie, sauge an ihren Lippen und beanspruche ihren Mund mit dem Besitzanspruch eines Gefährten. Es ist nicht fair. Es ist nicht richtig. Aber sie gehört jetzt mir. Ich kann nichts tun, um das zu ändern.

Meine Oberschenkel drücken zwischen ihre Beine und ich höre nicht auf, ihren Mund zu foltern, ihn mit meiner Zunge zu ficken, und streiche mit meinen Lippen darüber.

Ich schmecke ihre Tränen und es nährt nur dieses Bedürfnis, sie zu konsumieren, sie zu verschlingen. Um meinen Anspruch auf sie weiter auszuweiten, weil mein Wolf weiß, dass sie bereits am Entkommen ist.

„Sedona." Ich ziehe mich zurück, lasse sie jede Unze Elend in meinem Wesen sehen. „Ich werde mich nicht wieder entschuldigen." Ich schlage mit der Faust gegen die Wand neben ihrem Kopf. „Es tut mir *nicht* leid. Es tut mir *nicht* leid, dich beansprucht zu haben."

Sie saugt ihren Atem ein und starrt mich mit großen Augen an.

„Du bist der Pokal von all den anderen Preisen und ich habe dich zuerst erreicht", sage ich durch zusammengebissene Zähne. Es ist falsch, aber was ich sage, fühlt sich so richtig an. Leidenschaft brennt hell in meiner Brust auf, fließt durch meine Gliedmaßen. „Du gehörst zu mir. Ich habe dich genommen. Ich werde dich nie gehen lassen. Und es tut mir nicht leid. Du bist perfekt in jeder Hinsicht. Klug, talentiert, wunderschön." Ich schaffe es, meine Faust zu öffnen, um ihre Wange zu berühren. „Du bist witzig. Du bist das Licht zu meiner Finsternis. Du hast mich zum Leben erweckt. All die Jahre war ich halbtot. Es war der einzige Weg, um den Schmerz über die Krankheit meiner Mutter, den Tod meines Vaters zu überleben. Die Schwere, die zu meinem Rudel gehört. Aber du – du hast mich wieder zum Leben erweckt. Und dafür kann ich mich nicht entschuldigen. Ich kann es *nicht*. Also bettele ich um deine Vergebung. Das tue ich. Aber ich könnte es nie bereuen, dich beansprucht zu haben. Nicht in diesem Leben oder in irgendeinem anderen."

Sedonas Lippen zittern. Ich habe keine Ahnung, was

sie denkt, was sie fühlt. Ob sie Angst vor mir hat oder mir die Eier abschneiden will. Ich habe nicht gelogen. Ich habe ihr die gottverdammte Wahrheit gesagt, und wenn diese sie mich für immer hassen lässt, dann sei es so. Zumindest weiß sie es.

Wenn ich nicht so verrückt wäre, hätte ich früher das Geräusch hinter mir registriert. Die Tür öffnet sich. Sedona zuckt vor Angst und ein scharfer Stich landet zwischen meinen Schulterblättern. Das Letzte, was ich sehe, ist ein Dartpfeil, der in der Brust meiner Frau landet, bevor wir beide zu Boden fallen.

arlos

ICH WACHE in meinem Schlafzimmer auf. Der Duft von Sedona ist immer noch in meinen Nasenlöchern und ich greife nach ihr, aber meine Arme sind leer. Die Erinnerung daran, als ich sie zuletzt sah, kehrt zurück und ich setze mich mit einem Keuchen auf.

Sedona. Wo ist meine Frau? Die Dringlichkeit, sie zu finden, sie zu beschützen, zwingt mich fast dazu mich zu wandeln. Wenn diese Wichser meine Frau mit nur einem Finger berührt haben, werde ich sie in Stücke reißen, sie zerfetzen. Es ist mir egal, ob ich für immer aus diesem Rudel verbannt werde. Auch wenn es bedeutet, meine arme Mutter zu verlassen. Ich werde nicht danebenstehen und meine Frau misshandeln lassen.

Ich steige aus dem Bett auf und ziehe eine Pyjamahose an, bevor ich zur Tür stürze. Ein leichtes, aber schnelles

Klopfen erklingt. Die Tür geht auf, bevor ich *pásale* sagen kann.

Juanito platzt herein. „Don Carlos, es ist deine Mutter. Sie hat einen Anfall. Komm schnell."

Schreie erreichen meine Ohren.

„Déjame!" Die raue Stimme meiner Mutter hallt von der Mitte im Innenhof. *Lass mich allein.* Sedonas verblassender Duft klammert sich an mich, als ich hinauslaufe und in den Garten meiner Mutter schaue, der im Zentrum des Innenhofs ist, um welchen die *Hacienda* gebaut wurde. Mamá schreitet umher, ihr Rock flattert umher. Die Diener drängen sich an den Rand des Gartens. Sie dreht sich im Kreis, lange graue Haare fliegen. Schweiß tropft ihr Gesicht herunter, ihre Augen sind wild.

„*Mamá!*" Ich laufe zur Marmortreppe und nehme zwei Stufen auf einmal.

Meine Mutter scheint mich nicht mal zu hören. Sie plappert etwas, als würde sie mit Dämonen oder Geistern streiten. Sie reißt an ihrem Nachthemd. *„Déjame sola!"*

„Mamá!" Ich strecke meine Arme nach ihr aus und ergreife ihre Arme, versuche, ihren wilden Fokus auf mein Gesicht zu richten. Ich habe keinen Erfolg. Sie reißt sich los, um von mir zu entkommen. Tränen kullern über ihr Gesicht, einst so schön, doch jetzt mit dunklen Ringen unter ihren Augen.

Ich könnte sie natürlich überwältigen, aber ich kann meine Mutter unmöglich grob behandeln. „Mamá, es ist alles ein Traum. Nichts davon ist real. Sieh mich an. Deinen Sohn. Sieh Carlos an."

„Carlos?" Ihre Stimme klingelt vor Panik. „Wo ist

Carlitos? Was haben sie mit meinem kleinen Jungen gemacht? Sie wollen ihn auch töten."

„Nein, Mama, ich bin hier – Carlos, Carlitos – ganz erwachsen. Schau mich an."

Ihr unsicherer Blick wandert durch den Innenhof und mustert mein Gesicht. Sie greift, um es zu berühren, ihre Stirn runzelt sich. „Carlos?"

„*Si*, Mama, ich bin genau hier."

Sie packt meine Hand und versucht, mich weiter in die Mitte des Gartens zu ziehen. „Beeil dich, Carlos. Wir müssen weglaufen. Bevor sie dich auch kriegen. Jeder Alpha ist in Gefahr."

Ich bewege mich nicht, zwinge sie, ihren Griff zu lösen und versuche sie mit aller Macht wegzuziehen. „Nein, ich bin nicht in Gefahr. Ich kann mich verteidigen. Und dich. Wir sind sicher, versprochen. Komm – hier entlang." Ich wickle meine Handfläche um ihre. „Gehen wir zu deinem Zimmer."

Ihre Augen weiten sich. „Mein Gefängnis, meinst du?" Sie schüttelt wild ihren Kopf. „Dort wollen sie mich ruhig halten. Ich will dort nicht hin. Ich will gehen, Carlos. Bring mich fort von diesem Ort."

Schmerz reißt durch meine Brust. Soll ich sie zurück zu ihrem eigenen Rudel schicken? Sie hasst es hier noch immer nach all den Jahren. Aber würden sie sie überhaupt zurücknehmen? Eine verrückte Frau, die Vollzeitpflege benötigt? Würden sie ihr das Niveau von Behandlung bieten, das sie benötigt? Ich habe noch nie jemanden aus Mamas altem Rudel getroffen oder irgendein anderes Rudel als mein eigenes. Ich spüre die Falschheit bis tief in meine Knochen. Ich hätte es tun sollen, als mein Vater gestorben war. Nicht zehn Jahre später. Mein Kopf schmerzt mit dem Gewicht meiner Schuld, meiner Verantwortung.

„Okay, ich bringe dich weg von hier", verspreche ich und bete, dass ich mein Wort halten kann. „Aber ich brauche Zeit, um herauszukriegen, wo und wie. Also bringen wir dich zurück in dein Schlafzimmer–"

„Nicht in mein Schlafzimmer!", kreischt sie. „Nicht dorthin! Bring mich nicht dahin, Carlos." Sie weint plötzlich, als wäre sie das Kind und ich der Elternteil.

Ich ziehe sie an meine Brust und streichle ihr verheddertes Haar. „Okay, nicht dein Schlafzimmer", stimme ich zu. Ich schaue mich verzweifelt um und versuche herauszufinden, was ich sonst mit ihr tun kann. „Wie wäre es mit einem Spaziergang im äußeren Garten mit Maria José?" Ich knüpfe Augenkontakt mit Juanitos Mutter, Mamas Dienerin, und nicke.

Maria José nähert sich langsam.

Meine Mutter schnieft, dreht sich weg und nickt. „*Sí.*"

Meine Schultern sacken ab. Ich ziehe ihre Hand in Maria Josés Richtung. „Maria wird dich beschützen, Mamá. Wir sehen uns nach deinem Spaziergang, einverstanden? Wir sehen uns zum Frühstück."

Nachdem ich Sedona gefunden habe.

Meine Mutter wackelt zu Maria Josés Arm, aber Juanito rennt zu mir herüber. „Don Carlos", sagt er in einem tiefen, dringenden Ton. Er sieht sich um, als hätte er Angst, gesehen zu werden, und ich habe keinen Zweifel, dass jemand irgendwo zusieht.

Ich greife seinen Arm und ziehe ihn in den Schatten. „*Qué cosa?*"

„Die Amerikaner sind hier, um deine Frau zu retten. *El consejo–*"

Die Glocke im Glockenturm beginnt zu läuten und signalisiert dem Rudel die Gefahr. Don Santiago tritt ein. Etwas an den Zeitpunkt seines Auftretens scheint geplant zu sein. „Da bist du ja." Seine Stimme ist glatt wie Karamell. „Wir haben ein Problem. Drei große Transporter durchbrachen das äußere Tor. Bereite dich vor, um deine Frau zu kämpfen."

Eis flutet durch meine Adern, als ich ihren Plan durchschaue. Sie setzen auf meine Stärke, um die Feinde abzuwehren, die sie zu unserem Rudel gebracht haben. Mein Verstand rast. Ich weiß nicht mal, wo meine Frau ist, und ich werde sicher nicht gegen ihre Familie kämpfen. Das wird die schöne Amerikanerin nicht an mich gewöhnen. Mit einer Ruhe, die ich nicht fühle, drücke ich Juanitos Schulter. „Lauf und hol mir ein Hemd, Juanito. Ich werde direkt hinter dir sein." Ich wende mich an Don Santiago. „Sammelt die Männer des Rudels und sag ihnen, sie sollen sich auf der Terrasse treffen." Ich lasse Alpha-Autorität in meine Stimme fließen, obwohl ich weiß, dass meine Befehle diesem Mann nichts bedeuten. Der Rat leitet mich jetzt schon seit Jahren. Ich laufe die Treppe hoch und treffe Juanito oben mit meinem Hemd. Ich schnappe es von ihm und ziehe es an, während ich mit leiser Stimme murmele. „Wo ist meine Frau, Juanito?"

„Eingeschlossen in einem Gästezimmer im Ostflügel, Don Carlos."

„Kannst du einen Weg finden, um sie zu befreien?"

„Ich weiß es nicht, Sir." Juanito ist ein kluger Junge, ich weiß, er wird es herausfinden.

„Du musst es versuchen. Lass sie raus und bring sie zu ihren Leuten durch das untere Tor. Lass dich von niemandem sehen. Die Zukunft dieses Rudels hängt von dir ab, mein Freund."

Juanitos gesenkte Augen zucken zu mir hoch und ich beobachte, wie Ehre sein Wesen erfüllt. „Ja, Sir." Er rutscht weg, ruhig und unsichtbar wie ein Geist.

Ich gehe auf die Terrasse, wo sich die Männer unseres Rudels versammeln, sie kommen von den Minen und den Feldern und beobachten, wie die weißen Lieferwagen sich den Berg hinauf zur Zitadelle winden. „Wir werden unser Rudel verteidigen, wenn nötig, aber es wird keine Gewalt ohne ein Zeichen von mir geben, verstanden?" Ich benutze jedes bisschen Alpha-Macht in meiner Stimme, sodass es tief rumpelt und Selbstvertrauen sowie Führung suggeriert. Das Problem ist, diese Männer haben noch nie mit mir gekämpft, nie meine Befehle befolgt.

Die meisten sind alt. Der einzige jüngere männliche Wandler im Rudel außer mir war Juanitos Bruder Mauca, aber er verschwand letztes Jahr. Weggelaufen; das ist, was sie behaupten, aber ich weiß, Juanito und Maria José glauben das nicht. Es gibt nicht viele andere männliche Wandler unter fünfzig Jahren, außer den *defectuosos*. Sie sind hier, mit Macheten bewaffnet, bereit, als Männer zu kämpfen.

Guillermo, der große Wolf, der die Minen leitet, ist hier, zusammen mit seinen Männern. Ich kann mich darauf verlassen, dass sie das Rudel verteidigen, wenn es dazu kommt.

Don Santiago und der Rest des Rates ist hier, aber sie bereiten sich nicht auf den Kampf vor. Nein, sie scheinen sich zu verhalten, als ob sie ein Fußballspiel anschauen würden. Zugegeben, sie sind alle über siebzig, aber Wandler leben lange und heilen schnell. Ich denke, sie spielen die Privilegien- und die Ältestenkarte viel zu oft aus. Als ich mir ihre selbstzufriedenen Gesichter ansehe, will ich die Gerechtigkeit aus jedem von ihnen rausprügeln.

Und welch bessere Ablenkung kann es geben? Vor allem mit einem Publikum. Es ist an der Zeit, genau zu etablieren, wer Alpha in diesem Rudel ist. Ein Knurren reißt aus meiner Kehle, als ich rüberstolziere. Ich schnappe mir den Ersten, zu dem ich komme – Don Mateo – und fasse ihm an die Kehle. Meine Finger wickeln sich um seinen Hühnerhals und ich hebe ihn vom Boden. „*Du* hast diesen Angriff auf unser Rudel verschuldet", brülle ich. „Du und der Rest des Rates."

„Lass ihn runter", knurrt Don José. Er benutzt sein übliches Oberkommando, aber es kommt nicht an gegen meine Alpha-Wut. Er wendet sich an das Rudel. „Der Junge hat einen Teil des Wahnsinns seiner Mutter geerbt."

Oh, Scheiße, nein. Natürlich würden sie diese Taktik versuchen. Mich verrückt aussehen zu lassen.

Ich sehe mich im Rat um. Sie mögen mich vielleicht wie einen geschätzten Welpen behandeln, aber das sind nicht die großväterlichen Männer, die mich erzogen haben. Das sind mächtige Wölfe. „Du hast eine Amerikanerin *gekauft*, die von Menschenhändlern – von ihrem Rudel – gestohlen wurde. Was dachtest du, würde passieren?"

Don Santiago nimmt einen selbstgefälligen, gelassenen Ton an. „Wir dachten, du würdest sie beanspruchen, und wir hatten recht."

Don Mateos Gesicht wird rot, als er kämpft, gurgelnde Atemzüge einzieht. Seine Füße treten nutzlos aus. Die Männer des Rudels bewegen sich in unsere Nähe, drängen sich um uns herum, aber niemand – auch die anderen Ältesten – fordert mich körperlich heraus. Zusammen könnten sie mich töten, aber nicht ohne viel Blutvergießen.

„Ihr habt mich in meinen eigenen Kerker gesperrt. Respektlosigkeit gegenüber eurem Alpha. Glaubt ihr, dass diese Tat ungestraft bleibt?"

Mateos Augen quellen hervor. Wenn ich ihn nicht bald loslasse, stirbt er.

Von meinem Augenwinkel aus sehe ich Guillermo nach vorne treten. Der stämmige Wolf steht nicht hoch im Rudel, aber mit seinen Bergleuten hinter ihm könnten sie mich überwältigen. Wenn der Rat den Befehl geben würde, könnte ich tot sein und meine Mutter mit mir. Ich bin umgeben von dem Rudel, das ich anführen soll, und ich weiß nicht, wem ich vertrauen kann.

„*Tranquilo*, Carlos. Es war nicht aus Respektlosigkeit, sondern aus Liebe. Wir haben dir einen Preis gegeben, der einem Alpha wie dir würdig ist", sagt Don Santiago.

Ich lasse Mateo fallen, nicht weil ich ein guter kleiner Alpha für den Rat spiele, sondern weil, so sehr ich ihn und alle Dons auch töten möchte, ich dennoch kein Mörder bin. Ich wirbele herum zu Don Santiagos Gesicht und lasse ein wildes Knurren raus. Jeder Wolf um mich herum senkt seine Augen und zeigt seine Kehle in Unterwerfung.

Besser.

„Jetzt missachtest du meine Frau. Sie ist kein Objekt, sondern eine Alphawölfin, die jedem von euch die Kehle herausreißen kann. Wenn einer von euch sie jemals wieder gegen ihren Willen anrührt oder einschließt, seid ihr tot. *Comprendes?"*

„*Sí*, Don Carlos." Die Männer des Rudels murmeln die Antwort automatisch. Ich bin nicht sicher, ob ich es von den Lippen der Ältesten höre, aber sie nicken übereinstimmend. *Lügende Scheißkröten.*

Das hier ist noch nicht vorbei. Obwohl ich gehört habe, was ich hören wollte, bin ich nicht einmal annähernd zufrieden. „Ich werde eure Strafe in Betracht ziehen", knurre ich.

Ja, ich weiß nicht, wie das ankommen wird. Kann ich den Ratsmitgliedern eine Strafe auferlegen? Ich habe keine Ahnung, aber ich weiß, dass ich sie vor meinem Rudel nicht ungeschoren davonkommen lassen kann.

Hinter mir bewegen sich die Rudelmitglieder vor Unbehagen. Sie sind entweder loyaler gegenüber dem Rat oder haben mehr Angst vor ihm. Ich verstehe das. Ich bin erst seit ein paar Wochen zurück. Sie kennen mich nicht und es wird Zeit brauchen, bis ich mich als ihr Anführer beweisen kann. Aber ich habe sicher vor, das zu tun.

„Später." Don Santiago zeigt auf die Straße vor den Mauern unserer Zitadelle. „Die Amerikaner sind angekommen." Die drei weißen Transporter halten vor den vorderen Fallgittern an. Ihre Türen öffnen sich und Dutzende von muskulösen Wölfen strömen raus, junge Männer in ihrer Blütezeit, Arme mit Tattoos bedeckt, Waffen in ihren Händen.

~.~

93

SEDONA

DER JUNGE, der mich aus dem Schlafzimmer ließ, indem ich eingesperrt war, winkt mich nach vorne. Wir sind außerhalb des Palastes oder Schlosses – oder wie auch immer sie dieses Gebäude nennen. Es ist sicherlich königlich genug, um ein Schloss zu sein. Wir laufen auf dem gleichen Weg, auf dem die Männer meinen Käfig trugen, als ich ankam. Über uns ragt das glänzende Gebäude, unter uns, aber immer noch innerhalb der Mauern, ist eine Enklave aus kleinen Hütten mit Strohdächern.

Ich wachte allein in einem Himmelbett in einem lächerlich fließenden Gewand auf – wie eine mittelalterliche Prinzessin. Passend, da ich in einem Turm eingesperrt war. Dieser Ort steckt ernsthaft im siebzehnten Jahrhundert fest.

Ich versuchte es mit der Tür, aber sie war verschlossen. Dagegen zu hämmern hatte mich nicht weitergebracht. Carlos zu rufen hatte auch nicht funktioniert, aber dann tauchte der Junge auf, legte seinen Finger auf seine Lippen, um mich zum Schweigen zu bringen, und hetzte mich aus dem Gebäude.

Jetzt, da wir draußen sind, spricht er mit mir auf Spanisch, aber ich habe keine Ahnung, was er sagt.

„Juanito?", frage ich. „Bist du Juanito?"

Er hält an und dreht sich um, sein ernstes Gesicht verzieht sich in ein Grinsen. „*Sí, soy Juanito.*" Er nickt mit seinem Kopf, als hätte ich ihm eine große Ehre erwiesen, seinen Namen zu kennen. Er rasselt etwas anderes herunter, aber alles, was ich verstehe, ist „Carlos".

„Wo ist Carlos?", frage ich. Ich bin mehr als ein wenig enttäuscht, von dem Jungen gerettet zu werden anstatt von dem Mann, der mich gestern Abend markiert hat. Es ist dumm, aber ich fühle mich verlassen. Ich muss ihn sehen. Wir müssen über den Fakt reden, dass er mich markiert hat und was es bedeutet.

Aber ich denke, die Flucht vor dem verrückten Rat sollte an erster Stelle stehen. Juanito zieht eine Schlüsselkarte von einer Schnur um seinen Hals und hält sie gegen ein überraschendes Hightech-Schloss an einem Tor in der polierten Lehmwand.

Draußen höre ich … amerikanische Stimmen.

Ich stürze nach vorne und laufe zum Geräusch hin, dann erkenne ich Männer aus dem Rudel meines Bruders und Vaters, die sich aus drei weißen busgroßen Super-Vans schwingen, die vor einem riesigen Fallgitter geparkt sind. Ich habe keine Ahnung, wie sie mich gefunden haben, aber die Erleichterung ertränkt mich fast.

Mein Bruder spürt, wie ich komme, und wirbelt herum. „Sedona?"

Ich sehe sicherlich lächerlich aus in der fließenden Robe. Tränen brennen in meinen Augen. Ich fliege zu ihm und wickle meine Arme und Beine um ihn. Die Kraft meiner Umarmung treibt meinen großen Bruder dazu, einen Schritt zurückzunehmen.

Sobald Garretts Arme sich um mich schließen, weiß ich, dass alles in Ordnung sein wird. Er ist größer und stärker als jeder der Wichser, die mich gefangen genommen hatten. Die einzige Ausnahme könnte Carlos sein, aber ich kann jetzt nicht an ihn denken.

„Es ist okay", murmelt Garrett. Ich drücke mein Gesicht in seine Schulter und umklammere ihn. Seine Muskeln wölben sich um mich herum, groß und beschützend. „Niemand wird dir wehtun. Nie wieder."

„Sedona." Eine tiefe Stimme lässt mich meinen Kopf heben. Mein Vater steht neben uns, seine Lippen sind zusammengedrückt – ein Blick, den ich nur allzu gut kenne. Zum ersten Mal bin ich froh, es zu sehen.

„Vater." Ich wende mich an ihn und gebe ihm eine herzliche, wenn auch steifere Umarmung. Erst als ich mich zurückziehe und die tiefen Linien studiere, die in die Stirn meines Vaters gefurcht sind, merke ich, dass sein strenger Blick nicht vor Missbilligung ist. Es ist Sorge – und jetzt tiefe Erleichterung.

„Tut mir leid", bringe ich zittrig heraus.

„Es ist alles in Ordnung", beruhigt Garrett mich und gleichzeitig sagt mein Vater: „Wir werden später darüber reden."

Ich lehne mich an die Seite meines großen Bruders und kann meinem Vater nicht in die Augen sehen. Garrett drückt mich, ein weiteres Signal, dass ich aus den Zeiten kenne, in denen ich in Schwierigkeiten geraten war. *Du und ich, Schwester. Vater ist ein harter Kerl, aber wir schaffen es – zusammen.* Obwohl er acht Jahre älter ist, und genau so Alpha und beschützend wie unser Vater ist, war Garrett immer an meiner Seite.

Mein großer Bruder kann das hier nicht reparieren. Wir sind auf einem gottverlassenen Berg in Mexiko, mit einem unbekannten Rudel konfrontiert, tief im feindlichen Terri-

torium. Mein Vater könnte mit den politischen Konsequenzen für die nächsten 30 Jahre konfrontiert sein.

Es ist meine Schuld. Ich bin die Tochter des Alphas. Es
ist meine Verantwortung, die Regeln zu befolgen – zum
Wohle des Rudels. Ich und meine dumme Idee mit den
Frühlingssemesterferien und der Zeit meines Lebens.

„Wie kommen wir rein? Ich werde jeden letzten
Scheißkerl umbringen … " Garrett knackt seine Knöchel,
als ich ihn unterbreche.

„*Nein*." Ich weiß immer noch nicht, was hier los ist.
Carlos muss Juanito geschickt haben, um mich freizulassen. Aber wo ist Carlos? Ich schaue zurück, wo Juanito
steht und unsicher aussieht. Kommt Carlos? Er kann nicht.
Mein Herz füllt sich mit Blei. Wenn er es täte, würden
mein Vater und Garrett ihn töten. Nein, ich muss hier weg,
bevor Wölfe – auf beiden Seiten –verletzt werden. Ich
könnte es nicht ertragen, Blut an meinen Händen zu haben.
„Hol mich hier raus. Ich will keinen Kampf. Ich will nur
nach Hause. Lass uns gehen."

Mein Vater schüttelt seinen Kopf. „Niemand stiehlt
meine Tochter und lebt."

„Sie haben mich nicht gestohlen, sie haben mich
gekauft. Du kannst gerne die Wichser töten, die mich
gestohlen haben, aber sie sind nicht hier. Ich will nur nach
Hause fahren. Kein Blutvergießen. Bitte." Ich schaue in
Garretts Augen und halte seinem Blick stand, still
flehend.

Er schnappt sich den Arm meines Vaters und sie laufen
hinter einem Van herum, um sich privat zu unterhalten.

Natürlich, weil ich ein Wandlergehör habe, verpasse
ich nichts vom Gespräch.

„Vater, glaubst du nicht, dass Sedona genug durchgemacht hat? Sie wurde *beansprucht*."

Meine Augen füllen sich mit Tränen. Ich krümme mich und bedecke die bereits verheilte Wunde an meiner Schulter. In ein paar Tagen wird es nichts weiter als eine leichte Narbe sein, aber ich werde Carlos' Duft, eine Spur seiner Essenz, mit mir tragen, bis ich sterbe.

Garrett fährt mit leiser Stimme fort: „Sie könnte gemischte Gefühle gegenüber dem Kerl gehabt haben. Das Letzte, was sie jetzt braucht, ist mehr Trauma. Wenn sie hier kein Blutvergießen will, müssen wir ihre Wünsche respektieren."

„Wenn wir sie nicht töten, senden wir die Nachricht, dass wir schwach sind."

Sie streiten sich noch ein bisschen, aber als sie zurückkommen, sagt mein Vater: „Alle wieder in die Fahrzeuge."

Garrett scheucht mich in seinen Van und klettert auf den Rücksitz neben mich und wirft seinen starken Arm um meine Schultern.

Als der Van den Berg hinunterfährt, versuche ich mich zusammenzureißen, aber meine Gefühle sind ein Wirrwarr. Ich hasse es, das Opfer zu sein, gerettet von den Männern ihrer Familie. Es ist erbärmlich und ich weiß, wenn ich tiefer in mein Selbstmitleid eintauchen würde, sogar nur für eine Sekunde, könnte ich in einen Pool von Selbstzweifeln abstürzen, so tief, dass mich diese Erfahrung für den Rest meines Lebens kaputtmachen könnte.

Arme Sedona, würden sie über mich flüstern. *Seit ihrer Entführung und Vergewaltigung ist sie einfach nicht mehr dieselbe.*

Scheiß auf sowas. Ich war ein Opfer, ja. Aber es war

keine Vergewaltigung. Ich bat ihn darum. Und ich bin nicht schwach, ich bin eine Alpha-Frau. Ich kann das zu einem Sieg machen, nicht zu einem Verlust.

Aber was habe ich gewonnen?

Ich habe meine Jungfernkarte auf die unglaublichste, befriedigendste Weise gestanzt bekommen. Es ist schwer vorstellbar, dass es viel besser wird als das, was wir geteilt haben. Aber ich bin auch markiert worden. Ich bin mir nicht einmal sicher, welche Auswirkungen es hat, einen männlichen Duft zu tragen, wenn ich ihn nicht als Gefährten gewählt habe.

Carlos ließ mich gehen.

Schicksal, an ihn zu denken schickt einen brennenden Schmerz direkt durch die Mitte meiner Brust. Werde ich ihn jemals wiedersehen? Will ich das? Es ist eine beschissene Art von kompliziert, nicht wahr?

Ich weiß immer noch nicht einmal, ob er in meiner Gefangennahme so unschuldig war, wie er darauf bestanden hatte. Was, wenn er das ganze verdammte Ding so orchestriert hatte?

Aber nein, warum würde er mich dann gehen lassen? Und ich bin mir sicher, dass Carlos Juanito geschickt hat, um mich zu meiner Familie zu bringen. Ob es sein eigenes Rudel retten sollte oder ob er es für mich getan hat, kann ich nicht sicher sagen. Denn eines weiß ich – mein Familienrudel *hätte sie platt gemacht.*

Logischerweise scheint es so, als sollte ich Carlos Freigabe von mir als Sieg zählen. Warum dann aber scheint es, als würde mein Herz außerhalb meiner Brust schlagen? Als wäre es auf dem Berg geblieben und je weiter wir wegfahren, desto ängstlicher werde ich, weil ich es zurücklasse?

Aber bitte. Wollte ich, dass er mich beansprucht? Mich behält?

Verdammt nochmal, nein.

Ich würde nie mit diesem verrückten Rudel auf diesem gottverlassenen Berg bleiben. Sie sind der rückwärtigste, verrückteste Haufen, den ich je gesehen habe, und mein Vater hat im Laufe der Jahre viele Rudel-Sammelsuriums veranstaltet.

Selbst wenn sie die charmantesten Wölfe auf Erden wären, würde ich nicht bleiben wollen. Ich bin einundzwanzig Jahre alt. Ich habe noch nicht mal die Uni geschafft. Ich habe gerade erst angefangen Spaß zu haben. Schicksal, meine Frühlingssemesterferien in San Carlos scheinen so lange her zu sein. So weit weg. Was haben meine Freunde gedacht, als ich vom Strand verschwand?

„Wie hast du mich gefunden?" Ich frage Garrett, spreche zum ersten Mal seit dem, was wahrscheinlich ein paar Stunden gewesen waren. Ich schätze es, dass er mich nicht den ganzen Weg ausgefragt hat, aber Garrett ist verständnisvoll. Ich bin froh, dass ich nicht im Van meines Vaters mitgefahren bin.

„Meine Gefährtin hat dich gefunden."

Warte ... Was? Garrett hat keine Gefährtin. Er spielt seit Jahren ewiger Junggeselle mit seinem Rudel aus jungen Männern. „Deine *Gefährtin*?"

Garrett berührt meine frische Markierung. „Sieht so aus, als hätten wir uns beide diesen Mond verpaart."

Garrett klingt so glücklich. Ich schätze, seine Verpaarung war nicht wie meine. Er war nicht nackt in einem

Raum mit ihr eingesperrt und gezwungen, sich mit ihr zu verpaaren. Er wählte eine Frau. So wie ich immer dachte, dass ich einen Gefährten wählen würde.

Und jetzt schwelge ich im Selbstmitleid – in dem Sumpf, in dem ich nicht schwimmen wollte. „Erzähl mir von ihr?" Ich brauche Ablenkung.

„Ihr Name ist Amber. Sie ist eine menschliche Hellseherin und Anwältin. Und meine Nachbarin von nebenan. Als du verschwunden bist, habe ich ihr gesagt, dass wir ihre Hilfe brauchen, und wir brachten sie mit nach Mexiko. Sie half uns, deine Spur nach Mexiko-Stadt zu verfolgen, wo wir deine ursprünglichen Entführer fanden."

Ich blicke finster drein, erinnere mich an den Käfig und das Lagerhaus.

„Sie sind schon tot", versichert mir Garrett.

„Ein Mensch?" Garrett hat sich mit einem Menschen verpaart? Es ist ungewöhnlich für einen Alphawolf, eine menschliche Gefährtin zu nehmen. Ich hoffe, es bedeutet nicht, dass er seine Position als Alpha verliert. Sein Rudel ist so loyal, wie es nur sein kann, aber man weiß es nie. Ein Wolf könnte ihn deswegen herausfordern. Der wahrscheinlichste Anwärter wäre Tank, sein Beta, außer dass Tank ursprünglich aus dem Rudel unseres Vaters stammt und seine Loyalität es verhindern würde.

„Mein Wolf hat sie ausgesucht." Garrett zuckt mit seinen Schultern, aber sein dummes Grinsen sagt, dass er hoffnungslos verliebt ist.

Ist das das, was mit Carlos und mir passiert war? Unsere Wölfe hatten sich ausgesucht, obwohl unser menschliches Selbst es nie getan hätte?

Was war mit all den Dingen, die Carlos sagte, kurz

bevor wir betäubt wurden? Dass es ihm nicht leidtut, dass er sich mit mir verpaart hat? War das die Wahrheit? Oder nur die Wirkung des Vollmondes und eines glücklichen inneren Wolfs?

„Willst du wirklich nicht, dass ich zurückgehe und das ganze Montelobo-Rudel abschlachte? Weil ich nicht zögern werde, wenn du das Wort gibst."

„*Nein.*" Ich drehe mich und packe Garretts Schultern, bevor ich bemerke, was ich tue. „Das kannst du nicht tun."

Garrett schweigt und blickt auf mein Gesicht. Mein Griff strafft sich. „Das kannst du nicht. Versprich es mir. Was, wenn Carlos verletzt wird? Oder jemand, der ihm wichtig war, wie seine Mutter oder Juanito?"

„Bist du sicher, Kleine?" Seine Stimme ist sanft, aber für eine Sekunde sehe ich den kaltherzigen Räuber hinter der menschlichen Fassade lauern. Der Wolf würde zuerst töten und nie Fragen stellen. Er würde eine Spur von Leichen hinter sich lassen.

„Ich bin sicher. Lass Vater auch nicht zurückgehen. Versprich es mir."

„In Ordnung Schwesterlein. Beruhige dich. Ich verspreche es." Ich kann sehen, dass er mich mehr fragen will, also winde ich mich in seine Arme und kuschele mich in seine Seite. Ich halte ihn fest, bis mein rasendes Herz langsamer wird.

Unser Van rollt durch eine weitläufige Stadt und Garrett sagt, dies sei die Hauptstadt des Landes, Mexiko-Stadt. Wir halten an einem Wolkenkratzerhotel an und Garrett rutscht auf seinem Sitz, seine Augen auf ein hohes Fenster fixiert. Seine Gefährtin muss da drinnen sein.

Uff. Ich reibe meine Nase. Wie wäre es, glücklich

vereint zu sein, anstatt die wahrscheinlich beschissenste Verpaarung erlebt zu haben? „Also, wo ist Amber jetzt?" Ich versuche begeistert zu klingen. Ich werde zum ersten Mal eine Schwester haben. Mit Garrett, der so viel älter ist, war ich wie ein Einzelkind. „Wann kann ich sie treffen?"

„Sie ist in unserer Suite. Komm. Du kannst sie jetzt treffen."

Garrett führt mich ins Hotel und in einen Aufzug, aber als er sein Zimmer betritt, weiß ich, dass etwas nicht stimmt. Es ist kein weiblicher Duft gegenwärtig – menschlich oder anders.

Garrett nimmt eine Notiz hoch und liest sie, brüllt dann und schlägt seine Faust in eine Wand.

Nun, Mist.

Ich bin wohl nicht die Einzige, deren Verpaarung pures Chaos bedeutet.

arlos

ICH LAUFE am äußeren Rand unserer Zitadelle entlang. Das Summen in meinen Ohren lässt meinen Kopf hämmern, aber ich zwinge mich weiter vorwärts. Ich gehe jeden Tag durch unser ganzes Rudelgebiet, bis ich weiß, wer in welcher Hütte lebt, die Namen ihrer Familienmitglieder und was sie für uns tun. Selbst als ich es mir vor Augen führe, verschwimmt die Landschaft, ohne dass ich etwas sehen kann.

Ich sehe nur Sedona, nackt an das Bett gekettet. Mein schrecklicher, wunderbarer Preis.

Sie gehen zu sehen, war, wie jemandem zu erlauben, mir ein lebenswichtiges Organ aus meinem Körper zu schneiden. Ich stand dort, taub, nicht in der Lage zu verstehen, wie ich noch immer lebe ohne sie hier. Es brauchte meine ganze Willenskraft, um nicht wie ein gewöhnlicher

Hund hinter den Transportern ihres Rudels herzujagen. Nicht zu heulen.

Aber irgendwie hatte ich es geschafft, auf der Terrasse zu bleiben und zuzusehen, mein Rudel außer Gefahr zu bringen.

Der Rat konnte nicht glauben, dass ich sie gehen ließ. Als sie sie dort draußen sahen, ihr weißes, flatterndes Gewand im Wind, dass sich um ihre Beine wickelte, sank ihre pompöse Haltung.

„Warum ist deine Frau aus ihrem Zimmer raus?", fordert Santiago zu wissen.

„Ich habe sie befreit", sage ich ruhig.

„Bist du wahnsinnig?", fragt Mateo. „Sie ist deine Gefährtin."

Ja, mein, heult mein Wolf.

Es spielt keine Rolle. Ich würde meine Zähne nicht ihrem Rudel zeigen, ihrer Familie. Es war falsch, sie so zu nehmen. Falsch, sie überhaupt zuerst gekauft zu haben. Alles, was wir ihr angetan hatten, war falsch gewesen.

„Geh und kämpfe für deine Frau. Oder bist du zu feige?", fordert Don Santiago mich heraus.

Ich schlug ihm ins Gesicht. Ich würde so etwas nie einem älteren Menschen antun, aber ein alter Wandler kann es verkraften. Das Rudel drängt sich um mich herum – ich weiß nicht, ob sie mich aufhalten wollen, falls ich fortfahren will, aber niemand berührt mich.

„Verrückt wie seine Mutter", verkündet Don José.

„Ich halte keine Frau gegen ihren Willen", knurre ich. „Nicht einmal eine, die ich markiert habe. Und wenn einer von euch hier glaubt, dass so etwas akzeptabel ist, seid ihr der Grund, warum dieses Rudel in den Ruin verfällt." Ich drehe mich in einem Kreis, treffe den Blick jedes Mannes und zwinge sie, ihre Augen im Angesicht meiner Dominanz zu senken. Ein kleiner Sieg, aber es hat meinen Wolf befriedigt.

Don Santiago reibt sich den Kiefer und klettert zurück auf seine Füße. „Also, was? Du wirst nicht kämpfen, um ihre Liebe zu gewinnen? Ihre Zuneigung? Ich wage es zu behaupten, dass du jene bereits hattest."

Mein Herz drückt sich schmerzhaft zusammen und wird immer noch weiter gequetscht. Ich möchte glauben, dass es wahr ist. Aber es hätte einfache Biologie sein können. Der Rat wusste ganz genau, was sie taten, indem sie eine fruchtbare Wölfin nackt in eine Zelle mit einem Mann über den Vollmond zusammensteckten. Und die Widrigkeiten brachten uns zusammen. Sie an irgendetwas zu binden, basierend auf dem, was wir dort teilten, wäre nicht fair. Sie hatte keine andere Wahl, als mich zu akzeptieren. Es bedeutet nicht, dass sie mich als ihren Gefährten will. Wenn sie das getan hätte, wäre sie nicht so schnell in den Van gesprungen und verschwunden.

Aber selbst wenn sie mich nie wiedersehen will, werde ich sie immer noch rächen. Ich gab dem Rat eine Woche, um die Menschenhändler aufzuspüren, die sie entführt hatten. Als sie sich nachfragten, hatte ich klargestellt: „Ich will Blut für das sehen, was meiner Frau angetan wurde. Entweder ihres oder euers."

Sie sollten besser Ergebnisse liefern.

Ich gehe am Rande eines kleinen Kaffeehains entlang. Die Vorderseite von Monte Lobo ist mit Bäumen bedeckt, aber kleine Bauernhöfe säumen die gesamte Rückseite des Berges und bilden ein Flickwerk aus Farben und Texturen.

Dieser ausgestorbene Vulkan, den wir Monte Lobo nennen, bietet nicht das beste Klima für Kaffee – nicht wie die Küstenstaaten wie Chiapas –, aber unser Rudel konnte immer genug für unseren eigenen Gebrauch anbauen. Es ist tatsächlich beeindruckend, die Vielfalt und die Menge an Lebensmitteln zu sehen, die unser Rudel einfach für unsere eigene Existenz produziert.

Vor Jahrhunderten, als unsere spanischen Vorfahren sich friedlich mit den Ureinwohnern hier niederließen, errichteten sie ein wunderbares System für ein nachhaltiges Leben in Isolation. Sie erschreckten die Ureinwohner nicht durch Gewalt, sondern durch Anstiftung zum Aberglauben. Männer, die sich bei Vollmond in Wolfsform verwandeln, gewannen die Ehrfurcht und den Respekt des Stammes, der zur Basis des Berges zog und ihn vor fremden Besuchern bewachte. Es erlaubte unserem Rudel, sich abzukapseln.

„*Buenas tardes*, Don Carlos." Ein älterer Wolf in schmutziger, abgenutzter Kleidung und einem breitkrempigen Hut stoppt das, was er tut, um mich zu begrüßen. Trotz der Begrüßung sieht er vorsichtig oder misstrauisch aus.

Ich halte an und hebe meine Hand zum Gruß hoch. Nach der Art zu urteilen, wie er mich mustert, weiß er schon, was heute passiert ist. Oder war er dort? Es ist traurig, dass ich mir nicht einmal sicher bin. Ich kenne nicht mal seinen Wolfsnamen. Ich bin ein grottenschlechter Anführer dieses Rudels. Ich verdiene die Position als Alpha nicht.

Ich zwinge mich, zu bleiben, obwohl ich lieber weitergehen würde, versunken in meinen Gedanken über

Sedona. „Wie läuft es?" Ja, es ist lahm, aber ich weiß nicht, wie ich sonst mit dem Kerl quatschen soll.

Er nickt mit dem Kopf. „Es läuft. Fast fertig mit dem Ernten der diesjährigen Ernte. Dann geht es rüber zum Kakao."

„Gut." Das ist alles, was ich sagen kann, aber ich bin dankbar, als mir sein Name einfällt – Paco.

Eine Frau kommt aus der Hütte und schirmt ihre Augen ab, als sie in unsere Richtung schaut. Sie geht den Hügel hinauf und steht neben dem alten Mann. Muss seine Gefährtin sein.

„Alpha", sagt die alte Frau und neigt ihren Kopf. „Ist es wahr?" Sie trägt ein Kleid, das direkt aus den 50er Jahren stammen könnte. Das tut es wahrscheinlich auch. Einige Secondhand-Fundstücke werden als Spende aus den USA geschickt. Ich schaue auf ihre Hütte, wo eine Rauchwolke aus dem Schornstein kommt. Die Hacienda hat jeden erdenklichen Luxus und diese Leute haben nicht einmal Strom. Ich wusste, dass es schlimm ist, aber das hier macht mich krank. Was für ein Alpha überlässt sein Rudel der Armut?

„Still, Marisol", ermahnt Paco.

„Ist was wahr?" Ich halte mich bereit für das, was über mich gesagt wird. Dass ich sauer bin oder dass ich meine Gefährtin gehen ließ.

„Du hast Don Santiago geschlagen?"

Oh, das. Ja. Ich schiebe meine Hände in meine Hosentaschen. „Es ist wahr. Der Rat und ich sind über einige der von ihnen ergriffenen Maßnahmen uneinig." Genau. Ich bezweifle, dass ich das Vertrauen ausstrahle, das ich meine, aber es ist das Beste, was ich aufbringen kann, wenn meine Gefährtin in einem Van Kilometer weit weg vor mir davonfährt.

„Sei vorsichtig, Don Carlos." Marisols Stimme erzittert, aber ich weiß nicht, warum. Ist es aus Angst? Oder Wut? Ist mein Rudel bereit, gegen mich zu meutern?

Ich knurre. Nicht um sie zu erschrecken, aber mein Rudel muss wissen, dass ich nicht eingeschüchtert bin.

Sie geht einen Schritt zurück und ihr Mann packt ihren Ellenbogen, um sie zu stabilisieren.

„Der Rat ist zu weit gegangen." Eis durchzieht meinen Ton. „Sie werden mich oder meine Gefährtin nicht ohne Vergeltung beleidigen."

Marisol und ihr Gefährte tragen beide unlesbare Ausdrücke. Sie denken wahrscheinlich, dass ich der Feind bin, dass sie in Armut leben müssen, während ich reise und die besten Universitäten besuche. Ich gebe ihnen keine Schuld. Genau das habe ich getan. Ich verdiene es nicht, ihr Anführer zu sein.

Niemand spricht für eine Sekunde, also nicke ich kurz und gehe weiter.

„Möge dich das Schicksal begleiten." Pacos Segen lässt mich aufhorchen und zurückblicken. Er und seine Frau heben ihre Handflächen in einem Winken.

Ich gebe es zurück.

Ich weiß nicht, wie ich es machen werde, aber die Dinge müssen sich hier ändern. Dieses Chaos aufzuräumen, fühlt sich irgendwie dringend an. Ich bin sicher, dass der Grund etwas mit Sedona zu tun hat, aber ich wage es nicht einmal zuzugeben, worüber mein Herz klopft.

Repariere es für sie.

Das ist verrückt. Sedona wird nicht hierher zurückkommen. Nicht in einer Million Jahre. Diese Fantasie zu unterhalten, ist reiner Wahnsinn.

~.~

SEDONA

ICH LEHNE meinen Kopf gegen das Flugzeugfenster und starre auf die flauschigen Wolken unter uns. Garrett, gefolgt von den meisten unseres Rudels, eilte gestern Abend rechtzeitig zum Flughafen, damit er Amber, seine Gefährtin, finden konnte. Vor uns allen erklärte er seine Liebe und seine Absicht, seine Fehler bei ihr wiedergutzumachen, und sie erlaubte es ihm, wieder beansprucht zu werden.

Jetzt sitzen sie neben mir auf den Sitzen, die Finger verflochten, ihr blonder Kopf auf seiner Schulter. Wenn es nach mir ginge, hätte ich ihnen etwas Privatsphäre gegeben – sie sollten neben einem Fremden sitzen, damit sie sich aneinander kuscheln können, aber Garrett bestand darauf, dass sein Rudelmitglied Trey mir einen Platz neben ihm bucht. Ich schätze, damit er mir oft besorgte Blicke schicken kann.

„Hör auf", zische ich, als er es wieder tut.

„Hör auf womit?"

„Mich anzuschauen, als wäre ich kaputt."

Garrett zieht eine Grimasse. „Ich weiß einfach nicht,

was ich tun soll, um zu helfen. Außer zurückzugehen und Kehlen herauszureißen."

„Das hast du den Jungs im Lagerhaus angetan? Die, die mich entführt haben?" Ich will die Antwort darauf eigentlich nicht darauf hören.

Garrett reibt eine Hand über sein Gesicht. „Ja. Ich verlor meinen Verstand, weil Amber da war und mein Wolf sie beschützen musste. Ich habe alle getötet, bevor wir sie befragen konnten. Dank dem Schicksal, dass es uns nicht davon abgehalten hat, dich zu finden, oder es wäre meine Schuld gewesen."

„Carlos nannte sie Menschenhändler. Er sagte, er hätte gehört, dass es Wandler gibt, die Wandler verkaufen, aber er hatte es nicht geglaubt. Was glaubst du, wofür sie verkauft werden? Es können nicht alle Sexsklaven sein, weil sie einen männlichen Wandler in einem Käfig hatten, als ich im Lagerhaus war."

„Ja, sie haben uns auch gefangen genommen, als wir zum ersten Mal auftauchten, und uns auch in Käfige gesteckt." Garrett zieht an seinem Ohr, als wäre es ihm peinlich. „Amber hat die Schlösser geknackt, um uns rauszuholen. Aber ich hatte mich auch gefragt, warum sie uns nicht einfach getötet haben."

„Sie waren selbst Wandler, richtig? Nicht Menschen, die unsere Gene studieren wollen oder sowas."

„Roch nach Wandlern für mich, obwohl ich keinen von ihnen sich wandeln gesehen habe. Sie hatten Waffen, von denen sie dachten, sie würden sie verteidigen. Ich habe sie getötet, bevor sie eine Chance hatten."

„Was ist, wenn sie Wandler sind, die nicht in der Lage sind, sich zu verwandeln? Carlos sagte, sein Rudel sei voll von ihnen durch zu viel Inzucht. Ich habe vergessen, was er sie nannte – defektiv oder sowas. Deshalb hatte mich ihr Rat gekauft – um die Blutlinie wiederzubeleben."

„Carlos. Ist das sein Name? Der Kerl, von dem du nicht wolltest, dass ich ihn töte?"

Oh mein Gott. Nur seinen Namen zu hören, bringt einen Ansturm von Schmerzen mit sich. Ich ducke meinen Kopf. „Ja."

Garrett greift nach mir und berührt mein Knie. „Hat er dir wehgetan, Schwesterlein?"

Der Opfermantel fällt auf mich wie eine erstickende Decke. Ich kämpfe erfolglos, um mich von ihm zu befreien, und meine Augen füllen sich mit Tränen. „Nein."

„Aber er hat dich markiert?" Garrett räuspert sich, offensichtlich ist es ihm unangenehm, über Sex mit mir, seiner kleinen Schwester, zu reden. „Hat er dich beansprucht?"

„Ja." Meine Stimme kommt leiser als ein Flüstern heraus.

„Du kannst es mir sagen, Sedona."

Ich versuche, den Kloß in meiner Kehle zu schlucken. „Ich war am Strand joggen, als sich dieser Typ mir näherte. Wandler. Er sagte mir etwas auf Spanisch, was ich nicht verstehen konnte, und das Nächste, was ich weiß, ist, dass ein Dartpfeil in meinem Nacken steckt und ich im Sand liege und zu vier Wandlern hochschaue. Sie haben mich in einen Käfig und dann in ein Flugzeug gesteckt. Ich war wach und dann wieder bewusstlos – ich glaube, sie haben mich ein paar Mal mit dem Beruhigungsmittel neu betäubt. Ich wachte im Lagerhaus auf und dann brachten sie mich in einem Van zu Carlos' Rudel, wo sie mich an zwei ältere

Männer verkauften. Sie stellten mich wieder ruhig, um mich aus dem Käfig zu holen, und ich wachte in einer Zelle auf, angekettet an ein Bett. Ich habe keine Ahnung, wie sie mich dazu brachten, mich zurück in menschliche Form zu wandeln, aber das letzte Medikament schien anders zu sein als die anderen Beruhigungsmittel."

Garrett knurrt, seine Augen leuchten silbern und ich schieße ihm einen warnenden Blick zu. Wir sind in einem Flugzeug voller Menschen. Ich habe den ‚nackten' Teil absichtlich vergessen, weil ich wusste, dass er sonst zum Berserker wird.

„Vielleicht sollten wir später darüber reden."

„Nein", zischt Garrett und zieht seinen Alpha-Befehlston bei mir ab. „Erzähl es mir jetzt."

„Das werde ich, wenn du deinen Wolf ruhigstellst." Ich werde gehorchen, aber ich lasse mich nicht wie ein Kind behandeln. Es ist an der Zeit für meinen Vater und Bruder, das zu lernen.

Ambers Finger drücken seine und ich bin beruhigt, zu wissen, dass er eine Gefährtin genommen hat, die sich offensichtlich um ihn sorgt und ihn unterstützt.

Garrett knackt mit seinem Genick, als würde er einen Kampf beginnen. „Ich habe es unter Kontrolle."

Ich pruste, rede aber weiter. „Die Tür öffnet sich und Carlos tritt ein. Er wirkt geschockt und kommt rüber, um mich zu befreien, aber sie sperren ihn ein."

Garretts Augen verengen sich und ich weiß, was er denkt. Es hätte durchaus geschauspielert sein können.

„Er wandelt sich aus Wut und flippt im Raum aus für eine Weile, aber sie öffnen die Tür nicht. Sie halten uns über den Vollmond zusammen, bis wir uns verpaaren, dann schießen sie auf uns beide mit Beruhigungsmitteln. Ich bin oben in einem Schlafzimmer eingesperrt aufgewacht. Carlos hat den Jungen geschickt, um mich freizulassen, als ihr aufgetaucht seid."

Garretts Gesicht runzelt sich zu einer Grimasse, aber es scheint, als hätte er keine Widerworte.

Amber findet ihre Stimme zuerst. „Keinerlei Abschluss. Das muss es noch schwerer machen."

Ich blinzle Tränen zurück, dankbar, dass sie mein Unbehagen erkannt hat. Ich sollte niemand anderen brauchen, der mir sagt, warum ich so durcheinander bin, aber das tue ich. „Ja", würge ich hervor.

„Du musst mir etwas sagen." Garrett zieht eine Grimasse. „War es eine Vergewaltigung, Sedona?"

Mein Gesicht wird heiß. Ich sollte nicht über meine intimsten Momente mit Mitgliedern meiner Familie reden müssen, aber ich verstehe es. Garrett wird zurückgehen und Carlos töten, wenn ich ja sagen würde. Ich bin froh, dass ich nicht lügen muss. „Nein."

Seine Schultern entspannen sich ein wenig. „Du glaubst also, er hatte nichts damit zu tun? Er war ein Opfer wie du?"

„Nenn mich nicht Opfer."

Garrett studiert mich. „Sorry."

„Ja, ich denke schon, um deine Frage zu beantworten. Aber ich bin nicht ganz sicher. Wenn er es gewusst hätte, warum würde er mich gehen lassen?"

„Weil wir jeden von ihnen töten würden und er wusste, dass er dich sowieso verlieren würde?"

Mein Solarplexus verengt sich. „Richtig. Das ist eine Möglichkeit."

Garrett wendet sich an seine Gefährtin. „Empfängst du etwas über den Kerl?"

Ich verstehe zunächst nicht, was er sie fragt, aber Amber schließt ihre Augen und ich erinnere mich, dass er sagte, sie sei eine Hellseherin. Dolche der Erwartung durchstechen mich. Will ich ihre Antwort hören? Was, wenn sie mir sagt, dass Carlos ein Betrüger ist? Mein Magen verdreht sich nur beim Gedanken daran.

Amber schüttelt ihren Kopf und ich halte den Atem an. „Ich weiß es nicht."

Dank dem Schicksal.

Sie lehnt sich an Garrett vorbei, um mich anzuschauen. „Ich nehme nicht an, dass du etwas von ihm hast, das ich halten könnte? Wir haben herausgefunden, dass es half, als ich versuchte, dich zu finden."

„Nein, nichts." Ich habe nichts anderes übrig als das dumme Nachthemd-Ding, in das sie mich gesteckt hatten. Zum Glück hat Garrett meinen Koffer aus San Carlos mitgebracht, damit ich nicht darin nach Hause fliegen muss.

Treys Kopf erscheint aus der Reihe vor uns. „Was ist mit der Markierung? Seine Essenz ist dort eingebettet."

Schön zu wissen, dass unser Gespräch völlig unprivat war. Ich hätte mich erinnern sollen, dass die Rudelmitglieder meines Bruders direkt vor uns sitzen und jedes Wort hören konnten. Wandlerohren können weit mehr als menschliche Ohren hören. *Na ja.* Es gibt sowieso kaum Privatsphäre in einem Rudel.

Ich bedecke meine heilende Wunde und lehne mich

zum Fenster hin, weg von Amber, obwohl sie nicht nach mir gegriffen hat. Ich will nicht hören, was ihre psychischen Fähigkeiten ihr sagen.

„Es ist okay", sagt sie leise. „Ich glaube nicht, dass du meinen Visionen trauen solltest, um Entscheidungen zu treffen."

Garrett zieht eine Grimasse. „Deine Visionen sind der Grund, warum wir Sedona gefunden haben. Wir vertrauen ihnen. Das solltest du auch tun." Er greift zur Furche zwischen Ambers Brauen und reibt sie weg. Die Geste ist süß und sie lässt mich lächeln. Ich liebe es, diese Seite von ihm zu sehen. Ich wusste immer, dass mein Bruder ein guter Gefährte sein würde, aber er war bis jetzt nie daran interessiert, eine Frau zu beanspruchen. Er hätte die Auswahl in jedem Wurf, in jedem Rudel haben können, aber er war nur gelangweilt gewesen, als unser Vater die Verpaarungsspiele in Phoenix abgehalten hatte.

Und nein, sie ließen mich nie teilnehmen, nicht, dass ich Interesse hatte.

Trey zuckt mit den Schultern und dreht sich um. Er ist wie ein zweiter Bruder für mich – alle von Garretts Rudelmitgliedern sind es. Ich würde ihnen mein Leben anvertrauen und wissen, dass sie jederzeit alles für mich tun würden. Aber es ist nicht, weil sie sich so sehr um mich sorgen. Es liegt daran, wessen Schwester ich bin. Oder, oben in Phoenix, wessen Tochter ich bin. Deshalb war das Abhängen mit Menschen an der Uni so erfrischend für mich.

Nur wenn ich jetzt an meine Freunde denke, ist es mit totaler Leere. Ich kann ihnen nichts hier von erklären. Was würde ich sagen?

Druck baut sich hinter meinen Augen und meiner Nase auf, als das enge Netz des Opfers wieder auf mich herabfällt. Tränen brennen in meinen Augen.

„Hey." Garrett schnappt sich meinen Nacken, aber ich schüttle ihn ab. „Was ist los?"

„Ich will nicht wieder zur Uni zurückgehen", würge ich hervor. Ich habe nur noch ein Viertel übrig. Es wäre dumm, es nicht zu beenden, aber die Idee, zu der dummen Farce zurückzukehren, in der ich gelebt hatte, so zu tun, als würde ich bei Menschen reinpassen, macht mich körperlich krank.

Ich habe meinen menschlichen Freunden heute Morgen gesimst, damit sie wissen, dass es mir gut geht und dass ich eine schreckliche Erfahrung mit einigen mexikanischen Drogenbaronen hatte, aber dass ich etwas Zeit brauche, um mich zu erholen. Weg von Tucson. Es ist nicht wahr, aber ich will nicht, dass sie mitleidig vor meiner Tür auftauchen und mich zum Opfer machen.

„Okay. Das musst du nicht."

Unsere Eltern könnten etwas anderes über diese Entscheidung zu sagen haben, aber Garrett hält meinem Blick stand, Brauen angehoben mit Entschlossenheit. Ich sehe ein Versprechen in seinen Augen. Irgendwie ist er mit unserem Vater auf dem Berg gut umgegangen. Brachte ihn zum Zuhören und nicht zum Kämpfen. Ich weiß nicht, wie er das gemacht hat, denn unser Vater ist das größte Alpha-Arschloch auf der Welt. Aber Garrett ist jetzt größer. Jünger. Die Tage, in denen mein Vater ihm in den Arsch treten konnte, sind vorbei. Vielleicht hat sich die Macht verschoben. Ich war überrascht, dass er Garretts Wahl akzeptiert hatte, ohne ihn anzugreifen.

„Was *willst* du tun, Schwester?"

„Rucksack quer durch Europa", sage ich.

Garrett blinzelt mich an. Ich beiße auf meine Lippen. Was habe ich mir nur gedacht? Ich kann ihn praktisch sehen, wie er versucht, nicht *„Nein auf gar keinen Fall"* zu sagen. Ich meine, er ließ mich kaum nach San Carlos für die Semesterferien fahren und schau, wie das für mich geendet ist. Die Idee, dass sie mich allein durch Europa reisen lassen, ist lächerlich. Und, ja, obwohl ich einundzwanzig Jahre alt bin, bitte ich immer noch meine Eltern und Garrett, mich Dinge tun zu „lassen". Natürlich unterstützen sie mich – ich wohne in einem der Wohnhäuser, die Garrett besitzt, und meine Eltern zahlen alle meine anderen Ausgaben.

Aber nur du kannst dein Leben leben. Du solltest frei sein, deine eigenen Entscheidungen zu treffen. Der beste Rat, den ich je bekommen habe, wurde mir in einem Verlies von einem Mann geliefert, der mehr von Tradition und Rudelgeschichte wusste, als ich es jemals tun werde.

Versprich es mir.

Garrett kommt zu seiner Entscheidung. „Das wird nicht passieren."

Was ein Schock. Ich drehe meinen Kopf zum Fenster, um das Gespräch zu beenden. Ich bin vielleicht nicht mehr in einer Zelle eingesperrt, aber ich bin immer noch eine übermäßig beschützte Rudelprinzessin. Ich werde nie frei sein.

~.~

ÄLTESTENRAT

„WIE HABEN die Amerikaner uns gefunden?", frage ich die vier faltigen Ratskollegen, die sich im Sitzungssaal versammelt haben. Der Pfad hätte nicht zurückverfolgt werden dürfen.

Don José schneidet das Ende einer Achthundert-Dollar-Cohiba-Zigarre ab und zündet sie an. Sie ist kubanisch, aus einer limitierten Box aus dem Jahr 2007. Ich weiß es, weil ich sie letztes Jahr bei einer Auktion für Ratssitzungen gekauft hatte. José schiebt die Kiste zu dem Mann auf der linken Seite. „Durch die Menschenhändler. Oder den Harvester."

Nicht der Harvester. Wahrscheinlich die Menschenhändler.

„Ich fahre runter nach *el De-Efe*", so nennen die Mexikaner Mexiko-Stadt, „um ihnen einen Besuch abzustatten." Ich erwähne nicht, dass ich schon versucht habe, sie in Mexiko-Stadt anzurufen. Ohne Erfolg. Die Amerikaner kamen uns dort zuvor, befürchte ich. Entweder hat uns jemand verraten oder sie sind alle tot.

Wenn es Ersteres ist, wären sie alle tot, wenn ich mit ihnen fertig bin. Oder ich gebe sie Carlos, um seinen Rachedurst zu stillen. Verdammt, ich würde ihn selbst dorthin bringen und ihm dabei zusehen. Es wird gut für meine Forschung sein, ihn in Aktion zu sehen. Ich habe den Alpha noch nicht kämpfen gesehen.

„Was ist mit dem Jungen? Er hat nicht gekämpft, um

sie zu behalten." Don Mateo ist mit der Zigarrenkiste an der Reihe, hält eine unter seine Nase und atmet tief ein. „Glaubst du, er ist nicht wirklich verpaart?"

Es ist bezeichnend, wie wenig Macht Carlos hier hat. Dass wir ihn eher als *den Jungen* als *den Alpha bezeichnen.* Aber wir müssen vorsichtig sein. Er ist jetzt wütend auf uns, was unvorhergesehene Wellen verursachen kann. Ich hätte mir einen viel einfacheren Plan per *In-vitro*-Fertilisationsverfahren gewünscht.

„Ich denke, Carlos ist vielleicht eher tapfer als egoistisch." Ich schreite im Raum auf und ab. „Vielleicht wollte er unserem Rudel das Blutvergießen ersparen."

„Oder sein eigenes", sagt Don Mauricio trocken.

„Nein. Er ist kein Feigling. Der Junge ist intelligent." Er ist schließlich mein Großneffe. „Sein amerikanisches College lehrte ihn, strategisch zu denken. Er traf die beste Entscheidung, wie er das Mädchen und das Rudel schützen konnte. Glaub nicht, dass er ihr nicht hinterherlaufen wird, wenn sich der Staub gelegt hat."

„Weißt du, welcher Diener sie befreit hat? Juanito?" Don José zögert.

„Ja, aber vergiss es. Carlos wird ihn vor Strafe beschützen und wir wollen den Alpha nicht noch mehr verärgern. Wenn die einzigen Rudelmitglieder auf seiner Seite ein neunjähriger Junge und eine verrückte Mutter sind, könnten wir schlimmer dran sein."

Die Männer um den Tisch herum lachen mit mir.

„Ich bringe Carlos zu den Menschenhändlern. Lass ihn diese Runde gewinnen. Er hatte was zu sagen und seinen Willen bekommen. Er wird nach der Frau suchen und sie zurückbringen, hoffentlich schwanger mit seinen Jungen."

„Wie können wir sicher sein?"

Ich hebe meine Schultern an. „Er ist ein Alpha-Männchen auf dem Gipfel der Männlichkeit. Sein Wolf wird verlangen, dass er in ihrer Nähe ist."

„Und wenn er sich entscheidet, wegzubleiben?", fragt Don Mateo.

Ich lächle. „Umso besser. Wir brauchen nur seine Jungen."

Und ich würde gerne seinen Körper für Experimente behalten.

arlos

ICH SITZE im Schlafzimmer meiner Mutter und beobachte, wie sie das Frühstücksessen auf dem Tablett vor sich hin und her bewegt. Ihre Augen sind glasig, das Gesicht blass. Es ist drei endlose Tage her, seit Sedona gegangen ist. Drei Tage, eine Stunde und dreiundvierzig Minuten, um genau zu sein.

Maria José, Juanitos Mutter, gießt mir eine frische Tasse Kaffee ein, milchig und mild. Ich liebe den Kaffee, der hier auf unserem Berg angebaut wird. Ich trinke ihn, seit ich ein Welpe bin. Er ist mild genug, dass ich ihn den ganzen Tag trinken kann.

„Wann kommt dein Vater heim?", fragt meine Mutter mich.

Meine Brust zieht sich zusammen wie immer, wenn sie vergisst, dass er tot ist.

„Er ist fort, Mamá. Jetzt bin nur noch ich hier."

Ich sehe ein Flackern des Schreckens in ihren Augen, bevor es verblasst und sie ihren Kopf zu ihrem Butterbrot beugt.

„Ich … Ich habe eine Frau gefunden, Mamá." Ich überrasche mich selbst. Ich hatte nicht damit gerechnet, über Sedona zu sprechen, aber sie beschäftigt jeden Teil meines Geistes. Meine Mutter versteht nicht, was ich die Hälfte der Zeit sage, aber sie tut es jetzt.

Sie hebt ihren Kopf und starrt mich an.

„Sie ist Amerikanerin. Ihr Name ist Sedona. Sie ist so wunderschön." Wunderschön wird ihr nicht gerecht. Exquisit. Umwerfend. Volle Punktzahl. Sie ist magisch.

Meine Mutter steht auf, als wäre Sedona hier, und ich springe zu meinen Füßen und lege eine Hand auf ihre Schulter und drücke sie sanft zurück in ihren Stuhl. „Sie ist jetzt nicht hier, Mamá." Ich setze mich wieder und hebe meine Kaffeetasse hoch, starre hinein, während ich den Inhalt umherwirbele. „Ich weiß nicht, ob sie tatsächlich zurückkommt." Da. Ich habe es zugegeben. Die schreckliche Wahrheit, die ich mir nicht einmal eingestehen will. „Sie wollte nicht verpaart sein."

Zu meinem Entsetzen springen Tränen in die Augen meiner Mutter und ihre Lippen beginnen zu zittern. „Das wollte ich auch nicht", sagt sie.

Oh Schicksal. Warum habe ich diese Büchse der Pandora geöffnet?

„Ich weiß, Mamá. Deshalb würde ich sie nie bitten zu bleiben, wenn sie nicht hier sein will."

Tränen fallen frei von den schokoladenbraunen Augen

meiner Mutter auf das Frühstückstablett. „Warum kann ich nicht nach Hause gehen?", jammert sie.

„Mamá." Ich greife über den kleinen Tisch und bedecke ihre Hand mit meiner. „Weil wir hier besser auf dich aufpassen können. Und ich brauche dich – dein Sohn", sage ich, falls sie vergessen hat, wer ich bin. „Carlos braucht dich."

Sie bricht in ein Schluchzen aus. Scheiße. Ich schiebe meinen Stuhl zurück und gehe herum, um meinen Arm über ihre Schultern zu legen.

„Carlitos." Sie stöhnt meinen Namen wie ein Klagelied. „Mein einziger Sohn."

Meine Mutter hatte fünf weitere Schwangerschaften, aber keine anderen Geschwister überlebten. Und ich war all die Jahre weg. Ließ sie mit einem Rudel allein zurück, das sie nie als ihres empfand. Ich bin ein schrecklicher Sohn.

Ich schaue Maria José hilfesuchend an und sie eilt mir zu Hilfe. „Es ist alles in Ordnung, Doña Carmelita. Du bist nur traurig, weil du deine Pillen heute noch nicht hattest." Sie nimmt eine kleine Tasse verschreibungspflichtiger Medikamente vom Tablett und schüttelt sie, sodass sie herumklappern. „Nimm diese und du wirst dich besser fühlen."

Meine Mutter wirft sie weg, verstreut die Pillen auf dem Boden, und Maria José fällt auf die Knie, um sie aufzusammeln. Ich helfe ihr.

„Nimmt sie diese normalerweise bereitwillig?"

Maria José zuckt mit den Schultern. „Manchmal. Ich weiß nie, wie sie sein wird."

„Was passiert, wenn sie diese nicht einnimmt?"

„Ich verstecke sie in ihrem Essen, wenn ich es kann. Wenn nicht, haben sie Spritzen, die ich ihr geben kann, aber sie hasst das."

Ich lasse die Pillen in den Becher fallen, den Maria José hält. „Danke." Ich treffe ihren Blick und halte ihn. „Du hast dich all die Jahre um sie gekümmert. Ich bin dir dankbar."

„Don Carlos …" Maria José blickt zur Tür und dann zu mir zurück.

„Ja?"

„Was, wenn …" Sie zieht einen Atemzug ein. Die Finger, welche den Becher von Pillen umgreifen, werden vor Anspannung weiß. „Was, wenn diese nicht das sind, was sie braucht?"

Ich starre sie an und versuche zu verstehen, was sie sagt. „Du denkst, es sind die falschen Medikamente für sie? Sie bewirken mehr Schaden als Nutzen?"

Sie nickt mit dem Kopf. „Vielleicht gibt es einen Weg …, wie du dies überprüfen könntest?" Sie wirft wieder einen Blick auf die Tür.

„Ich werde Don Santiago fragen", sage ich und gehe zur Tür. Don Santiago, der Bruder meines Großvaters, hat einen Doktortitel in Biochemie. Er ist nicht gerade ein Arzt, aber er fungiert als der medizinische Berater des Rudels.

„Nein!" Maria José packt meinen Arm, das weiß in ihren Augen blitzt vor Panik auf. Sie gibt sofort meinen Arm frei, ohne Zweifel bemerkt sie, wie unangemessen es für sie ist, einen Alpha zu ergreifen. Sie duckt ihren Kopf,

neigt den Becher von Pillen hin und her mit einer wack-
ligen Hand. „Jemand anderes", flüstert sie. „Nicht aus dem
Rudel. Bring sie in die Stadt. Nach Amerika. Frage Don
Santiago nicht."

Meine Haut kribbelt von dem, was sie impliziert. Jetzt
bin ich derjenige, der sie festhält. Ich greife beide ihrer
Oberarme und drücke, bis sie nach oben schaut. „Warum
sollte ich nicht Don Santiago fragen?" Es liegt eine
Drohung in meiner Stimme. Sie ist nicht für sie bestimmt,
aber meine Aggression kommt bei der Idee hervor, dass
der Wolf, der meine Mutter behandelt, vielleicht nicht
vertrauenswürdig ist.

Die arme Maria José dreht sich in meinem Griff.
„Bitte, *Señor*. Es ist nichts. Vergiss, was ich gesagt habe.
Ich flehe dich an."

„Nein, Maria José. Sag es mir. Du denkst, ich sollte
jemanden anderen außer Don Santiago fragen. Warum?"

Maria José blinzelt schnell und windet sich immer
noch gegen meinen Griff. Ich lockere meine geballten
Finger und fürchte, ich habe ihr blaue Flecken gemacht.
„Ich bin dumm", murmelt sie, aber es klingt mehr an sich
selbst gerichtet als an mich. „Ich habe nichts damit
gemeint. Beachte nicht die Worte einer idiotischen Dienerin." Sie zerrt wieder gegen meinen Griff und dieses Mal
lasse ich sie los.

Ein Knoten aus Unbehagen bildet sich in meinem
Bauch. Hier passiert etwas, das mir gar nicht gefällt. Überhaupt nicht.

Ich sehe zu, während meine Gedanken wirbeln, als
Maria José meine Mutter, die jetzt fügsam ist, dazu überre-

det, ihre Pillen zunehmen. Ich erwäge meine Optionen. Wölfe benötigen in der Regel keine ärztliche Versorgung, da wir schnell heilen und selten Krankheiten erleiden, aber es könnte eine Art von Wandlerarzt in den USA geben. Ich weiß es einfach nicht.

Ich küsse meine Mutter auf den Kopf und gehe in mein Zimmer, das gleichzeitig auch als mein Büro dient. In den Tagen seit Sedona gegangen ist, habe ich Listen und Pläne sowie Ideen neu arrangiert, die ich für das Wachstum und die Modernisierung von Monte Lobo hatte. Das meiste davon erfordert Geld, was bedeutet, dass ich die Finanzen des Rudels untersuchen und herausfinden muss, was wir ausgeben können. Das Problem ist, ich habe den Rat fünfmal um Infos über die Buchhaltung gebeten und habe noch nichts erhalten.

Ich habe auch noch nicht entschieden, was ich mit dem verdammten Rat machen soll. Ich muss ihnen etwas von ihrer Macht entziehen, ihre Handlungen gegen mich bestrafen. Aber bevor ich das tue, muss ich die ganze Dynamik hier wirklich verstehen. Ich verfüge nicht über die Unterstützung der Rudel-Mitgliedern, und warum sollte ich auch? Ich war nicht hier, um sie zu führen. Und ohne das Rudel, mit dem Rat, der mich so verrückt nennt wie meine Mutter, könnte ich ganz einfach wieder in dieser verdammten Zelle landen. Oder tot sein. Aber dieser Teil macht mir keine Sorgen. Es sind Gedanken an die Sicherheit meiner Mutter, die mich vorsichtig machen. Der Rat kann bösartig sein – ich habe es schon mal gesehen.

Ich erinnere mich, wie ich als Junge das Blut aus ihrem Besprechungsraum riechen musste, als sie Rudelmitglieder wegen unerlaubter Verbrechen hineinriefen. Das Verfahren wurde geheim gehalten und es war gefürchtet. Geflüster und Schrecken. Mein Vater war fort gewesen. Als er zurückkam, erinnere ich mich, wie er den Rat anschrie, stundenlang mit ihnen gestritten hatte, aber nichts war passiert.

War er so ineffektiv wie ich gegen sie gewesen? Warum? Wie lange gibt es diese Form der Rudelregeln schon in Monte Lobo? Weil es ganz sicher nicht Wolfsnatur ist. Keine anderen Rudel auf der Welt werden so geführt, soweit ich weiß.

Aber nur weil die Dinge immer so waren, bedeutet es nicht, dass ich sie nicht ändern kann. Ich muss nur schlau sein. Einen Plan haben.

Ich reibe mein Gesicht, während ich in mein Zimmer gehe. Es ist das Hauptschlafzimmer der Hacienda, das Zimmer, das meinen Eltern gehörte. Sie gaben es mir als leeres Symbol für meinen Alpha-Status, als ich zurückkehrte.

Ich stehe am Fenster und starre raus. Es ist schwer, mein Gehirn dazu zu bringen, sich auf irgendetwas außer Sedona zu konzentrieren. Ich stelle mir immer noch vor, ich rieche sie an meinen Fingern, schmecke sie auf meiner Zunge. Das Bild von ihrem Lächeln, ihren schönen langen Beinen, diesem perfekten Körper, spielt immer wieder vor meinen Augen ab.

Ich höre ihre heisere Stimme. Träume davon, sie immer und immer wieder zu beanspruchen, die ganze Nacht lang. Meine Tage sind eine endlose Qual von Sedona-Erinnerungen.

Und ich ertrage es nicht, dass ich nicht einmal mit ihr gesprochen habe, seit sie weg ist. Ich kenne nicht mal ihren Nachnamen. Ihre Telefonnummer. Ihre Adresse. Aber es ist besser so. Was würde ich sagen? *Tut mir leid, dass mein Rudel dich gefangen hielt. Ich will dir das nie antun, also hab ein schönes Leben?*

Ich seufze und streiche mit meinen Fingern durch meine Haare.

Ein Klopfen ertönt an meiner Tür. „Herein."

Don Santiago öffnet die Tür und spaziert herein.

Ich wende mich zum Fenster zurück. „Wann wirst du die Menschenhändler bringen?"

„Ich kann sie nicht per Telefon erreichen. Es ist möglich, dass sich die Amerikaner schon um sie gekümmert haben. Ich habe die Adresse ihres Lagers, wenn du es überprüfen willst."

Ich bin überrascht und misstrauisch gegenüber diesem Angebot. Warum wurde es ursprünglich nicht vorge-schlagen?

„Wo ist es?"

„In *el De-Efe.*" Mexiko-Stadt. Das stimmt überein mit dem, was Sedona mir erzählt hatte.

„Wann wirst du nach deiner Frau schauen?"

Ich wirbele herum, überrascht von der Annahme in der Frage.

„Falls sie schwanger ist, musst du die Verantwortung für das Kind übernehmen."

Schwanger. Ich bin mir sicher, dass das Blut aus meinem Gesicht fließt. Warum hatte ich die Möglichkeit nicht in Betracht gezogen? Sedona könnte jetzt meinen Welpen tragen. Sie braucht mich vielleicht. In den letzten Tagen dachte ich, ich tue ihr einen Gefallen, indem ich wegbleibe, aber was ist, wenn ich meiner Pflicht ihr gegenüber nicht nachkomme? Wenn sie mein Kind in sich trägt, schulde ich ihr meine Unterstützung, meinen Schutz.

Sedona ist vielleicht schwanger. Oh Schicksal. Der Gedanke gibt mir den Wunsch zu rennen und zu heulen, ob aus Freude oder Verzweiflung, darüber bin ich mir nicht sicher. All das Jucken, in der Nähe von Sedona zu sein, kommt schreiend an die Oberfläche zurück. Ich habe dagegen angekämpft, aber jetzt, mit diesem Gedanken an meine schöne Frau allein, verlassen und schwanger, lässt mich nicht still bleiben.

Ich springe auf und packe einen Koffer, bevor ich mir eingestanden habe, was ich da tue.

„Ich bringe dich nach *el De-Efe*, ich habe dort einige Sachen zu erledigen", sagt Don Santiago beiläufig. „Du kannst das Lagerhaus überprüfen, bevor du gehst."

Ich wurde gerade ausgespielt und es ist mir scheißegal. Ich kann an nichts anderes denken, außer zu Sedona zu gelangen. Ich muss sie finden, überprüfen, ob sie sicher ist, und ihr jedes Versprechen geben, das sie verdient. Ich werde für sie da sein. Ich werde sie versorgen. Beschützen.

Ob sie es will oder nicht.

~.~

SEDONA

. . .

ICH PARKE meinen Jeep vor Garretts Wohnhaus und steige aus. Es ist ein Freitagabend, also sollte Garrett in seinem Nachtclub arbeiten, aber mit einer neuen Gefährtin könnte er zu Hause sein. Ich bin aber nicht hier, um ihn zu sehen. Das ist der Punkt, warum ich an einem Freitagabend komme. Ich will mit Amber reden, seiner Gefährtin. Denn zusätzlich zu meinem verdrehten Verstand über das, was zwischen Carlos und mir passiert ist, habe ich eine neue Angst. Eine drohende Frage, auf die ich ein oder zwei Wochen warten müsste, um eine Antwort zu bekommen … Es sei denn, ich wäre eine Hellseherin.

Ich betrete das Gebäude und nehme den Aufzug bis in den vierten Stock. Ich weiß, dass Ambers Wohnung neben Garretts ist. Ich nehme an, sie bleiben dort, da Garrett bei Trey und Jared wohnt und ich bezweifle, dass Amber bei dieser Bruderschaftsparty mitmachen wollte.

Ich rieche Amber in der Tür links von Garretts und klopfe. Ich höre sie auf der anderen Seite und schnuppere Garretts frischen Duft nicht. „Amber? Hier ist Sedona."

Die Tür schwingt weit auf. „Sedona." Ambers blonde Haare sind in einen französischen Knoten hochgesteckt und sie trägt immer noch ihre Arbeitskleidung, sexy in einer Seidenbluse und einem Bleistiftrock. Als ich sie so sehe, fällt mir wieder auf, dass sie nicht die Art von Frau ist, von der ich gedacht hätte, dass Garrett sie auswählen würde. Sie ist elegant und raffiniert, während er kantig und voller roher Kraft ist, aber ihre Wärme ist echt, als sie mich einlädt.

„Garrett ist nicht hier, aber er wollte versuchen, früh nach Hause zu kommen."

„Das ist okay. Ich wollte eigentlich dich sehen."

Sie scheint nicht überrascht zu sein. Ich glaube, Hellse-herinnen wissen, wann man kommt.

„Willst du etwas trinken?" Sie geht mit nackten Füßen zum Kühlschrank und zieht ihn auf. „Ich habe nicht viel, aber es gibt etwas Ginger-Ale, was Garrett rübergebracht hat. Und Bier." Sie schaut fragend über ihre Schulter.

„Ginger-Ale klingt großartig." Ich nehme die frostige Flasche und Amber holt einen Öffner aus einer Schublade. Sie öffnet ihres zuerst, übergibt es dann mir und ich tausche es mit dem in meiner Hand.

Ich sehe mich in ihrer Wohnung um. Es ist glänzend sauber, aber nicht ordentlich, falls das Sinn macht. Kein Schmutz oder Staub, aber es sind Papiere auf dem Schreib-tisch verstreut und ein paar High Heels wurden unzeremo-niell vor die Haustür geworfen.

„Also, ähm … Wie fühlst du dich?", fragt Amber.

Uff. Dies ist definitiv nicht das Gespräch, das ich führen möchte, obwohl ich weiß, dass sie wirklich ernst-haft fragt und sich um meine Antwort zu sorgen scheint. Ich ziehe einen Atemzug ein und beginne damit, warum ich hier bin. „Ich weiß, ich wollte nicht, dass du deine Fähigkeiten nutzt, um mir etwas über Carlos zu erzählen, aber …" Ich schlucke. Es ist schwerer zu sagen, als ich es erwartet habe. „Ich habe mich nur gefragt, ob ich mir Sorgen machen muss …" Ich laufe durch ihr Wohnzimmer und kann ihr nicht direkt gegenüberstehen.

„Ja." Sie flüstert es und jedes Haar auf meinem Arm steht ab.

Aber ich weiß nicht Mal, ob sie die richtige Frage beantwortet. Ich drehe mich um und starre sie an.

Sie errötet, Unsicherheit schleicht sich über ihren

Gesichtsausdruck, als wäre sie ein direkter Spiegel meiner Gefühle.

„Ja, ich bin schwanger?", rutscht es mir raus.

Sie läuft noch roter an und nickt. „Das ist, was ich gesehen habe."

Ich umklammere einen Stuhl, um nicht umzufallen. Der Raum dreht sich um mich und der Boden kippt möglicherweise auch. Ich weiß nicht, was ich denke oder fühle, aber mein Bauch glaubt, dass sie recht hat. Mein Bauch wusste es schon vor zwei Tagen, ich habe mir nur nicht erlaubt, darauf zuhören.

Mist!

„Bist du sicher?"

Der Türknauf dreht sich um und ich fluche innerlich, als Garretts massiver Körper hereinkommt und einer Tüte voll Essen trägt. „Sicher wegen was?" Seine Stimme ist scharf.

Natürlich hat er es gehört, er ist ein Wandler.

„Hast du es ihm gesagt?", frage ich schwach, halte mich immer noch am Stuhl fest, um aufrecht zu bleiben.

Ambers Blick schweift von mir zu Garrett. „Nein."

Garrett kommt rüber und zerquetscht die Box mit dem Essen in seiner Hand. Jemandem, der meinen Bruder nicht kennt, der ein riesiger Teddybär für die Frauen ist, die er liebt, könnte dies Angst machen. Seine Rudelmitglieder würden sich aufrichten, um den silbernen Schimmer in seinen Augen zu sehen. Ich habe aber keine Angst und Amber auch nicht, obwohl ich ihr Unbehagen spüre. Sie tritt vorwärts, um die Box mit dem Abendessen zu retten, bringt es schnell zur Arbeitsfläche, bevor der Inhalt aus dem kaputten Karton fällt.

„Was gesagt?"

Ich zwinge mich zu atmen.

Amber antwortet nicht, wahrscheinlich respektiert sie mein Recht, es ihm zu sagen oder nicht.

Meine Hand bewegt sich, um meinen unteren Bauch zu beschützen, und Garretts Augen weiten sich.

„Oh, fuck." Er fällt zurück und fällt auf die Couch. „Ich muss mich hinsetzen."

„Ich auch", schaffe ich zu flüstern.

Garrett reibt sich das Gesicht. „Ach Mensch. Ich hätte an diese Möglichkeit denken sollen. Ich war einfach so besorgt, dich zu befreien, und hatte Angst um deinen mentalen Zustand."

„Ich weiß", krächze ich. „Ich auch."

Garrett hebt sein Gesicht von seinen Händen, springt auf seine Füße und pirscht zu mir hinüber. Er nimmt beide meiner Ellbogen. „Ich werde bei dir stehen, egal was du entscheidest zu tun."

Ich ziehe mich von ihm weg und hasse den prüfenden Blick. Ich weiß es zu schätzen, was er sagt, aber meine Mama-Wölfin knurrt bei dem Vorschlag, etwas anderes zu tun, außer meinen Welpen zu behalten.

Aber kann ich ihn oder sie behalten?

Ich lecke meine Lippen. „Was denkst du, was Carlos tun wird, wenn er es herausfindet?"

Die Lippen meines Bruders straffen sich, seine Brust dehnt sich aus und ich weiß, dass er alles in seiner Macht Stehende tun würde, um mich oder meinen Welpen vor jeder Bedrohung zu beschützen. „Wenn er nur versucht, diesen Welpen von dir zu nehmen–"

„Glaubst du, er würde es?", unterbreche ich ihn.

Garretts Lippen ziehen sich nach unten. „Jeder verpaarte männliche Wolf muss seine Frau beschützen. Multipliziere das mit hundert für einen Alpha-Mann. Und ein Alpha-Mann mit einer schwangeren Frau?" Garrett schüttelt seinen Kopf. „Es würde ein ganzes Rudel brauchen, um ihn fernzuhalten."

Ich hätte Garrett mich festhalten lassen sollen, denn der Boden kippt wieder zur Seite. Mein Blut fließt in meine Füße. Ich kann Garretts oder Vaters Rudel nicht in Gefahr bringen. Aber vielleicht findet Carlos es nicht heraus. Er ist noch nicht gekommen, um nach mir zu suchen – er hat nicht versucht, mich zu kontaktieren. Vielleicht kann ich die Tatsache, dass ich einen Welpen unter meinem Herzen trage, vor seinem Rudel geheim halten.

„Ich bringe dich in dieses Wohnhaus. Das ist, wo ich dich von Anfang an haben wollte", erklärt Garrett.

Ich erinnere mich an den Streit. Ich hatte ihn gebeten, mich in einem seiner Gebäude in der Nähe des Campus bleibenzulassen – um weiter von seinem wachsamen Auge weg zu sein. Er hatte nachgegeben, denn obwohl er ein überbeschützender Alpha ist, ist er auch ein Schatz.

„Ich–" Ich fange an zu streiten, aber ändere dann meine Meinung. Besser nicht ihm sagen, was ich denke. „Okay."

Garretts Schultern sacken ab. „Ich hole das Rudel morgen als Erstes. Keine Sorge – sie werden alles tun. Du musst dir keine Sorgen machen, okay, Kleine?"

Ich nicke, aber ich bin schon aus der Tür. „Okay, danke. Danke, Amber." Ich drehe den Türknauf.

„Vielleicht solltest du heute Abend bei mir bleiben", sagt Garrett.

Ich wusste, dass das kommt.

„Nein, es geht mir gut. Morgen ist ein neuer Tag. Gute Nacht." Ich gehe, bevor er mehr darüber nachdenken kann.

Carlos wird vielleicht nach mir suchen und wenn er es tut, muss ich weit weg von Tucson sein. Ich bin sicherer, wenn niemand weiß, wo ich bin.

~.~

CARLOS

ICH LAUERE im Schatten von Sedonas Wohnhaus wie ein Dieb.

Ich schätze, ich bin ein Dieb, der darauf wartet zu stehlen – aber was? Sedonas Herz? Ihren Körper? *Carajo*, ich würde mich mit ein paar Minuten ihrer Zeit zufriedengeben.

Sie ist im Moment aber nicht zu Hause. Sie zu finden, hat ein wenig Mühe gekostet. Anstatt in der Wandler-Community herumzufragen, was das Rudel ihres Bruders auf meine Anwesenheit aufmerksam machen würde, suchte ich nach dem Wort *Sedona* und *Universität von Arizona*, bis ich eine Erwähnung über eine Kunstausstellung fand, an der sie teilnahm. Außerdem entdeckte ich ihren Nachnamen. Von dort aus recherchierte ich, bis ich eine Adresse fand, und ich betete, dass sie noch immer aktuell ist. Gemessen an ihrem Duft, der sich in einer Wohnung im Obergeschoss verbirgt, ist sie das.

Nur in der Nähe zu sein, wo sie lebt, lässt meine Haut mit Vorfreude darüber, sie zu sehen, kribbeln. Ich kann das Bild ihrer geschwollenen, frisch geküssten Lippen nicht aus meinem Kopf bekommen. Oder wie ihre Wimpern flatterten, kurz bevor sie kam. Und oh, Schicksal, ihr Geschmack. Ich sterbe, um wieder zwischen diese schönen Schenkel zu kommen und sie zu lecken, bis sie schreit.

Meine Sedona.

Ein Jeep parkt draußen und ich weiß, bevor ich die Figur hinter dem Steuer sehe, dass sie es ist. Sie klettert heraus und schaut wie die Göttin der Jugend und Fruchtbarkeit aus. Ihr kastanienbraunes Haar ist in einen dicken Pferdeschwanz zurückgezogen, der schwingt, wenn sie geht. Sie trägt kurze Shorts, ihre langen Beine sind braun und glatt. Oh Hölle, die Rundung von ihrem Arsch zeigt sich fast hinten, dort wo sie abgeschnitten sind. Ein tiefes Knurren grollt in meinem Hals, als ich an alle Männer denke, die sie auf diese Weise gekleidet gesehen haben.

Ich glaube nicht, dass sie mich gehört hat, aber sie wirft einen Blick über ihre Schulter und nimmt ihr Tempo auf. Ich schleiche an der Seite des Gebäudes entlang, als sie sich der Haustür nähert.

Fuck.

Es gibt eine Schlüsselkarte. Es muss nur nachts verschlossen sein, weil ich vorher reingegangen bin. Sie gleitet durch und schließt die Tür und späht in die Dunkelheit zurück, als wüsste sie, dass ich hier bin.

Verdammt. Ich erstarre und ducke mich wieder in den

Schatten. Als sie verschwindet, schleiche ich mich näher an die Tür heran.

Ich habe Glück. Ein Paar kommt heraus, streitet sich über etwas und ich bewege mich schnell vorwärts, gehe, als ob ich den Ort besitze, und fange die Tür ab. Es gibt einen Aufzug, aber ich nehme die Treppe und nutze etwas Wandlerkraft, um sie mit voller Geschwindigkeit zu erklimmen. Ich komme in den dritten Stock zur gleichen Zeit, als sich der Aufzug öffnet. Sedona sieht mich und ihre Augen weiten sich.

„Carlos."

Ich gehe vorwärts, aber ihre nächsten Worte lassen mich innehalten.

„Hat der Rat dich geschickt?"

„Was?" Ich schlucke ein Knurren runter. „Nein. Natürlich nicht." Auch wenn Santiago es erwähnt hatte, die Idee war schon in meinem Kopf gewesen. „Sie haben Glück, am Leben zu sein, nach der Nummer, die sie abgezogen haben. Ich kam, weil ich dich sehen musste." Ich halte meine Hände hoch. „Ich bin es nur, Sedona. Ich bin allein."

Ich wünschte, ich könnte ihr berichten, dass ich ihre Entführung gerächt habe, aber als ich im Lagerhaus ankam, fand ich den Ort mit gelbem Polizeiband abgesperrt vor und es roch nur so nach Wandlerblut. Santiago hatte wahrscheinlich recht, das Rudel ihrer Familie war zuerst dort gewesen.

Sedona nickt langsam, aber zu meinem Schock dreht sie sich um und sprintet zu ihrer Wohnung, als würde sie denken, sie könnte vor mir wegrennen.

Sie sollte es besser wissen, als vor einem Alpha-Wolf

zu fliehen. Den Impuls fürs Jagen zu stoppen, ist für mich unmöglich. Ich bin auf ihr, bevor ich den Impuls in mein Gehirn senden kann, mich zurückzuhalten. Ich packe sie an der Tür und wickele einen Arm um ihre Taille, fange ihr Handgelenk ein, das ihren Schlüssel zum Schloss mit der anderen festhält.

Ihr Duft hilft mir nicht, meinen Wolf in Schach zu halten. Es ist wie Äpfel und Sonnenschein, noch besser, als ich mich erinnern kann. Berauschend. Ich nehme den Duft der Schwangerschaft nicht wahr, aber es ist zu früh. Ich vergrabe mein Gesicht in ihrer Schulter, ziehe meine Lippen die Säule ihres Halses hoch. Mein Schwanz, jetzt schon hart vom bloßen Anblick von ihr, versteift sich noch mehr in meiner Hose.

„Sedona, schöne Wölfin, warum hast du Angst vor mir?"

Sie *hat* Angst – zittert sogar – und das ist der Teil, der mich zu einem kranken Bastard macht, weil ich sie nicht loslasse. Aber ich kann mich nicht dazu bringen, denn jetzt, da sie in meinen Armen ist, kann ich sie nicht mehr loslassen. Ihr Rücken drückt mit jedem Atemzug gegen meine Brust und ich habe den perfekten Blick auf ihr Dekolleté, welches sich hebt und senkt. Ich bin beruhigt durch die Tatsache, dass ihre Brustwarzen hart sind und durch ihr dünnes T-Shirt hervorstehen.

Ihr Körper erinnert sich an seinen Meister.

Betrunken über das Gefühl von ihr schiebe ich meine Handfläche ihr Shirt hoch, bis ich zu einer handgroßen Brust komme, die ich drücke und knete. Ich erinnere mich an das Gewicht, die Größe und die Weichheit.

Ihr Atem stockt beim Ausatmen. „W-weg von mir."

Ihre Stimme passt nicht zu den Worten und mein Wolf glaubt ihr nicht.

„Denkst du, ich würde dir jemals wehtun, Schönheit?" Ich knabbere an ihrem Ohrläppchen.

Der Duft ihrer Erregung erreicht meine Nasenlöcher und ich atme tief ein.

„N-Nein."

„Wolltest du mich nur dazu bringen, dich zu jagen?" Ich nutze die Finger meiner anderen Hand, um ihren Venushügel zu ergreifen, und drücke meinen Mittelfinger in die Naht ihrer Shorts.

Ihr Kopf fällt zurück und sie lässt ein keuchendes Stöhnen heraus, das direkt in meinen Schwanz fährt.

Sogar durch das Material ihrer Shorts und des Höschens bemerke ich ihre wachsende Feuchtigkeit, als ich meinen Finger gegen ihre Hitze drücke. „Ich werde dich immer jagen, *ángel*." Ich kratze mit meinen Zähnen über ihre Schulter, über den Ort, an dem ich sie vor weniger als einer Woche markiert habe. „Weil du zu mir gehörst."

Sie versteift sich und ich bemerke sofort meinen kolossalen Fehler. „Ich gehöre dir nicht." Dieses Mal, als sie sich wegzieht, lasse ich sie widerwillig frei. „Nur weil du mich markiert hast, heißt das nicht, dass du mich besitzt. *Deshalb* bin ich weggelaufen."

Sie schiebt ihren Schlüssel ins Schloss, aber ihre Finger zittern zu sehr, um es beim ersten Mal hinzubekommen, und das gibt mir wertvolle Sekunden, um die Fassung zurückzugewinnen.

„Sedona. Es tut mir leid." Ich lege meine Hand über das Schloss, bevor sie es wieder versuchen kann. „Das habe ich nicht so gemeint. Mein Wolf knurrt, um dich wieder zu beanspruchen, das ist alles." Ich lehne meine andere Hand gegen die Tür, fange sie zwischen meinen Armen und dränge sie mit der Hitze meines Torsos gegen die Tür. „Ich bin nicht so dumm oder chauvinistisch zu denken, ich habe irgendwelche Rechte gegenüber dir. Ich kam, weil ich sicherstellen wollte, dass es dir gut geht. Ich konnte nicht wegbleiben."

„Nun, das wirst du tun müssen. Ich brauche Freiraum, Carlos." Sie dreht sich, ihre weichen Kurven streichen gegen meine Kleidung, setzen alles in Flammen, wo sie mich berührt. Sie legt eine Hand auf meine Brust und versucht mich wegzuschieben. Sie ist eine Alphawölfin, also ist sie stark, aber ich rühre mich nicht.

„Zwing mich nicht, meinen Bruder anzurufen, Carlos. Ein Wort von mir und er reißt dich auseinander."

Ich hasse die Richtung, in die das hier geht. Ich habe alles vermasselt. Ihr Bruder könnte es versuchen, aber kein Wolf kann mich von Sedona fernhalten, wenn ich herausgefordert werde. Aber ich will nicht gegen ihre Familie kämpfen. „Du hättest ihn in Monte Lobo hinter mir herschicken können, aber das hast du nicht."

Ihre Tapferkeit zersplittert und Schmerz blitzt über ihr Gesicht. „Du hast mich gehen lassen", flüstert sie.

Ich kann nicht entscheiden, ob sie mir dankt oder mich ermahnt. Die Idee, dass sie nicht freigelassen werden wollte, kam mir nie in den Sinn, und zu glauben, dass sie durch meine Handlungen verletzt wurde, löst in mir den Wunsch aus, ein Messer durch meine Brust zu stechen. Aber sie hätte nicht bleiben wollen. Das ist unmöglich.

Die Qual, nicht zu wissen, was sie meint, macht mich

mutig. Ohne sie mit meinen Händen zu berühren, presse ich meinen Mund auf ihren, dass ihr Kopf gegen die Tür stößt. Sobald ich die Hebelwirkung habe, lecke ich ihre Lippen, verdrehe meine und neige meinen Kopf für den besten Winkel.

Wenn sie mich nicht zurückgeküsst hätte, hätte ich mich zurückgezogen – egal, was mein Wolf will –, aber sie schmilzt in den Kuss, ihre Zunge trifft auf meine, ihre Lippen bewegen sich gegen meine. Bis sie meine Unterlippe beißt, hart genug, um sie zum Bluten zu bringen.

Ich erstarre, während sie sie festhält und daran zerrt. Als sie sie loslässt, gibt es einen Hauch von Wut und Trotz in ihren schönen blauen Augen. „Verschwinde, Carlos.“

Ich ziehe mich sofort zurück, Hände in der Luft.

Fuck. *Hör auf, mit deinem Schwanz zu denken, Arschloch.*

„Sedona, bitte. Keine Ansprüche gegenüber dir. Ich will nur" – ich suche in meinem Gehirn, um die richtige Sache zu sagen – „ein Rendezvous mit dir. Lass mich dich zum Abendessen – zum Frühstück – ausführen, ganz egal. Triff mich an einem öffentlichen Ort. Ich fasse dich nicht an, ich will nur eine Chance, in deiner Nähe zu sein. Einfach reden. Bitte?"

Sedona nickt, aber sie duckt ihren Kopf zurück zur Tür und trifft meinen Blick nicht. „Ja, okay. Morgen Abend. Neunzehn Uhr." Sie entriegelt ihre Tür und tritt in ihre Wohnung, schließt sie, ohne auch nur einen Blick zurückzuwerfen.

Mein Wolf reckt die Fäuste, aber mein Gehirn weiß es besser. Sie hat nicht vor, mich Morgen zu treffen. Sie sagte nur, was es brauchte, um das Gespräch zu beenden.

Ich fahre mit meinen Fingern durch meine Haare und starre auf den Fliesenboden des Flurs.

Carajo.

Ich hatte ihren Körper mithilfe des Vollmondes und einem eingesperrten Raum. Aber wie gewinne ich ihr Herz?

KAPITEL SIEBEN

edona

ES IST DREI UHR MORGENS, mein Wecker geht los. Ich bin wach, steige aus dem Bett und ziehe meinen kleinen lila Rollkoffer hervor. Den Gleichen, den ich vor gut einer Woche nach San Carlos mitgebracht hatte. Vor einem Leben.

Wenn ich schlau wäre, würde ich zur Bank gehen und meine Konten leeren, um Bargeld abzuheben, aber es ist keine Zeit. Ich habe um Viertel vor sieben einen Flug nach Paris gefunden und plane, den zu bekommen. Ich muss aus der Stadt raus, aus diesem Land fort, *sofort.*

Du solltest frei sein, deine eigenen Entscheidungen zu treffen, hatte er mir gesagt. Ja, richtig! Er mag das theoretisch glauben, aber sobald Carlos herausfindet, dass ich seinen Welpen trage, habe ich Glück, wenn er mich nicht selbst in die Kerkerzelle zurückschleppt. Er wird sich nicht selbst helfen können. So wie er es nicht verhindern konnte, mich zu markieren. Alpha-Wölfe sind dominante Wölfe. Besitzergreifend. Kontrollierend. Sogar herrschsüchtig.

„Er hat keinen Anspruch auf mich", murmele ich, als ich Shirts und Höschen in meine Tasche werfe. Ein Kleid, ein Paar Stiefel. Meine Lippen kribbeln in Erinnerung an seinen Kuss und ich wische den Geist seiner Berührung weg. „Ich war nur ein bequemes Stück Arsch. Ich bin nicht seine Gefährtin." Den Protest meiner Wölfin ignorierend, stopfe ich noch eine Jeans in den Koffer und schließe ihn. Ich habe keine Ahnung, was ich für Europa packen soll, aber ich schätze, sie haben Orte, die Kleidung verkaufen. Wenn ich etwas brauche, kann ich es kaufen. Das ist, falls mein Vater meine Kreditkarte nicht sperrt, um mich nach Hause zu zwingen.

Dank dem Schicksal, dass ich mir die Mühe gemacht hatte, einen Pass geholt zu haben für San Carlos.

Mein Handy klingelt, als mein Uber ankommt. Ich winke ab, als der Fahrer mir helfen will, meinen Koffer in den Kofferraum zu werfen, und tue es selbst, dann springe ich in den Rücksitz seines Autos und drehe mich um, um das Gebiet um uns herum abzusuchen. Niemand ist in der Nähe, aber mein Nacken kribbelt, als würde ich beobachtet werden.

Ich checke am Flughafen ein, kaufe eine Flasche Wasser und sage meinem rasenden Herzen, es soll sich beruhigen. *Er weiß auf keinen Fall, dass ich hier bin.* Aber es mir zu sagen, hilft mir nicht. Ich kann ihn immer noch fühlen, als ob er mich grade erst berührt und dann abgehauen wäre. Ich habe letzte Nacht kaum geschlafen und als ich es tat, ging es in meinen Träumen nur um Carlos.

146

Meine Haut juckt mit der Notwendigkeit, sich zu wandeln, als ob ich jeden Moment angegriffen werden könnte.

Aber das ist lächerlich. Carlos würde mich nicht angreifen. Er sagte, er wollte nur reden. Auf ein Date gehen, wie ein normales Paar.

Wie wäre es, mit Carlos zusammen zu sein? Der Gedanke, ihm gegenüber an einem Tisch bei Kerzenschein zu sitzen, gefällt mir mehr, als ich zugeben möchte. Wenn wir uns nur unter anderen Umständen getroffen hätten. Ich schwelge in einer dummen Fantasie – Carlos besucht die Staaten, vielleicht um Handel für sein Rudel zu betreiben. Wir treffen uns zufällig in einem Flur oder er kommt zu meiner Kunstausstellung. Nein, er ist vor mir in der Schlange bei Starbucks. Er riecht mich, erkennt, was ich bin, und dreht sich um, seine dunklen Augen schimmern vor Interesse.

Wir flirten. Er führt mich zum Abendessen aus. Ich bin von ihm bezaubert, angezogen von seinem guten Aussehen, begeistert von seiner Intelligenz und seinen Leistungen. Er erzählt mir von Monte Lobo.

Uff. Oder nicht. Ein fröhlicheres Thema. Er erzählt mir lustige Geschichten aus seinen Uni-Tagen. Lockt mich ins Bett mit ihm. Mein erstes Mal ist kribbelig und aufregend. Er macht es ultra-romantisch und gießt frischen Wein in Gläser. Er ist sanft und sensibel.

Hmm. Oder nicht. Irgendwie fällt diese Fantasie total flach. Ich schätze, ich bevorzuge die wilde Grobheit, wie er mich in Monte Lobo genommen hat.

Wolltest du mich nur dazu bringen, dich zu jagen?

Eine neue Fantasie schwebt in meinen Kopf. Wir sind im Wald, aber in menschlicher Form. Ich renne, er jagt. Er reiß mich zu Boden, hält meine Handgelenke über meinem Kopf zusammen, während er in mich eindringt. Ich werfe meinen Kopf zurück, schreie auf von der Mischung aus Schmerz und Lust. Er beansprucht, was er will, so leidenschaftlich, dass er sich nicht aufhalten kann. Ich stöhne und winde mich unter ihm, widerstehe aber nur, weil ich das Gefühl seiner Stärke liebe, wie er mich runterdrückt und mich zwingt …

Ich drücke meine Oberschenkel zusammen, um den Puls meiner Hitze, der dort beginnt, zu lindern und zucke zusammen, als das nicht funktioniert.

Verdammt.

Ich werde mich besser fühlen, wenn ein Ozean zwischen uns liegt. Ich werde etwas Zeit und Raum brauchen, um meine Optionen abzuwägen und zu entscheiden, wie es weitergeht. Vielleicht, wenn ich nach Hause komme, erlaube ich Carlos, mich zu umwerben, wie er vorgeschlagen hatte.

Außer, was dann? Werde ich es ernst meinen mit einem Mann von einem Rudel, das mich *gekauft* hat? Das mich für einen *Preis* für ihren Alpha hält? Wie würde eine Beziehung aussehen? Würde ich nach Monte Lobo ziehen?

Nie!

Und ich könnte keinen Alpha-Wolf bitten, sein Rudel für mich aufzugeben.

Nein, das Beste ist, diese Schwangerschaft geheim zu halten und nie wieder Kontakt zu Carlos zu haben. Wenn unser Welpe erwachsen wird, sage ich ihm oder ihr vielleicht die Wahrheit darüber, wie er oder sie empfangen wurde.

Aber ich habe achtzehn Jahre, um mir über diesen Teil klar zu werden.

Meine Entscheidung ist getroffen. Kein Carlos mehr.

Ich mag markiert sein, aber das bedeutet nicht, dass ich kein Glück mit einem anderen Wolf finden kann. Einer, der mich und meinen Welpen gegen Carlos und sein Rudel verteidigen wird.

Warum bringt dieser Gedanke eine böse Welle von Übelkeit mit sich?

Okay, vielleicht finde ich keinen anderen Wolf. Ich heirate meine Kunst, finde so Glück.

Versprich es mir.

Ich reibe meine Brust, als ob ich den Schmerz wegwünschen kann. Es wird wahrscheinlich nicht immer so weh tun. Nicht wahr?

~.~

CARLOS

ICH KAUFE ein T-Shirt von der Universität von Arizona und eine Baseballkappe sowie Aftershave im Flughafengeschäft. Ich trete in die Herrentoilette und reibe das Aftershave über mein Gesicht, Hals und Hände, um meinen Duft zu maskieren. Ich wechsle aus meinem Hemd, zerknittert von der langen Nacht, die ich in meinem Mietwagen vor Sedonas Gebäude dösend verbracht habe. Ich kaufte absichtlich das rote T-Shirt in einer Größe zu groß, sodass ich keine Aufmerksamkeit auf meinen muskulösen Wandlerkörper lenke. Nicht, dass ich denke, dass Frauen sich auf mich werfen werden, aber ich würde lieber heute als durchschnittlicher Amerikaner durchgehen. Oder der durchschnittliche mexikanische Amerikaner, von denen es viele in Tucson gibt. Wenn ich mich konzentriere, kann ich sogar ohne Akzent sprechen.

Ich reiße das Etikett von der Baseballkappe ab und ziehe sie tief über meine Augen, dann sehe ich mich im Spiegel an. Das geht schon. Jetzt muss ich nur daran denken, das Aftershave während des Fluges erneut drauf zu machen und mit etwas Glück wird Sedona mich nicht riechen, während ich mit ihr im Flugzeug bin. Den ganzen Weg bis nach Paris.

Es war schwierig, hinter ihr zu lauern, nah genug, um die Buchung ihres Fluges zu überhören, aber weit genug weg, um ihren empfindlichen Geruchssinn nicht auszulösen. Ich habe es trotzdem geschafft.

Ich nehme einen lässigen Gang an, während ich aus dem Badezimmer komme, und laufe dann an unserem Gate vorbei. Das, welches mir eine ausgezeichnete Aussicht auf meine schöne Gefährtin gibt.

Ihre Haare sind an diesem Morgen offen, fallen über ihre schlanken Schultern, umrahmen ihre frechen Brüste. Sie ist in eine Jeans gekleidet, die für jede Frau mit einem Arsch wie ihrem illegal sein sollte, und sie drückt ihre Oberschenkel zusammen, als ob …

Verdammt! Befriedigt sie sich selbst?

Sedonas Wangen laufen rot an und sie drückt weiterhin

ihre Knie zusammen und verschiebt ihre Hüften, als wäre sie angetörnt.

Ich kann das Knurren, das in meinem Hals aufsteigt, fast nicht runterschlucken, als ich einen Blick auf den Sitzbereich werfe. Wer hat sie so angetörnt? Ich werde ihn *umbringen*.

Aber ich sehe keinen Mann, der ihre Erregung wecken würde.

Dann müssen es ihre eigenen Gedanken sein.

Könnte sie an mich denken?

Dieser Gedanke zwingt mich fast in die Knie, der Wunsch, ihre cremigen Oberschenkel zu spreizen und meine Zunge auf das rosa Herz dort zu legen, ist so überwältigend, dass es mich fast schwindlig werden lässt.

Sedona. Meine wunderschöne Wölfin.

Ich verschiebe meinen strapazierten Schwanz in meiner Jeans. Ich brauche sie wie die Luft zum Atmen.

Zum Glück rufen sie unseren Flug auf und Sedona sammelt ihre Sachen ein und steht auf. Noch eine Minute länger und ich wäre auf dem Boden zwischen ihren Knien gewesen.

Hätte meine Anwesenheit verraten.

Ich nehme meine Tasche und stehe auf, betrete die Mitte der Menschenmenge, verschwinde darin. Wir gehen an Bord des Flugzeugs und irgendwie schaffe ich es, an Sedona vorbeizukommen, ohne dass sie mich bemerkt. Ich setze mich gegenüber vom Gang ein paar Plätze hinter ihr und ziehe meine Kappe noch tiefer in mein Gesicht.

Nachdem das Flugzeug in die Luft steigt, zieht Sedona ein Skizzenbuch heraus und schlägt eine leere Seite auf.

Mit schnellen Bewegungen eines schwarzen Tintenstifts skizziert sie etwas, was ich von hier aus nicht sehen kann.

Ich sehne mich danach zu wissen, was sie zeichnet. Ich habe noch nie die Kunst meiner Gefährtin gesehen – das macht mich fertig. Es gibt so viel, was ich nicht über sie weiß – was sie mag, was sie nicht mag. Warum sie nach Paris will.

Ich weiß nicht einmal, was ich tue. Irgendwo in meinem Hinterkopf ist der nörgelnde Gedanke, dass der Rat mich praktisch losgeworden ist, bevor ich sie dafür bezahlen ließ, was sie Sedona angetan haben. Bevor ich mich in den Status quo einmischen konnte, der nur ihnen zugutekommt. Mein Rudel braucht mich und ich bin wieder abgehauen.

Aber mein Wolf zwingt mich, Sedona zu folgen. Jetzt schleiche ich herum wie ein Stalker und verstecke mich vor meiner Gefährtin. Was ist mein Plan? Sie davon zu überzeugen, mich in Paris zu daten?

Ich seufze laut auf.

Wenn meine Anwesenheit in Tucson sie genug verärgert hatte, um das Land zu verlassen, was lässt mich glauben, dass sie mich jemals akzeptieren wird, nachdem ich ihr um die halbe Welt gefolgt bin? Ich kam, um herauszufinden, ob sie schwanger ist – um für sie zu sorgen und sie zu beschützen.

Aber es ist zu früh, um zu wissen, ob sie einen Welpen unterm Herzen trägt, und sie interessiert sich offensichtlich nicht für meine Fürsorge oder für meinen Schutz. Sie zu umwerben ist auch keine Option. Sie will mich offensichtlich nicht sehen. Und ich werde sie nie gegen ihren Willen beanspruchen. Also bleibt mir nur das übrig, was ich jetzt tue – im Schatten zu lauern. Sie zu beobachten. Darauf zu warten, ob sie schwanger ist. Bereit, sie zu beschützen, falls sie mich braucht.

Was soll ich tun, wenn sie meinen Welpen austrägt?

Bestürzung plagt mich.

Meine Optionen sind total scheiße.

Sie gefangen nehmen? Oder sie gehen lassen?

Fuck.

KAPITEL ACHT

G arrett

SEDONA ANTWORTET weder auf ihrem Handy noch an ihrer Tür, obwohl ihr Auto draußen geparkt ist. Vor einem Monat hätte ich so etwas als ein weiteres unverantwortliches Uni-Studentending abgetan. Aber nach dem, was ihr letzte Woche passiert ist, steigt meine Paranoia himmelhoch.

Ich klopfe mit der Faust gegen ihre Tür und zersplittere das Massivholz. „Sedona!"

Trey und Jared kauern hinter mir. Der Rest meines Rudels wird in ein paar Minuten ankommen, um Sedonas Sachen in mein Gebäude zu bringen.

„Du hast einen Schlüssel, weißt du noch", erinnert mich Trey.

Ich fluche und ziehe meinen Schlüsselring heraus,

finde den Hauptschlüssel für das ganze Gebäude und stecke ihn in das Schloss.

Im Inneren von Sedonas Wohnung ist Chaos. Kein Chaos, als wäre es durchwühlt worden, nur ihr übliches chaotisches Katastrophengebiet. Sie hat sich definitiv nicht darum bemüht, für den Umzug zu packen, aber ich hatte ihr gesagt, sie bräuchte es nicht zu tun.

Ich schaue mich im Raum um, meine Haut kribbelt mit Unbehagen.

„Sie hat dir einen Zettel dagelassen, G." Jared reicht mir ein Stück Notizbuchpapier mit Sedonas hastigem Gekritzel.

GARRETT,

ich verlasse die Stadt für eine Weile. Mach dir keine Sorgen um mich, mir geht es gut – ich brauche nur etwas Zeit zum Nachdenken und verarbeiten.

Ich liebe dich.

XOXO Sedona

ICH ZERKNITTERE das Papier in meiner Hand und schleudere es an die Wand, unfähig, das Brüllen der Frustration zu stoppen, das meinen Mund verlässt.

Natürlich wählt mein Rudel – abzüglich meines Betas Tank, der immer noch an den Job gebunden ist, den ich ihm gegeben hatte, Foxfire, Ambers beste Freundin, im Auge zu behalten – diesen Moment, um aufzutauchen. Sie drängen sich in den Raum, ihre muskulösen Körper füllen den kleinen Raum aus, bis es sich anfühlt wie mein Nachtclub an einem Samstagabend. Ich belle Befehle, um Dinge zu packen und auf den LKW zu laden, und gehe raus, um meine kleine Schwester noch einmal anzurufen.

Ich erreiche nur die Mailbox. Genau wie letztes Wochenende. Aber diesmal hinterließ sie einen Zettel. Und sie antwortet wahrscheinlich nicht, weil sie nicht will, dass ich sie aufhalte.

Ich ziehe mein Handy heraus und zwinge mich, zuerst tief durchzuatmen, um es nicht in meiner Handfläche zu zerquetschen. Ich schicke Sedona eine SMS: *Bitte ruf mich an oder schick mir eine SMS, damit ich weiß, dass du sicher angekommen bist.*

Da. Nicht zu aufdringlich, aber klar und deutlich. Das eigentliche Problem wird sein, meinen Vater davon abzuhalten, auszuflippen. Als sie das erste Mal verschwand … Wie war ich da in der Lage gewesen zu entscheiden, wie viele Informationen ich ihm gab und wann? Und ihn davon abzuhalten, sich einzumischen, wenn meine eigenen Instinkte schreien, ihr zu folgen und sicherzustellen, dass sie sicher ist?

Aber vielleicht gibt es einen Weg, um sicherzugehen. Ich nehme den zerknitterten Zettel und schiebe ihn in meine Jeanstasche. „Ich treffe euch an ihrem neuen Wohnort", sage ich zu Jared und gehe nach draußen zu meinem Motorrad.

Amber hasst es, als Hellseherin unter Druck zu sein, aber je mehr sie ihre Gabe übt, desto mehr wird sie lernen, diese magische Seite an sich selbst zu akzeptieren. Und wer drängt sie besser als ihr neuer Gefährte?

Ich fahre zurück zu meinem Wohnhaus und finde Amber immer noch im Bett schlafend vor. Das ist es auch, wo sie sein sollte, wenn man bedenkt, dass es Samstag ist und ich sie fast die ganze Nacht wachgehalten habe, während sie ihre Erlösung schrie, bis sie heiser wurde.

Sie rollt sich rüber, lächelt und summt leise, als ich in den Raum komme. Ihr nackter Körper ist in einer lavendelfarbigen Decke verdreht und ich kann dem Drang nicht widerstehen, sie wegzureißen und einfach nur auf das zu starren, was jetzt mir gehört.

Amber lehnt sich auf ihre Ellbogen und studiert mich. Nicht in der plötzlichen sexverwirrten Weise, wie ich sie anstarre, aber mit Sorge. Als ob sie die Emotionen lesen kann, die ich mitgebracht habe.

„Was ist los?"

Ich krieche über sie und lasse meine Zunge über ihre noch heilende Wunde fahren, wo ich sie markiert habe. Anders als Sedona, deren Bissspur sich sofort schloss, ist Amber menschlich, also regeneriert sich ihr Fleisch nicht so schnell wie unseres. Mein Speichel hilft, den Prozess zu beschleunigen.

Sie neigt ihren Kopf zur Seite und macht wieder dieses entzückende Summen, aber sie gibt nicht nach. „Was ist passiert?"

„Sedona ist weg. Sie hinterließ einen Zettel, dass sie die Stadt verlässt. Ich schätze, sie handelt nach ihrem Wunsch, Europa zu sehen." Ich ziehe den zerknitterten Zettel aus meiner Tasche und gebe ihn ihr. Nicht für sie, um die Worte zu lesen, sondern um die Energie zu spüren. Wir hatten herausgefunden, dass diese Methode funktionierte, zumindest in San Carlos mit Sedonas Kleidung.

Amber nimmt ihn, aber begegnet meinem Blick. „Vielleicht braucht sie etwas Zeit, um sich neu zu finden. Einen Tapetenwechsel."

„Ich weiß. Aber ich hasse den Gedanken an sie ganz allein – schutzlos. Sie könnten hinter ihr her sein –" Ich halte die Klappe, als ich sehe, wie Ambers Blick den Fokus verliert.

Sie starrt einen Moment durch mich hindurch, dann murmelt sie: „Sie ist nicht ungeschützt."

Ich werde stocksteif. „Wer?" Aber ich weiß schon, wer es ist, und es bringt mich dazu, den Wichser töten zu wollen.

„Carlos folgt ihr – nicht, um sie zu verletzen", fügt Amber schnell hinzu, ihr Fokus kehrt zu meinem Gesicht zurück. „Er muss sie beschützen, aber ich glaube nicht, dass er sie zwingen will."

Mein Beschützerinstinkt entspannt sich, aber ich murre, als ich mich neben meiner unglaublichen Gefährtin niederlasse. „Ich mag es trotzdem nicht."

Amber blinzelt mehrmals, bevor sie mit einer fernen Stimme spricht. „Die Schwangerschaft sorgt für ihre Sicherheit … Aber nicht für seine."

~.~

SEDONA

.   .   .

MEIN TELEFON SUMMT mit einer eingehenden SMS. Ich lege meinen Skizzenblock und Bleistift auf die Bank, auf der ich sitze, ab und fische das Handy aus meiner Handtasche. Es ist Garrett. Wie durch ein Wunder hat er keine Alpha-Nachricht geschickt, die verlangt, dass ich nach Hause komme oder in mein Hotelzimmer gehe, bis er hier ist. Stattdessen ist diese SMS eine Liste von Ressourcen – die Rudelführer in jedem Land Europas und wo sie zu finden sind oder wie man sie kontaktiert. Es ist süß, aber völlig unnötig. Ich brauche keine Hilfe. Es sei denn, es ist in Form eines Rendezvous mit einem Vampir, um meine Erinnerung an Carlos zu löschen.

Aber dann wäre ich ziemlich verwirrt darüber, wie ich schwanger geworden bin. Seufz.

Ich habe noch nichts von meinen Eltern gehört, was bedeutet, Garrett hat es ihnen nicht gesagt. Meine Mama hatte geplant, zu mir nach Tucson zu kommen, sobald ich zu Hause war, aber ich habe ihr das ausgeredet, was ihre Gefühle verletzt hat. Ich will gerade einfach nicht von meinen Eltern bemuttert werden.

Ich verreibe eine Linie auf meiner Skizze der antiken Statue des *Geflügelten Sieges von Samothraki*. Ich fügte Nikes Kopf und Arme wieder ein, aber erschaffe die Zeichnung mit Schlichtheit – eine Kinderbuchversion der griechischen Göttin. Ich muss sagen, ihre Flügel sind exquisit.

Ein Teil von mir fühlt, als ob im Louvre zu sein, um die Kunst zu skizzieren, einfach zu klischeehaft ist – die Kunststudentin, welche die Meister studiert. Aber so kann ich Mexiko und die Schwangerschaft für einen Moment vergessen, was ein Geschenk ist.

Ein Mädchen – vielleicht neun oder zehn – hält an und schaut mir über die Schulter. „Wow, Mama, schau Mal, eine echte Künstlerin ist hier!" Sie ist Amerikanerin. Sehr süß.

„Psst, belästige sie nicht, Schatz." Ihre Mutter hat diesen nachsichtigen Ton, als ob sie weiß, dass ihre Tochter keine Belästigung ist, aber sich sowieso verpflichtet fühlt, etwas zu sagen.

Menschen haben mir den ganzen Morgen schon über die Schulter geschaut und ihre Kommentare in verschiedenen Sprachen gemurmelt, aber diese hier ist wirklich zuckersüß. Ich reiße die Zeichnung ab und gebe sie ihr mit einem Lächeln.

„Ist das … *kostenlos*?" Nach ihrem ungläubigen Blick zu urteilen, denkt sie, ich stehe auf Augenhöhe mit Michelangelo.

Deshalb möchte ich Kinderbücher illustrieren. Oder Grußkarten machen. Einige Künstler würden kommerzielle Kunst als Ausbeute bezeichnen, aber für mich geht es nicht darum, Geld zu verdienen. Es ist nur die Art von Kunst, die ich gerne mache. Das Publikum, das ich am liebsten erreiche.

„Ja. Und es ist nur für dich. Wie heißt du?" Ich ziehe die Zeichnung zurück und hebe meinen Stift.

„Angelina."

Ich schreibe *An Angelina von Sedona, im Louvre* und das Datum.

Sie strahlt mich an, während sie es nimmt. „Vielen Dank." Ihre Mutter umarmt ihre Schulter, als sie weggehen. Angelina dreht sich um. „Dein Englisch ist wirklich gut."

Ich lache und ihre Mutter sieht verlegen aus. „Sie ist Amerikanerin, Liebling."

Aus dem Nichts erfüllt Carlos' Duft meine Nasenlöcher. Es ist mindestens ein halbes Dutzend Mal am Tag passiert, seit ich gegangen bin. Ich denke, es liegt daran, dass sein Welpe jetzt in mir eingebettet ist.

Es könnte eine Wölfin verrückt machen.

Weil ich wirklich nicht weiß, wie ich über ihn hinwegkommen soll, wenn sein Duft mich an jeder Ecke angreift. Sogar einen Kontinent entfernt weit weg. Nicht, dass ich es jemals vergesse, außer im seltenen Moment des Zeichnens. Alles erinnert mich an ihn. Ich erinnere mich an das Knurren seiner Stimme, das tief in mein Ohr flüsterte, seine großen Hände über meiner Haut. Die Art, wie seine Augen wie Bernstein leuchteten, als sein Wolf an die Oberfläche kam.

Und ich frage mich eine Million Dinge über ihn. Wie es wäre, mit ihm in Wolfsform zu rennen, was er von Paris denken würde, von meiner Familie, von meiner Kunst. Könnte ich die Nachricht von dieser Schwangerschaft von ihm und seinem Rudel fernhalten?

Ich nehme meinen Bleistift und fange an, wieder zu zeichnen, nur dieses Mal ist es nicht Nike, es ist ein schwarzer Wolf. Er knurrt, Zähne gefletscht, Fell steht in einem Grat auf seinem Rücken ab. Als ich fertig bin, verwische ich das Fell um seine Ohren und halte es auf Armlänge für Perspektive.

Gänsehaut überkommt meine Haut. Es ist Carlos, aber ich weiß nicht, warum ich ihn so gezeichnet habe. Glaube ich, er beschützt mich?

Oder ist er hinter mir her?

~.~

CARLOS

ICH BEOBACHTE, wie Sedona in ihr Hotelzimmer geht und niedergeschlagen gegen eine Wand zusammensackt. Ist es möglich, mondverrückt zu werden, wenn man bereits eine Gefährtin genommen hat?

Weil ich es nicht ertrage, in der Nähe von Sedona zu sein, aber nicht mit ihr zusammen zu sein. Ich bin fiebrig von der Notwendigkeit, sie zu berühren, näher an sie zu kommen. Ich möchte der Empfänger dieses Lächelns sein, das sie nur für Kinder reserviert. *Gott sei Dank* lächelt sie andere Männer nicht an, sonst wären sie tot, bevor sie zu Boden fallen würden.

Ich weiß, ich denke nicht klar. Ich bin betrunken vom Bedürfnis. Ich habe vergessen, was ich hier mache.

Oder besser gesagt, ich habe meine Meinung hundertmal geändert. Im Moment denke ich daran, Sedona zurückzugewinnen – nicht, dass ich sie je hatte. Aber sie fing an mich zu mögen, zumindest damals in der Zelle. Wenn ich nur wieder länger mit ihr allein sein könnte, weiß ich, dass ich meine Gefährtin verführen könnte. Die körperliche Anziehungskraft ist stark. Wir fangen mit Sex an und bauen von dort an weiter aus. Ich werde alles andere über sie erfahren und ihr zeigen, dass ich der Gefährte sein kann, den sie verdient.

Also. Wie kriege ich sie allein?

Es ist falsch. So falsch. Aber ich bin Arschloch genug, um zu denken, dass ich es schaffen kann. Ich gehe aus dem Hotel und finde einen Sexshop. Die Art, die Handschellen verkauft. Bondage-Klebeband. Ballknebel.

Das hier könnte schrecklich schiefgehen. Oder es könnte genau das sein, was wir brauchen …

KAPITEL NEUN

 *edona*

ICH TRETE in eine weitere Pfütze und Regenwasser tränkt meine Schuhe und Socken. Es hat den ganzen Tag geregnet und ich bin nicht so aufgeregt, wie ich erwartet hatte, den Montmartre entlangzugehen und den Schritten von Picasso, Renoir und Degas zu folgen.

Ich weiß nicht einmal, wie viel von Paris ich wahrgenommen habe, als ich heute durch die Straßen ging. Meine Brust schmerzt, als hätte mich jemand geschlagen. Ein paar Franzosen sehen mich seltsam an und ich bemerke, dass meine Wölfin jammert. Sie ist nur glücklich, wenn ich an Carlos denke – oder einschlafe und von ihm träume.

Das ist das Stockholm-Syndrom. Richtig?

Ich halte in einem Straßencafé an, um etwas zu essen, und lasse mich in einen Sitz versinken, der von einer breiten blauen Markise geschützt ist. Wasser läuft von den

Rändern, spritzt auf meine Beine und sammelt sich in kleinen Pfützen neben meinem Tisch.

Wenn es in Tucson regnet, feiern wir, weil die Wüste immer durstig ist, aber heute bedrückt es mich einfach. Ich starre blind auf die Speisekarte. Es spielt kaum eine Rolle – ich spreche kein Französisch und niemand scheint Englisch zu sprechen. Oder wenn sie es tun, machen sie sich nicht die Mühe, mir zu helfen. Ich bestelle also *frites* und *chocolat chaud* oder *cafe au lait* überall da, wo ich esse. Ich werde bald Pommes und heiße Schokolade satthaben.

Carlos' Duft wirbelt wieder um mich herum und Traurigkeit rührt sich hinter meinen Augen. Ein Teil von mir fragt sich, wie unser Date gewesen wäre, wenn ich in Tucson geblieben wäre und er mich zum Abendessen ausgeführt hätte. Er hätte die Türen aufgehalten und bezahlt wie ein perfekter Gentleman. So viel weiß ich. Aber hätten wir gemeinsam gelacht? Hätten wir gescherzt? Uns geneckt? Wären da dieselben Funken zwischen uns, die wir während des Vollmondes gespürt hatten?

Hah. Wie kann ich das überhaupt bezweifeln? Er konnte seine Hände nicht von mir in Tucson lassen und versuchte, es wiedergutzumachen.

Ich starre auf das Café gegenüber auf der Straße und sehe nichts oder niemanden. Erst als meine Augen den Blick eines Mannes treffen, der die Augen eines Spions hat.

Ein Strom von Elektrizität durchschießt mich.

Carlos.

Der Mann schaut weg, spielt die Situation herunter.

Warte, ist er es? Ich kann es jetzt nicht mehr erkennen,

weil er sein Gesicht weggedreht hat. Aber er muss es sein. Der Mann hat die gleichen breiten Schultern, die gleichen dunklen Haare und bronzene Haut.

Verdammte Scheiße.

Was zum Teufel macht er hier? Hat er mich die ganze Zeit auf dieser Reise verfolgt?

Ich widerstehe dem Drang, über die Straße zu stampfen und ihm eine zu pfeffern. Nein, er weiß noch nicht, dass er gesehen wurde, was mir die Oberhand gibt. Wenn er mir folgen will, mache ich es für ihn spannend.

Ich beende meine Mahlzeit, bezahle und spiele dann die ,vergessliche Amerikanerin' und gehe durch die Küche und die Hintertür raus, husche in die Gasse hinter dem Café.

Fang mich, falls du es schaffst, murmele ich durch zusammengebissene Zähne.

Ich habe keinen Zweifel, dass er mich bald finden wird, und ich fühle mich im Moment nicht gerade freundlich ihm gegenüber. Aber wie bestraft man ihn für diesen unglaublichen Verstoß gegen meine Privatsphäre, meinen Freiraum?

Garretts SMS gestern sagte, sein Kontakt in Paris könnte in einer paranormalen Bar namens The Dungeon gefunden werden. Es ist mir egal, mich mit dem Kontakt zu treffen, aber eine paranormale Bar wäre genau der richtige Ort, um Carlos unter die Haut zu gehen.

Normalerweise wäre es kein Ort, zu dem ich allein hingehen würde. Ich wurde mein ganzes Leben davor gewarnt, mich von solchen Orten fernzuhalten. Als Wandlerin bin ich in einer normalen Bar ziemlich sicher – kein Mensch kann sich mit mir anlegen, wenn er mich nicht zuerst betäubt. Aber eine paranormale Bar ist voller Ärger und gefährlich für eine alleinstehende Frau. Oder vielleicht ist das nur die blöde Lüge, die ich mein ganzes Leben lang erzählt bekommen habe.

In jedem Fall habe ich das Gefühl, dass Carlos seinen verdammten Verstand verlieren wird, wenn er mich dort sieht, und das geschieht ihm nur zu Recht, weil er mich wie ein Psychopath verfolgt.

Ich schaue den Ort auf meinem Handy an und zum Glück ist er nur sechs Blocks entfernt von meinem Hotel, wo ich übernachte. Ich schnappe mir ein Taxi zurück zum Hotel und bin mir sicher, Carlos wird dort auftauchen, wenn er bemerkt, dass er meine Spur verloren hat.

Ich fühle mich fast fröhlich. Zum ersten Mal, seit ich in Paris angekommen bin, dusche ich und ziehe das Kleid an, das ich eingepackt hatte. Ein rotes Kleid. Mit einem kurzen, flippigen Rock. Ich föhne meine Haare und trage Mascara und Lipgloss auf. Es muss die Schwangerschaft sein, denn trotz meiner schlechten Laune in der letzten Woche sehe ich strahlend aus.

Carlos, nimm das.

Ich werfe mich in ein paar schwarze kniehohe Stiefel und marschiere mit einem Flick meines Regenschirms und einem Schwingen meiner Haare aus dem Gebäude. Jetzt, da ich darauf achte, bemerke ich, dass sich die Tür hinter mir öffnet, und spüre die Anwesenheit des schwarzen Wolfs hinter mir.

Wolltest du mich nur dazu bringen, dich zu jagen?

Ja, ich schätze schon. Weil meine Wölfin dieses Spiel liebt. Ich hüpfe sogar fast, als ich mich auf der Suche nach The Dungeon mache und über die engen Kopfsteinpflasterstraßen gehe. Ich gehe ein paar Mal daran vorbei, bevor ich eine unbeschilderte Tür am Boden einer kurzen Treppe finde. Nun, natürlich befindet sich The Dungeon unter der Erde. Ich schätze, das hätte offensichtlich sein müssen.

Ich strecke eine Hand zum Türknauf aus, höre zuerst hin, um sicherzustellen, dass ich nicht versuche, in jemandes Haus oder so etwas zu gehen. Nein, ich höre Musik. Ich drücke die Tür auf.

Es ist wie das Klischee in jedem Film, wenn die Nadel im Plattenspieler kratzt und der Ort still wird, weil sich jeder umdreht, um mich anzuschauen.

Hier ist nichts so, wie es scheint. Zumindest hoffe ich es. Weil die Menge drinnen zwielichtig ist. Ohne Zweifel. Und ich stehe hier wie eine helle, saftige Traube in einem Haufen Rosinen.

Düfte greifen meine Nase an – Wandler aller Art sind hier, zusammen mit Vampiren und was auch immer sonst noch in Paris so gruselig ist. Sie sehen aus, als würden sie in dieser Bar leben, die Gesichter rot angelaufen und verzerrt vom Alkohol.

Ich bin eine von drei Frauen an diesem Ort und die anderen beiden sind alte Wandlerinnen irgendeiner Art und nicht sonderlich attraktiv. Ich wähle meinen Weg zur Bar. Schmutz bedeckt die Böden und die Tische wurden seit Ewigkeiten nicht mehr bis auf das Holz geschrubbt, falls überhaupt jemals.

Hinter der Bar trocknet ein kurzer, ungepflegter Mann ein Glas mit einem schmutzigen Lappen und starrt mich an wie alle anderen.

Ich schlucke und taumele zur Bar und drücke mich zwischen zwei lüstern blickende Männer, die nicht den

Anstand haben, ihre Gliedmaßen und Füße für mich aus dem Weg zu bewegen. „Ich nehme ein Ginger-Ale", sage ich.

Der Barkeeper bewegt sich nicht, poliert einfach weiter das Glas, als hätte ich nichts gesagt.

Vielleicht spricht er kein Englisch. Ich seufze und versuche es noch Mal. „*Café au Lait?*"

Dieses Mal kräuseln sich die Lippen des Barkeepers und er schüttelt den Kopf.

Na super.

Selbst wenn ich nicht gespürt hätte, dass Carlos reingekommen ist, würde ich mich nicht von der mangelnden Gastfreundschaft dieses Arschloches vertreiben lassen. Ich lasse beide Ellbogen auf den Bartresen fallen, als würde ich eine Weile bleiben wollen. „Nun, was hast du dann?"

Er gießt eine klare Flüssigkeit aus einer unmarkierten Flasche in ein kleines Glas und schiebt es mir zu.

Es riecht nach Reinigungsalkohol. Soweit ich weiß, könnte es daheim gebraut sein. Vielleicht obendrein vermischt mit einer Vergewaltigungsdroge. Wahrscheinlich das, was sie für jede dumme Frau reservieren, die ihren Weg hierher findet.

Ich fasse es nicht an.

Ein Wandler mit breiten Schultern und einem engen schwarzen T-Shirt kommt rüber und lehnt seinen Ellenbogen neben meinen, ein breites Lächeln auf seinem Gesicht. Ich erkenne seinen Duft erst, als ich das Drachenschwanztattoo sehe, das sich um seinen Hals wickelt.

Nein. Auf keinen Fall. Ich habe noch nie einen getroffen.

Vor Carlos wäre ich vielleicht beeindruckt gewesen.

Der Typ ist groß, gutaussehend und verströmt nur so männliche Dominanz. Aber ich kann nur darüber nachdenken, wie viel besser definiert Carlos' Muskeln sind, wie viel freundlicher seine dunkelbraunen Augen erscheinen.

Und plötzlich bin ich mir nicht so sicher über meinen Plan, hier reinzuplatzen und unter die Haut von Carlos zu gehen. Ich will ihn *eigentlich* nicht eifersüchtig machen, nicht im eigentlichen Sinne des Wortes, und dieser Typ könnte das tun.

Ich versuche, einen Schritt zurückzugehen, aber ich werde von einem anderen Kerl zu meiner linken fixiert. Auch ein Drache. Sie jagen zusammen.

Der Drache murmelt etwas auf Französisch und ich schüttle meinen Kopf, drehe mich um und schaue mich mit gezwungener Lässigkeit in der Bar um. Wo ist Carlos hin?

Der Drache runzelt die Stirn und nimmt mein Getränk hoch und hebt es zu meinen Lippen.

Ich wende mein Gesicht ab und etwas davon verschüttet auf die Vorderseite von mir, kalte Tröpfchen laufen zwischen meine Brüste. Die Augen des Drachens sind auf die Tröpfchen fixiert und er lehnt sich nach vorne, als würde er sie ablecken wollen. Ich schubse seinen Kopf und versuche, seine Zunge von meiner Haut wegzukriegen. Sein Freund packt mich von hinten und lacht leise, als er meine Arme hinter mir festhält. Ich schreie.

Ich sehe einen Blitz von Haut und höre das Krachen von Knochen auf Knochen. Der Drachenwandler brüllt und springt auf seine Füße, reibt sich den Kiefer, als sich zweihundert Pfund wütender Wolf vor mich zwängen.

Carlos.

Ich befinde mich in größeren Schwierigkeiten, als ich

geplant habe. Ich wollte nie, dass er mich verteidigen oder für mich kämpfen muss. Ich wollte ihn nur ein wenig ärgern. Um sich zu offenbaren.

Jetzt sind wir beide in ernster Gefahr. In menschlicher Form könnte Carlos diesem Kerl ebenbürtig sein, vielleicht sogar dem Kerl und seinem Freund. Aber wenn er sich wandelt, ist ein Wolf kein Problem für einen Drachen. Verdammt, der Drache könnte diesen Ort mit einem Brüllen niederbrennen.

Der Drache hinter mir lacht leise, aber er hat meine Arme losgelassen. „Die Wölfin hat einen Gefährten", beobachtet er auf Englisch.

Ich greife Carlos' Arm und ziehe ihn in Richtung Tür. „Carlos, es ist in Ordnung. Komm, lass uns gehen."

Carlos hört nicht auf zu knurren, löst seine Augen auch nicht von seinem Feind.

Ich ziehe mit aller Kraft. „Carlos, lass uns gehen."

Die Drachen bewegen sich nicht, der Kampf scheint nicht eskalieren, aber ich habe keinen Zweifel daran, dass er das wird, wenn Carlos so weitermacht.

Ich ändere meine Taktik und drücke mich vor Carlos, als würde ich ihn verteidigen. Er hält mich sofort an der Taille auf und versucht mich beiseite zu schieben, aber ich gehe nicht. Ich wiederhole die Aktion, mich zwischen sie zu schieben. Es scheint zu funktionieren, weil sich seine Stirn runzelt. Ich verlasse mich darauf, dass sein Instinkt, mich aus der Gefahr zu bringen, größer ist als sein Bedürfnis, sich vor mir zu beweisen.

Carlos nimmt mich wieder hoch und trägt mich zur Tür, hält nur an, um mich neu zu justieren, und wirft mich über seine Schulter, als wir weg von den Drachen sind.

Auf wundersame Weise folgt uns niemand, niemand fordert ihn heraus.

Er sagt kein Wort zu mir oder sonst jemandem, während er mich die Tür hinausschiebt und die Stufen erklimmt. Der Regen hat aufgehört und Nebel webt sich um die Gebäude und Lampen. Carlos' Atem kommt in einer wütenden Frequenz, während seine Schuhe auf die Kopfsteinpflasterstraße treffen.

Ein Zittern der Aufregung durchströmt mich.

Ich mag es, wenn er wütend ist.

Natürlich ergibt das keinen Sinn. Ich weiß nicht einmal, woher ich mir so sicher bin, außer vielleicht daran, dass seine verantwortungsvolle Zurschaustellung von männlicher Dominanz meine Zehennägel zum Aufrollen bringt. Vielleicht fühle ich mich auch ein bisschen schuldig, weil ich ihn fast umgebracht hätte.

Er marschiert den ganzen Weg zurück zu meinem Hotel und lässt mich nicht runter, bis sich die Aufzugstüren hinter uns schließen. Dann lässt er mich auf meine Füße fallen, dreht mich gegen eine Wand und presst meine beiden Hände mit seiner eigenen fest dagegen. Seine andere Hand kracht mehrmals auf meinen Arsch.

Aua.

Und … *jaaa.*

Mein Höschen wird feucht, mein Herz klopft schnell gegen die Vorderseite meines Brustkorbes.

Carlos, du Teufel.

„Gehe nie, nie allein in eine paranormale Bar", sagt er, sein Akzent dicker als sonst.

Der Aufzug hält in meinem Stockwerk. Er zieht meine Hände von der Aufzugwand, peitscht mich herum und lässt den Rock meines Kleides schwingen und flattern. „Komm."

Er marschiert direkt zu meiner Tür, nimmt mir meine Handtasche von der Schulter und holt den Schlüssel hervor.

Ich sollte über die Aktion wütend sein, aber ich bin es nicht. Ich finde seine Wut immer noch verlockend.

Ich weiß, es ist komisch.

In dem Moment, in dem sich die Tür öffnet, zeigt Carlos auf die gegenüberliegende Wand. „Hände an die Wand. Wie eben."

Ich versuche, etwas Feuer in mir zu finden, und stemme die Hände in die Hüften. „Welches Recht hast du–"

Carlos ist in Sekunden auf mir, schiebt mich zurück gegen die geschlossene Tür, drückt seinen Mund über meinen in einem brennenden Kuss. Seine großen Hände streifen über meinen Körper, finden den Reißverschluss auf der Rückseite meines Kleides und reißen ihn herunter. Das Kleid fällt zu meinen Füßen und ich stehe in meinem schwarzen Spitzen-BH und Höschen und den schwarzen Lederstiefeln da. Verblüfft.

„Höschen aus. Behalte den BH und die Stiefel an", sagt er.

Mein Bauch flattert vor Aufregung. Ich habe nicht das kleinste bisschen Angst vor diesem Mann – vielleicht ist das verrückt. Aber wir haben Schlimmeres durchgemacht und er hat es geschafft, ein Gentleman zu sein. Er mag jetzt wütend sein, aber es gibt keine Spur von seinem Wolf in seinen Augen, nur dunkles Versprechen.

Köstliches dunkles Versprechen.

Trotzdem bewege ich mich nicht, um ihm zu gehorchen. Vielleicht will ich nur sehen, was er tun wird. Wie weit wird er diese autoritäre Haltung bringen?

Ich habe recht. Er wird nicht wütender, stattdessen senken sich seine Augenlider und er justiert seinen Schwanz in seiner Hose. „*Muñeca*, geh in Position, wie ich es dir gesagt habe."

Meine Nippel werden hart. Ich bin mir sicher, er riecht meine Erregung, weil Hitze zwischen meinen Oberschenkeln aufblüht. Ich bin zu aufgeregt, um mich weiter zu streiten, also stolziere ich in meinem BH, den Stiefeln und dem Höschen durch den Raum und lege meine Handflächen gegen die Wand, Arsch raus.

„Braves Mädchen." Sein Schnurren ist hypnotisierend. Er stellt sich hinter mich und hakt seine Daumen in den Gummizug meines Höschens. Ich erwarte, dass er es runterzerrt, aber er zieht es nur knapp bis unter mein Gesäß. „Du willst es nicht ausziehen?" Seine Lippen sind nah an meinem Ohr. „Dann musst du es halt anbehalten. Spreiz deine Beine, *ángel*. Wenn das Höschen runterfällt, fange ich mit dem Versohlen wieder von vorne an."

Meine Muschi zieht sich bei dem Wort *versohlen* zusammen, was mich irgendwie am meisten von all den sexy Dingen begeistert, die wir schon gemacht haben, Mangoficken inklusive. Ich spreize meine Beine, um das Höschen zwischen meinen Schenkeln zu spannen. Es ist halb demütigend, halb erotisch. Ich liebe es.

Aber dann klatscht Carlos' Hand auf meinen Arsch, härter als ich es mir erträumt hatte, und der Spaß ist vorbei.

Ich jaule auf, springe von der Wand weg. „Aua! Das tat

weh." Wandler können schnell heilen, aber das bedeutet nicht, dass wir nicht genauso viel Schmerz wie durchschnittliche Menschen erleiden.

Carlos packt meinen Arsch, seine Finger greifen die Pobacke, die er gerade mit seiner Hand markiert hat. Er bringt seinen Körper direkt gegen meinen, windet einen Arm um meine Taille, um mich festzuhalten. Sein dicker Schwanz drückt gegen meinen Bauch, hart und eindringlich. „Ich weiß, *ángel*. Ich wollte, dass es wehtut." Er lockert seinen Griff auf meinen Arsch und reibt das Brennen weg. „Du musst wieder in Position gehen."

Ich weiß nicht, wie er es schafft, seine herrischen Worte so sexy klingen zu lassen. Ist es das raue Timbre seiner Stimme? Oder wie er seine Lippen so nah an mein Ohr hält?

Trotzdem falle ich nicht darauf rein. Nicht jetzt, wo ich weiß, wie hart er mich versohlt. „Nein."

Er knabbert an meinem Ohr, dann fährt er die Muschel mit der Zungenspitze entlang. „*Sí, mi amor*. Ich muss dir zeigen, dass es mir wichtig ist, das hier zu tun. Ich werde nicht zulassen, dass du dich in Gefahr bringst."

Mein Herz schlägt doppelt. Ich habe das Gefühl, er sagt mir etwas Wichtiges, aber es ist alles mit Sex und Schmerz vermischt, sodass ich es nicht ganz entwirren kann.

„Jetzt geh zurück zur Wand und lege deine Hände darauf. Streck diesen perfekten Arsch aus, damit ich ihn rot aufleuchten lassen kann. Und wenn du das nächste Mal daran denkst, deine Sicherheit zu riskieren, wirst du dich daran erinnern, wie sehr ich dich wertschätze." Er massiert meinen Arsch jetzt mit beiden Händen und ich kann nicht aufhören, meine Muschi gegen seinen harten Oberschenkel zu reiben, der zwischen meine Schenkel gedrückt ist.

„D-das ergibt keinen Sinn." Ich klinge völlig atemlos.

„Tut es das nicht?" Da ist ein Lächeln in seiner Stimme. „Wir werden sehen, ob es Sinn ergibt, wenn ich fertig bin." Er greift meinen Arm und drängt mich zur Wand.

Ich bin jetzt zu neugierig, um nicht zu gehorchen. Ich lege meine Handflächen an die Wand und kippe mein Becken zurück. Das Höschen fiel auf den Boden, als ich das letzte Mal zurücksprang, also ist mein Arsch nackt und meine Beine zittern, während ich warte.

~.~

RUHM DEM SCHICKSAL, Sedona ist genau hier und bietet sich wie der köstlichste Bissen im Paradies an.

Sie ist mehr als wunderschön mit meinem Handabdruck, der ihre cremige Haut bemalt, ihre dicken kastanienfarbigen Haare fallen in Wellen ihren Rücken herunter. Ich mache einen mentalen Schnappschuss und möchte mich für immer an dieses Bild erinnern. Die Stiefel, die muskulösen Oberschenkel, ihr exquisiter nackter Arsch. Ich füge es zu denen hinzu, die mich aus unserer gemeinsamen Zelle in Monte Lobo verfolgen.

Ich hätte diese Drachen auseinandergerissen, alle ihre Gliedmaßen einzeln, wenn sie mich um Sedona herausgefordert hätten. Ich bin mir sicher, deshalb haben sie es nicht getan. Sie mussten meinen Duft in ihrer Haut bemerkt und entschlüsselt haben, dass sie mein ist. Kein kluger Wandler kommt zwischen einem Mann und seiner markierten Gefährtin, egal welche Spezies.

Und all diese Aggression sucht jetzt nach einer Art Umleitung. Wenn Sedona Angst oder Wut zeigen würde, würde ich zurücktreten. Aber ich kann ihr Interesse riechen. Ihre Brustwarzen sind hart, ihre Atemzüge lassen diese frechen Titten schnell auf und ab wackeln. Und ihre Augen sind glasig, als hätte ich sie schon gefickt.

Sie braucht das hier. Wir beide tun es. Es wird meine Aggression lösen und ihr zeigen, wie besorgt ich war.

Ich ziehe meine Hand zurück und bringe sie mit einem schallenden Klaps herunter. Sie zuckt, aber unglaublicher-weise bleibt sie diesmal stehen. Ich versohle sie erneut, schlage auf die andere Seite, dann pfeffere ich einen Hagel von Schlägen auf ihre perfekten runden Backen, die sie atemlos und keuchend zurücklassen.

Ihr Arsch sieht so hübsch aus mit meinen errötenden Handabdrücken darauf, die ihre untere Hälfte färben. Gerade genug, um sie aufzuwärmen. Als Wandlerin wird der Schmerz nur vorübergehend sein und innerhalb von Minuten vollständig verblassen.

Ich drücke eine Handvoll von ihrem Arsch in einer Hand, wickle eine Faust in ihr Haar und zerre ihren Kopf zurück. „Was hast du dir gedacht?" Ich knurre und lande einen weiteren harten Schlag auf ihren Rücken.

Sie zerrt, aber mein Griff in ihrem Haar hält sie davon ab, sich zu bewegen. „I-ich wusste, du würdest folgen", gesteht sie.

Ich werde still. Sie wusste, dass ich da war. Natürlich

wusste sie das. Ich war so in dem Moment gefangen, dass ich nicht bemerkte, dass sie nicht überrascht war, als ich sie in der Bar rettete.

„Ich wollte dich nur rauslocken."

„Was soll das bedeuteten?" Sie will mich hier?

Ich lockere meinen Griff um ihre Haare leicht und bewege mich in ihr Sichtfeld, lehne meinen Kopf gegen die Wand. Ich muss ihr Gesicht sehen, um zu versuchen, es zu verstehen. „Du wusstest, dass ich hier bin? Seit wann?"

Sie knabbert an ihrer Unterlippe. „Ich sah dich beim Abendessen."

Ich kann nicht anders, als zu lächeln. Clevere kleine Wölfin. Deshalb ist sie aus dem Restaurant verschwunden. Ich hatte verzweifelt versucht herauszufinden, wohin sie gegangen war, nachdem sie ihre Rechnung bezahlt hatte. Mit dem Regen konnte ich ihren Duft nicht schnuppern, als ich das Gebäude erkundet hatte, aber dann sah ich hoch und sah sie in ein Taxi steigen.

Ich streichele mit meinem Knöchel über ihre strahlende Haut und folge der Linie ihres Wangenknochens. „Warst du wütend auf mich, Schönheit? Ich wollte dir nur Freiraum geben, aber ich musste auch auf deine Sicherheit achten."

Sie befeuchtet ihre Lippen mit ihrer Zunge, was meinen Schwanz dazu bringt sich gegen meinen Reißverschluss zu pressen. „Ich war wütend, ja. Ein wenig."

Ihre Augen sind geweitet. Ich wäre ein Narr, um diesen Moment zu wählen für ein klärendes Gespräch. Meine Frau ist gerade so reif wie sonnengeküsste Früchte. Vielleicht ist mein Ausflug in den Sexshop keine so schlechte Idee gewesen.

Ich nehme ihr Kinn zwischen meinen Daumen und Zeigefinger und hebe es an. „Also hast du mich bestraft, indem du dich in Gefahr gebracht hast?" Ich ziehe eine strenge Braue hoch.

Ihre Lider senken sich, als würde sie gerne von mir ausgeschimpft werden. „Ich wollte uns nicht wirklich in Gefahr bringen. Ich wollte dich nur necken. Dich eifersüchtig machen mit der Aufmerksamkeit, die ich dort vielleicht bekomme."

Mein Wolf knurrt ob der Idee von Männern, die ihr Aufmerksamkeit schenken, aber ich will nicht verpassen, was sie mir sagt. Meine Gefährtin hat mich *geneckt*. Das *kann keine* schlechte Sache sein. Es bedeutet, dass sie etwas von mir will – aber was? Aufmerksamkeit? Eine Absichtserklärung? Die Oberhand? Was auch immer es ist, ich werte es als Sieg, genau wie diesen Moment. Ich habe meine glorreiche Gefährtin hoch, fast nackt und zitternd für mich, Beine gespreizt, Arsch rot, Lippen geschwollen von unserem vorherigen Kuss.

„Das war frech, Sedona", schimpfe ich und streichele ihr die Haare aus dem Gesicht. Ich senke meine Stimme. „Ich werde dich wieder bestrafen müssen."

Ich sehe die Aufregung in ihr, während sie sich gleichzeitig umdreht und wegsprintet.

Ich fange sie an der Taille und hieve sie in die Luft und werfe sie auf das Bett.

Sie schreit auf und lacht, als sie zum Rand rüberrollt. Ich springe auf sie drauf, packe sie und drücke sie runter.

„*Ts, ts, ángel.* Das hat dir noch mehr Strafe eingebracht." Ich kann das Grinsen nicht stoppen, dass sich über mein Gesicht streckt. Mein Wolf liebt die Jagd so sehr, wie sie es liebt zu rennen. Ich halte ihre Handgelenke neben ihrem Kopf und nehme mir einen Augenblick, um sie zu genießen. So lieblich. Ihr dickes, glänzendes Haar fällt in Wellen um ihren Kopf, ihre Wangen tragen einen hübschen roten Farbtupfer.

Ich beuge meinen Kopf zu ihren Brüsten und beiße jede Brustwarze durch die schwarze Spitze ihres BHs, dann fixiere ich meine Zähne um die Mitte und ziehe.

„Warte, warte, warte." Sedona kämpft gegen meinen Griff an ihren Handgelenken. „Ich ziehe ihn aus, Carlos. Zerreiß ihn nicht. Ich liebe diesen BH."

„Ich auch." Ich wackle mit den Augenbrauen und lasse ihre Handgelenke los, helfe ihr, die Träger an ihren Armen runterzuziehen und den Verschluss am Rücken zu öffnen. Ich benutze den BH, um ihre Handgelenke zusammenzubinden, dann befestige ich sie am eisernen Bettpfosten am Kopf des Bettes. „Nicht bewegen, Sedona", warne ich. „Oder du wirst deinen Lieblings-BH zerreißen. Ich bin in zwei Minuten zurück."

„Warte." Sie verdreht sich, ihre Augen fliegen weit auf.

Sie mag es nicht, in so einer verletzlichen Position zurückgelassen zu werden. Oh Schicksal, ich hoffe, das bringt keine schlechte Erinnerung zurück. Ich hatte nur gehofft, ihr etwas Gutes zu tun. Ich klettere wieder über sie und küsse die empfindliche Haut an der Innenseite ihrer Arme. „Du weißt, dass du mit wenig Aufwand da rauskommst, nicht wahr, *ángel*? Ich verspreche, ich komme gleich zurück. Drei Minuten – höchstens. Ich muss nur etwas aus meinem Zimmer holen. Okay, Schönheit?"

Sie nickt, sichtlich entspannter.

Ich öffne ihre kniehohen Stiefel und schiebe sie von

ihren Füßen, zusammen mit den dünnen Nylonsocken, die sie darunter trägt, um es ihr bequemer zu machen. Um die Stimmung wieder aufzulockern, lasse ich mein Gesicht streng aussehen. „Du benutzt diese Zeit, um darüber nachzudenken, was deine Strafe sein sollte, kleine weiße Wölfin. Und wir werden sehen, ob unsere Ideen übereinstimmen, wenn ich zurückkomme."

Als sie mit ihren Hüften rollt, bin ich beruhigt, dass sie keine Angst hat oder traumatisiert ist. Meine Wölfin mag, was ich für sie plane. Ich nehme Sedonas Schlüssel und schlüpfe aus dem Raum, um zwei Etagen runter zu joggen, wo ich die Tüte mit Spielzeug hole.

Meine Augen schießen zu Sedona, sobald ich reinkomme, und ich kann nicht wegschauen. Alles an ihr ist faszinierend – die glatte cremige Farbe ihrer Haut, die Spitzen ihrer Brüste. Der flache, flatternde Bauch, ihr glatt gewachster Venushügel. Sie beobachtet mich und zuckt mit den Oberschenkeln, als ob sie Erlösung braucht. Ich habe definitiv vor, sie ihr zu geben. Nach ein bisschen fairer Folter.

„Oh, *ángel.*" Ich knöpfe schnell mein Hemd auf, als ich zum Bett gehe. „Ich kann nicht glauben, dass ich diese perfekten Nippel ungelutscht gelassen habe." Ich werfe das Hemd ab und klettere über sie, erfreue mich an dem Schauer, der durch ihren Körper läuft, sobald meine Beine ihre Oberschenkel überspannen. Ich flicke eine Brustwarze mit meiner Zunge, einmal, zweimal und lecke sie bis zu ihrer steifen Spitze. Dann umschließe ich sie mit meinen Lippen und sauge hart.

Sie stöhnt und wölbt sich, wirft ihren Kopf zurück, Kinn in Richtung Decke.

„Liebliches, liebliches Mädchen. "

„Carlos." Ich liebe wie sie meinen Namen atemlos ausspricht.

„Das ist richtig, *ángel,* Carlos bringt dir Lust. Nur Carlos."

Sie zappelt, keucht, wimmert. „Nein."

„Nein?" Ich höre auf, ihren anbetungswürdigen Nippel zu foltern, und hebe meinen Kopf.

Sie schüttelt ihren Kopf und wechselt dann zu einem Nicken. „Ja. Warte–"

Ich bewege mich nicht. Ich weiß, sie ist verwirrt – zur Hölle, ich bin auch verwirrt. Aber ich will definitiv nicht zu forsch sein, wenn sie mich danach hassen wird.

„Carlos – was machst du da?"

Ich krieche rückwärts über ihren üppigen Körper, um mich zwischen ihren Beinen niederzulassen. Ich schiebe meine Hände unter ihr Gesäß, hebe ihre Mitte an meinen Mund und lecke lange. „Dich bestrafen."

Ihr ganzer Körper zuckt und der Schrei, der von ihren Lippen kommt, lässt mich vor Verlangen stöhnen. Mein Schwanz schmerzt, will in meiner schönen Gefährtin sein.

„Du verdienst diese Strafe, nicht wahr, Schönheit? Weil du meinen Schwanz so schrecklich neckst?" Ich flicke mit meiner Zungenspitze über ihren Kitzler.

Sie macht ein Geräusch, das *ooh-ooh* ähnelt, als sie ihr Becken gegen meinen Mund wölbt.

„Das ist es, Püppchen. " Ich fahre mit den Lippen über ihre kleine geschwollene Knospe und sauge.

Sie quietscht und klemmt ihre Beine um meine Ohren.

„Ich habe große Pläne für dich, kleine Wölfin. Und sie alle involvieren dich nackt und mir ausgeliefert."

Ihre Muschi läuft vor Feuchtigkeit über und es bedarf einige Selbstkontrolle, um nicht an meinem Schwanz zu zerren und ihn in ihrem engen Kanal zu versenken.

Aber ich möchte mir heute Abend Zeit mit ihr lassen. Mein Plan war, Intimität neu zu schmieden, und das bedeutet, das hier herauszuzögern. Auch wenn es die ganze Nacht dauert.

~.~

Sedona

IRGENDWO IN MEINEM Gehirn ist der Drang, gegen diese unerwartete Wendung der Ereignisse zu protestieren. Ich hatte geplant, Carlos mit meinem roten Kleid und meinem Auftritt in einer Bar zu bestrafen, aber jetzt hat er mir die Kontrolle entzogen.

Aber ich fühle mich nicht schwach. Im Gegenteil, das Objekt von Carlos' einzigartigem Fokus zu sein, das dunkle Bedürfnis und die Begierde in seinem Blick zu sehen, schickt Macht durch mich, obwohl ich diejenige bin, die gefesselt ist.

Er knabbert erneut an meiner Klitoris, dann rollt er mich auf meinen Bauch, wobei er darauf achtet, die BH-Fesseln um meine Handgelenke anzupassen, damit es meine Arme bequem haben.

Mein Verstand mag ein paar Vorbehalte haben, aber

mein Körper ist eindeutig an Bord mit dem, was Carlos plant, weil ich meinen Arsch hebe, um ihm einen besseren Blick auf meine intimsten Teile zu geben.

„Mmm." Carlos packt eine Handvoll meiner Pobacke und drückt sie grob zusammen. „Du hältst diesen Arsch für mich hoch, *ángel,* zeig mir, dass du deine Strafe wie ein braves Mädchen ertragen kannst."

Mein Inneres wird flüssig, Hitze entsteht in meinem Kern. Ich liebe Carlos' schmutziges Gerede – dieses Spiel, das er mit mir spielt. Ich erwarte von ihm, dass er hochkriecht und mich von hinten nimmt – danach sehne ich mich eigentlich –, aber ich höre ihn in der Tasche stöbern, die er mitgebracht hat, und das Flicken von etwas aus Plastik wie das Aufschnappen eines Deckels.

Als er meine Pobacken auseinanderzieht, flippe ich aus. Ich zerre an meinen gebundenen Handgelenken als Hebel, ziehe meine Knie unter mich und krieche davon.

Carlos packt meine Wade und zieht mich flach auf den Bauch zurück. „Oh nein, *mi amor.* Das ist nicht, wie ein braves Mädchen es erträgt." Er versucht wieder, meine Pobacken zu öffnen, aber ich werfe mich zur Seite, rolle, um meinen Arsch auf die Bettdecke drücken.

Belustigung leuchtet auf Carlos' hübschem Gesicht auf. Er ist auf den Knien neben mir, hält eine Tube Gleitmittel in der Hand, aber er lässt das Gleitmittel fallen und ergreift meine beiden Knöchel. Er nimmt sie mit einer großen Hand, hält sie hoch und pfeffert mehrere scharfe Schläge auf meinen Arsch.

Ich kreische überrascht über die Schläge und die schockierend verletzliche Position, mit meinem Arsch in der Luft, meine weiblichen Körperteile entblößt. Carlos neigt meine Beine zu meinem Kopf und tropft etwas Gleitmittel in meine Arschritze.

„Carlos." Ich jammere jetzt. Analsex ist absolut nichts, was ich ihm geben will, egal wie heiß ich auf ihn bin.

Er lehnt sich über mich und küsst meine brennenden Backen. „Psst, schöne Wölfin. Du hast nichts von mir zu befürchten."

Das Flattern in meinem Bauch sagt etwas anderes, aber während ich die Aussage analysiere, weiß ich, dass er recht hat. Ich vertraue diesem Mann, mir nicht zu schaden. Trotzdem schüttle ich meinen Kopf.

Carlos nimmt, was ein Analstöpsel sein muss – ich habe noch nie einen gesehen, aber ich kann seine Verwendung erraten –, und bringt die Spitze an meinen Anus. „Dies ist deine Strafe, *mi amor.*" Er hebt meine Knöchel – nicht hoch genug, um mein Becken dieses Mal vom Bett zu ziehen – und drückt die bauchige Spitze des schlanken Edelstahlstöpsels gegen mein hinteres Loch.

Mein Anus zieht sich zusammen, dann öffnet sich mein Körper gegen meinen Willen dafür. Carlos drückt weiter und dringt mit dem Stöpsel in mich ein. Das Gefühl ist gleichzeitig köstlich und entsetzlich. Ich will es nicht mögen, aber das tue ich. Lust überflutet mich, als er den kühlen Metallphallus tiefer in mich arbeitet. Es ist nicht zu groß. Auch wenn es mir das Gefühl gibt, komplett gedehnt und ausgefüllt zu sein, empfinde ich kein Unbehagen mit Ausnahme meiner Verlegenheit, ein Objekt in meinem Arsch zu haben. Er schiebt es hinein, bis es sitzt, rollt mich dann auf meinen Bauch und gibt meinem Arsch einen leichten Klaps.

Ich bin seltsam verärgert, nicht über den Stöpsel in

meinem Arsch, sondern darüber, dass ich, jetzt wo er drin ist, notgeil und rot bin und mehr will. „Carlos?"

„*Madre de Dios, ja*, Sedona. Sag immer wieder meinen Namen in deinem heiseren Ton. Es bringt mich dazu, mir einen runterholen zu wollen und überall auf dir zu kommen."

Ein schockierter kleiner Atemstoß kommt aus mir heraus – halb Lachen, halb Stöhnen. Wie zuvor fasse ich an meinen Arsch und biete ihm an, das zu nehmen, was er bereits beansprucht hat.

Das Schicksal weiß, ich will seinen Schwanz wieder, genauso so sehr, wie ich ihn in der Nacht wollte, als er mich markierte.

Er stöhnt. „Bietest du mir deine hübsche kleine Muschi an, *ángel?*" Er rutscht mit den Fingern zwischen meine Beine und streichelt meinen Schlitz.

Meine Augen rollen sich in meinem Kopf zurück. „Ja, Carlos." Ich erkenne kaum mein mutwilliges Stöhnen wieder.

Carlos taucht in meine Säfte ein und überzieht meine inneren Lippen mit meinem eigenen natürlichen Gleitmittel, wobei er meinen Kitzler mit wahnsinnigmachender Langsamkeit umkreist. Dann, zur gleichen Zeit, fängt er an, den dünnen Postöpsel rein und raus aus meinem Arsch zu bewegen.

Ich schreie vor Überraschung auf, die Intensität der Lust und mein Bedürfnis katapultiert mich fast ins Nirwana.

„C-Carlos!"

„Gefällt dir das, Püppchen?"

„Oh *Schicksal,* bitte!"

187

„Bitte, was, Schönheit?"

„Bitte hör nicht auf. Bitte, schneller – Carlos!" Ich versuche, meine Dringlichkeit zu vermitteln, indem ich meine Füße auf das Bett stemme und mich aufbocke.

Irgendwie, trotz meines Mangels an sexueller Erfahrung, bin ich mir ziemlich sicher, dass das Einzige, was besser wäre, nur noch sein Eindringen in meine Muschi wäre. Als ob Carlos meine Gedanken liest, gleitet er mit zwei Fingern in mich hinein und bewegt sie abwechselnd mit dem Stöpsel.

Mein Stöhnen verschmilzt zu einem langen, kehligen Schrei. Wahrscheinlich kann mich jeder im verdammten Hotel hören, aber egal. Wir sind in Paris. „Carlos, Carlos, *bitte*", flehe ich. Ich will ernsthaft weinen – ich bin so überdreht, muss so dringend Erlösung finden.

Carlos fängt an, seine Finger und den Stöpsel gleichzeitig einzutauchen, und ich sehe bereits Sterne. Ich fühle mich, als würde ich auf einer Achterbahn in einen dunklen Tunnel stürzen. Es ist wie der Space Mountain, alles in mir schießt in Richtung Ziellinie. Es ist mehr wie ein Portal als eine Linie, denn als ich darüber schieße, krampft und quetscht sich mein Körper und drückt jedes letzte bisschen Lust raus, während mein Geist, mein Bewusstsein, fliegt. Ich fliege im Weltraum, so weit und so hoch, dass ich mich nicht einmal an meinen Namen erinnern kann. Mein Alter. Meine Spezies.

Und dann bin ich wieder da. Keuchend auf der Bettdecke, als Carlos sowohl seine Finger und den Stöpsel aus meinem Körper zieht. Er gibt mir Küsse über meinen unteren Rücken, bevor er auf die Toilette verschwindet, um das Waschbecken zu benutzen.

Ich habe keine Knochen mehr, bin unfähig, mich von dort zu bewegen, wo ich ins Bett geschmolzen zu sein scheine. Als Carlos zurückkehrt, bindet er meine Handgelenke los und nimmt mich in seine Arme.

„Okay, *ángel*?"

Irgendwie schaffe ich es zu nicken. Ich versuche, meine Lippen zu bewegen, um nach seinem Vergnügen zu fragen. Ich würde ihn einladen, seine früher geäußerte Fantasie zu befriedigen, dass er über mir abspritzt, aber kein Ton herauskommt.

Carlos drückt mir eine Flasche Wasser an die Lippen und ich trinke.

„Du bist so schön", murmelt er in Ehrfurcht.

Es muss mir nicht gesagt werden – als Alpha-Frau ist es etwas, das ich immer gewusst habe, aber er scheint es nicht zu meinem Vergnügen zu sagen. Es scheint eher eine Beobachtung zu sein, die er loswerden muss.

„Hast du Hunger, *mi amor?* Ich habe auch ein paar Snacks für uns gekauft."

Ich schaffe ein schwaches Nicken. „Wann hast du geplant, mich mit denen zu füttern?", frage ich, als er mit einem Behälter mit frischen Erdbeeren, einem Baguette und einem Glas Nutella zurückkehrt.

„Ich hatte diesen Teil noch nicht ausgeknobelt." Sein reumütiges Grinsen ist bescheiden und attraktiv und mein verbleibendes Ärgernis schmilzt. Das ist der Mann, an den ich mich aus der Zelle in Mexiko erinnere. Der Mann, mit dem ich eine Verbindung aufgebaut habe, ob ich es mag oder nicht. Er taucht eine Erdbeere in das Nutellaglas und hält sie an meine Lippen.

Ich nehme einen Bissen, bewusst über seinen Blick,

der auf meine Lippen geklebt ist. Ein Tröpfchen Saft entweicht meinen Lippen und Carlos springt fast auf, als meine Zunge es aufleckt. Er hält sich selbst ab und schluckt.

„Sedona. I-ich habe so viele Dinge, die ich dir sagen möchte, aber keines davon scheint gut genug zu sein. Es tut mir leid. Ich fange damit an. Es tut mir leid."

Ich sehe ihn unter meinen Wimpern an. „Was genau?"

„Das, was mein Rudel dir angetan hat. Ich kann es nie zurücknehmen. Es nie wiedergutmachen dir gegenüber. Aber das Schicksal weiß, dass ich es versuchen will."

Ich ziehe einem Atemzug ein. Ich muss diese Frage stellen. Ich muss wissen, wie viel von dem, was in Mexiko passiert ist, Biologie war – Vollmond und zwei Alphas zusammen eingeschlossen – und wie viel real ist. „Was ist mit dem, was du in der Zelle gesagt hast? Dass es dir nicht leidtut, dass es passiert ist?"

Carlos beißt seine Zähne zusammen und reißt ein Stück Brot ab, taucht es in das Nutella. Er reicht es mir. „Das ist auch wahr." Seine Stimme hat das Timbre eines schweren Geständnisses, eines, das er nicht zugeben will, aber bei dem er auch nicht lügen kann.

Ich bin bestürzt darüber, wie viel leichter sein Geständnis mich fühlen lässt. Wie sehr bin *ich* in diesen Kerl verliebt?

Ich liebe das Schokoladenbrot und ich hebe mein Kinn, um ihn zu drängen, mir mehr zu geben. Das tut er sofort. Ich habe keinen Vergleich, aber es ist schwer, sich einen aufmerksameren Liebhaber vorzustellen.

„Sedona, ich möchte mich dir nicht aufzwingen. Das Letzte, was ich will, ist, das alles hier schwieriger zu machen. Aber ich kann dich auch nicht gehen lassen. Ich sage das nicht, um dir Angst zu machen, ich versuche nur zu erklären, warum ich hier bin und dir folge wie ein streunender Hund, der Fleisch riecht."

Meine Lippen zucken bei seinem Vergleich und ich sehe Erleichterung in seinem Ausdruck aufblitzen.

„Lass mich als deine Begleitung auf dieser Reise dienen. Ich weiß, dass du gekommen bist, um mich zu vergessen. Um zu vergessen, was passiert ist. Aber ich beobachte dich seit Tagen, *mi amor*, und deine Melancholie hat nicht nachgelassen. Vielleicht brauchst du einen … *Freund*, um deine Reisen zu teilen. Ich spreche ein wenig Französisch und ich bin sehr gut darin, Regenschirme zu halten und die Gruppen von Fans von bald berühmten Künstlerinnen fernzuhalten, wenn sie anhalten, um Dinge zu skizzieren."

Ich ziehe eine Braue hoch. „Freund, huh? Ziehst du alle deine Freunde aus und bindet sie an Bettpfosten?" Sobald ich die Frage stelle, brenne ich vor Eifersucht. Hat er das schon einmal gemacht? Er wirkte dabei ziemlich kompetent. Ich will jeder Frau, mit der er zusammen war, die Augen ausstechen.

Seine Lippen zucken. „Das hast du dir selbst eingebrockt, *blanca*. Du solltest es besser wissen, als meinen Wolf zu reizen." Er benutzt diesen autoritären Ton, der mich feucht macht.

„Was ist *blanca* – weiß?"

„Ja. Also, was sagst du, *muñeca?* Lässt du mich bleiben? Dein Begleiter sein?"

„Das hängt davon ab." Ich weiß bereits, dass meine Antwort *ja* lautet. Die Schwere, die mich seit Mexiko umhüllt, lässt nach und diese europäische Reise wirkt plötzlich so verlockend, wie sie sich anfühlte, als ich zum ersten Mal davon träumte, hierherzukommen.

„Nenne deine Bedingungen, *mi amor*. Ich werde sie respektieren."

Ich liebe die Ehre und den Respekt, den er mir zeigt. „Wenn ich sage, dass ich Freiraum brauche, gehst du einen Schritt zurück. Ich akzeptiere dich nicht als meinen Gefährten."

Er nickt ernst. „Verstanden. Ich bitte nicht darum."

Plötzlich schüchtern schnappe ich mir eine Erdbeere und beiße hinein. Ich liebe den hungrigen Ausdruck, der über Carlos' Gesicht schleicht, während er zusieht. Ich frage mich, ob er sein eigenes Vergnügen verlangt oder ob er es sich selbst verweigert, um zu beweisen, dass er sich benimmt. Ich bin versucht, ihm zu gestehen, dass ich das nächste Mal gerne den Analstöpsel und seinen Schwanz probieren würde, aber ich halte mich zurück.

Er ist nicht mein Gefährte, er ist ein Begleiter. Wir haben noch nicht diskutiert, wie verdammt und unmöglich jegliche zukünftige Beziehung wäre, aber das Thema schwebt über uns.

„Vielleicht sollten wir nach Spanien gehen", schlage ich vor, um ihn nicht zu bespringen.

„Warum?"

„Du sprichst die Sprache. Es könnte mehr Spaß machen."

Er lehnt seine Stirn gegen meine, während er eine weitere Erdbeere zwischen meine Lippen drückt. „Das ist eine wunderbare Idee, *mi amor*. Wir besuchen die Geister von Gaudí und Picasso. Dalí. Miró. Wen noch?"

Strahle ich ihn an. Obwohl ich mein ganzes Leben lang die Prinzessin des Rudels meines Vaters war und viele mich verwöhnt nennen würden, fühle ich mich immer, als ob niemand mich wirklich kennt. Als wäre ich nur ein Objekt oder ein Symbol. Carlos achtet auf mich. Er weiß genau, was ich mag, und ich liebe das Gefühl, einmal wirklich *gesehen* zu werden. Und die Idee, mit ihm Museen zu besuchen, macht mich fast verrückt.

Ich schmiege meinen Kopf an seine Schulter und kuschele mich in den Komfort, den er anbietet. Trotz all meine tapferen Wünsche, diese Reise allein zu machen, ist es viel schöner, einen Partner zu haben. Besonders einer, der so fähig und fürsorglich ist wie Carlos.

KAPITEL ZEHN

 arlos

ICH SOLLTE SEDONAS ZIMMER VERLASSEN, bevor mein pochender Schwanz mich dazu bringt, etwas Dummen zu tun, und ich das Vertrauen, das wir gerade aufgebaut haben, auslösche. Ich atme ihren Duft ein, der mich gleichzeitig quält und entlastet. Meine süße Gefährtin schläft auf meiner Schulter ein – ein Vergnügen, das ich mir für den Rest meines Lebens erarbeiten werde. Nichts fühlte sich besser an, als meine Gefährtin zu füttern und sie in meinen Armen zu behüten.

Nun, nichts außer sie zum Höhepunkt zu bringen.

Mein Wolf ist immer noch außer sich. Es war riskant, ihre Grenzen so zu überschreiten, wie ich es tat, aber die Belohnung war gigantisch. In Harvard haben sie uns beigebracht, das Risiko zu analysieren und herauszufinden, wie man es minimiert. Es ist mir plötzlich klar, dass das Auf-Nummer-sicher-gehen mir nie gedient hat. Es geht gegen meine Wolfsnatur, meine Alpha-Natur. Und das ist definitiv der Grund, warum ich in Monte Lobo mit einem Haufen Mist umgehen muss.

Scheiß auf die Risiken. Mein Rudel muss wachgerüttelt werden. Der Rat muss den Arsch aufgerissen bekommen und ich bin der Einzige, der alles auf den Kopf stellen kann. Änderungen müssen vorgenommen werden, Fortschritt muss vorangetrieben werden.

Hier, mit Sedona in meinen Armen liegend, ist alles kristallklar. Als ob alles, was ich jemals für die Verwirklichung im Leben bräuchte, einfach nur Sedonas Gefährte zu werden war. Wenn ich Mann genug – na ja, Wolf in unserem Fall – bin, um ihr Gefährte zu sein, bin ich der Alpha geworden, der sein Rudel richtig anführen kann. Und das kann bedeuten, Dinge anders zu machen, als mein Vater sie getan hat.

Boah. Stimmt es, dass ein Teil meiner Zurückhaltung, sich vorwärtszubewegen, auf dem Wunsch beruht, meinen Vater nicht zu übertreffen? Verblüffend und dumm, aber da ist es. Ich habe mich aus Ehre für meinen Vater zurückgehalten. Wenn er den Rat nicht herausgefordert hat, was bringt mich dazu zu glauben, dass ich es sollte?

Unerwartete Trauer ergreift meine Brust. Ich fühle mich treulos, weil ich denke, ich kann es besser machen. Aber wenn ich es nicht tue, werde ich nie meine Gefährtin für mich gewinnen. Wie kann ich hoffen, Sedona zu einem kaputten Rudel zurückzubringen? Welches Leben könnte ich ihr geben?

Ich hauche einen leichten Kuss auf ihre Stirn und lasse

sie aus meinen Armen und unter die Decke schlüpfen. Ich muss etwas gegen meinen steinharten Schwanz tun oder schlafen wird unmöglich sein. Wenn ich ein besserer Wolf wäre, würde ich sie hierlassen und in mein eigenes Zimmer gehen. Aber das ist eine verdammte Unmöglichkeit.

Ich werde Sedona niemals aus freien Stücken verlassen. Es sei denn, sie bittet mich zu gehen.

Ich trotte auf die Toilette und werfe meine Kleidung ab, steige in die Dusche. Selbst mit dem Wasser auf kalt kann ich meinen Schwanz nicht zum abschwellen bringen.

Scheiß drauf. Ich kann besser neben Sedona schlafen, wenn ich mir hier drin einen runterhole. Ich drehe die Temperatur wieder auf warm und schließe meine Faust um meinen tobenden Ständer. Ich muss nur an Sedona denken, die weniger als zehn Meter entfernt liegt. Nackt.

Ich pump meine Hand über meinen Schwanz, meine Augen rollen jetzt schon in meinem Kopf zurück. Ich muss nur den Moment wiederholen, in dem ich sie in Monte Lobo beansprucht habe, und ich gehe ab und komme gegen die Duschwand, die Hitze des Wassers plötzlich viel zu warm.

Ich ändere es zu kalt und dusche mich ab.

Hoffentlich kann ich neben ihr liegen, ohne sie anzufassen, während sie schläft. Ich ziehe das Handtuch weg und ziehe meine Boxershorts an. Aber als ich wieder ins Schlafzimmer gehe, hebt mein Schwanz sich erneut beim Anblick von ihr.

Zur Hölle. Es wird eine mörderisch lange Nacht werden.

~.~

SEDONA

ICH TRÄUME VON CARLOS' Händen, die überall auf mir sind, meine nackte Haut streicheln. Er knurrt etwas Strenges und Herrisches, das meine Zehen kribbeln lässt.

Nein, warte. Halt mal. Das *sind* Carlos' Hände überall auf mir. Eine gleitet über meine Hüfte, die andere ist in meinen Haaren verheddert.

Ich bin wach.

Aber ich bin nicht mal sicher, ob er wach ist. Sein Atem klingt langsam, tief und so, als ob er schläft. Ich denke, seine Hände wandern von allein.

„Carlos?"

Da ist ein Ruck in seinem Atem und er hört auf, mich zu streicheln. Dann, nach seinem wieder aufgenommenen langsamen Ausatmen zu urteilen, rutscht er zurück in den Schlaf und beginnt die Liebkosung wieder.

Überall, wo er mich berührt, werde ich lebendig, heißer und kribblig. Seine Hand streichelt meine Seite hoch, gleitet herum, um meine Brust zu umschließen. Er drückt sie und reibt seinen Daumen über meine Brustwarze.

Wirklich? Der Kerl ist so gut im Bett, dass er es im Schlaf tun kann? Ich hätte weiter nachfragen sollen, wie viele Frauen er auf diese Weise unterhalten hat.

Ich drücke meine Oberschenkel zusammen, um das

Trommel des erneuerten Verlangens dort zu lindern. Ich blinzle zur Uhr neben dem Bett. Es ist vier Uhr morgens. Wenn er so weitermacht, werde ich nie wieder einschlafen.

Ich fasse seine Hand und schiebe sie zwischen meine Beine.

Auch hier gibt es eine Pause in seinem Atem, bevor er sich wieder entspannt in eine gleichmäßige Frequenz, aber seine Finger wissen genau, was zu tun ist. Er streichelt mich. Ich bin schockiert, wie feucht ich schon geworden bin.

Ich stöhne. Carlos knurrt.

Ist er jetzt wach? Ich kann es nicht sicher erkennen.

„Carlos?"

Das Knurren wird lauter, seine Finger gleiten tiefer, öffnen meine Schamlippen und dringen in mich ein.

Ich ersticke fast an meinem Schrei und klammere meine Beine fest um seine Hand, hungrig nach mehr Kontakt.

Ein Knurren reißt aus Carlos' Kehle heraus und plötzlich bin ich flach auf meinen Bauch fixiert, seine Hand packt meinen Nacken, seine Knie stoßen meine Oberschenkel auseinander.

Mein Atem kommt mit einem lauten Zischgeräusch, als er sein Gewicht auf mich fallen lässt und seinen steifen Schwanz in die Kerbe zwischen meinen Beinen schiebt.

Ich lache fast. Sein Schwanz wird von seinen Boxershorts von meinem Eingang abgeschirmt, aber er ist nicht wach genug, um es zu realisieren. Er knurrt frustriert, stößt härter. Wenn nicht für die Hand in meinem Nacken hätte, würde ich gegen das Kopfteil fliegen, er stößt so hart zu.

Er findet das Problem heraus und entblößt seinen

Schwanz und eine halbe Sekunde später spießt er mich damit auf. Völlig. Bis zum Anschlag.

Ich schreie auf, nicht verletzt, nur geschockt von der Kraft und Hemmungslosigkeit seiner Stöße. Er pumpt hart und schnell mit mächtigen Hüftstößen, klatscht auf meinen Arsch mit seinen Lenden. Sein Knurren erfüllt den Raum und gibt den Bass für meine keuchenden Soprano-Schreie.

Ich spreize meine Beine weiter, wölbe mich zurück, um ihn zu treffen, geblendet mit der tiefsten Befriedigung.

Ja, das *hier*.

Ich wusste nie, dass es so gut sein könnte. So richtig.

Trotz ficken im Schlaf.

Carlos' Knurren erstickt und sein Körper zuckt zu einem Halt. *„Puh."* Er lässt einen Atemzug aus. Er lässt meinen Nacken los und schiebt mir die Haare aus dem Gesicht, aber seine Hüften beginnen wieder zu stoßen, noch schneller als zuvor.

Ich drehe mich, um zurückzuschauen, und er starrt mich an, seine Brauen in einer engen Linie zusammengezogen.

„Sedona, oh *Schicksal!*" Er schreit seine Erlösung und seine Stimme hallt von den Wänden.

Ich schwöre, ich spüre, wie sein heißes Sperma mich füllt. Ich schiebe meine Hand zwischen meine Beine und reibe meine Klitoris, während ich ihm über die Zielerade folge.

Er stöhnt, kommt immer noch und rollt uns auf unsere Seiten, reicht herum, um meine Brüste zu fassen, während er weiterhin in mich stößt. Sein Atem brennt heiß an meinem Hals, als er meine Brüste knetet und meine Brustwarzen kneift.

Ich komme wieder – ein Nachbeben, aber fast so gut wie das erste Mal.

Carlos saugt und küsst meinen Hals, stöhnend. Ich habe das Gefühl, dass er immer noch zu Bewusstsein kommt. „Sedona, es tut mir so leid. Ich wollte nicht–" Die Finger, die ich an meiner Klitoris benutze, kratzen an der Basis seines Schwanzes und er fängt mein Handgelenk und zieht es vor unseren Gesichtern hoch. „Was ist das?" Sein Akzent ist so stark, so sexy. Er nimmt meine Finger in den Mund und saugt.

Meine Muschi verkrampft sich, als ob er *dort unten* saugt.

„*Mi amor*, du fasst dich nicht an, wenn du mit mir im Bett bist. Das ist *mein Job*."

Mein Herz, das schon von unserem Zwischenspiel rast, nimmt bei seinem verblüffenden Schimpfen das Tempo auf.

Er saugt wieder an meinen Fingern. „Mmm. Du schmeckst köstlich, *ángel*. Es tut mir leid, dass ich diesmal meinen Job nicht gut gemacht habe. Ich war, äh …"

„Am Schlafen?" Ich kichere.

Er lässt seinen Kopf in meinen Nacken fallen und lacht. „Es tut mir so leid", stöhnt er. „Habe ich dir wehgetan? Geht es dir gut?"

„Mir geht es gut."

Er hebt seinen Kopf und blickt mit einer Intensität in mein Gesicht, die meinen Puls hochspringen lässt. „Bist du sicher? Ich wollte dir das nicht antun, Schönheit. Ich habe mir einen runtergeholt, bevor ich ins Bett kam, damit ich mich dir nicht aufzwingen würde, und dann tue ich es in meinem Schlaf. Ohne Schutz."

Er sieht echt reumütig aus.

„Ich hätte dich aufgehalten, wenn es mir nicht gefallen hätte."

Ein Ausdruck des Staunens kriecht über sein Gesicht. „Es war okay? Du mochtest es?"

„Ich wusste, dass du schläfst. Ich war erstaunt, dass du so weit mit mir gekommen bist, ohne aufzuwachen. Es sollte eine Auszeichnung dafür oder sowas geben."

Er pumpt immer noch langsam in mich hinein, obwohl wir beide gekommen sind und sein Schwanz weich wird. Er greift zwischen meine Beine und tippt leicht auf meine Klitoris. „Ich verdiene keine Auszeichnung, wenn du dich befriedigen musstest, *mi amor*."

Ein zweites Nachbeben erschüttert mich. Ein kleines diesmal, aber nicht weniger angenehm.

„Nie wieder." Er zieht noch einmal den herrischen Ton auf. „Ich werde derjenige sein, der dir Lust bereitet, *ángel*. Es ist meine Pflicht. Eine, die ich sehr ernst nehme."

Ich will kichern, aber er klingt todernst. Als ob er ein Gelübde auf das Grab seines Vaters schwört.

„O-okay." Ich weiß nicht, was ich sonst noch sagen soll.

Er platziert einen epischen Biss-Saug-Kuss auf meinem Hals. „Niemand sonst rührt das hier an", knurrt er, seine Stimme leise mit der Warnung. „Nicht einmal du."

Ich erschaudere über die Möglichkeit, mehr Strafe durch seine Hände zu erleiden, wenn ich ungehorsam bin. Die Idee begeistert mich und ich kann es kaum erwarten, es auszuprobieren, aber ich spiele mit. „Okay."

Er knabbert an der äußeren Ohrmuschel. „Braves Mädchen."

Bei seinen Worten wellt sich Wärme durch mich und ich lehne mich in seine Arme zurück. Vielleicht kann ich wieder einschlafen.

arlos

ICH TRAGE KAFFEE und Croissants aus dem Zug-Imbisswagen, wo Sedona auf ihrem Block skizziert. Die Fahrt von Paris nach Barcelona dauert sechseinhalb Stunden mit dem ICE und ich habe alles getan, was mir einfiel, um es Sedona leichter und angenehmer zu machen. Ich kaufte uns Komfort-Tickets und zahlte für drei statt zwei Sitze, damit wir nicht mit jemand anderem sitzen müssen. Ich lade ihr Handy in der Steckdose zwischen unseren Sitzen und biete ihr meinen iPod und Ohrhörer für Musik an.

Ich liebe es, sie bei ihrer Arbeit zu beobachten, so in ihrer Skizze vertieft, eine Fee, die auf einer Blume landet.

Sie sieht kaum auf, als ich das Essen auf meine Ablage lege, aber ich nehme es ihr nicht übel. Ich will ihre Zeit nicht stören, ich bin nur dankbar, dass ich mich um sie kümmern darf.

Ich ziehe mein Handy raus und rufe in Monte Lobo an. Es ist Sonntag und es war immer meine Angewohnheit, meine Mutter sonntags anzurufen. Natürlich hat sie kein eigenes Telefon, da Technologie für alle außer den Rat und den Alpha verboten sind.

Ich rufe Don Santiago an, der eine Art Torwächter für das Rudel ist. Fast alle Übermittlungen gehen durch ihn. Ich mag Don Santiago nicht – ich mag keinen der Ratsmitglieder –, aber er ist wahrscheinlich der Fähigste. Wie als ich zur Universität ging. Er hat einen fortgeschrittenen Uniabschluss, arbeitete sogar für eine Zeit in einem Genetik-Labor in Mexiko-Stadt. Er war lang genug in der Welt, um zu verstehen, wie die Dinge funktionieren, einschließlich Technologie und wie man sie am besten benutzt. Er war derjenige, der dafür verantwortlich war, dass der Berg für WLAN verkabelt wurde, obwohl der Rest des Rates schreckliche Vorhersagen gab, dass uns mit der Welt zu verbinden zu unserer Zerstörung führen würde.

Don Santiago antwortet beim zweiten Klingeln. „Carlos." Er hat immer noch diesen herzlichen großväterlichen Ton mit mir.

„Hallo, Don Santiago", sage ich auf Spanisch. „Wie geht es dir?" Es ist das gleiche Gespräch, das wir jede Woche hatten, als ich an der Uni war.

„Alles ist gut hier, *mijo*." Er nennt mich *mein Sohn*, was mich mich immer sträuben lässt.

Ich lasse es diesmal nicht durchgehen. „Carlos. Oder Don Carlos. Nicht Sohn." Ich bin froh, dass ich es kühl und ohne Knurren sagen kann.

„Natürlich, tut mir leid, Don Carlos", sagt Don

Santiago geschmeidig. „Es ist nur so, dass ich dich kenne, seit du ein Baby warst."

„Und jetzt bin ich Alpha."

„Ja, natürlich. Niemand bestreitet das!"

Aus irgendeinem Grund lassen seine Worte die Haare auf meinen Armen abstehen. Er sagte es zu schnell, zu leicht. Als ob ich mir wirklich Sorgen machen muss, dass es eine Herausforderung geben wird. Ich speichere das für später ab.

„Hast du deine Frau gefunden, Carlos?"

Ich unterdrücke wieder ein Knurren. Ich mag es nicht, wenn jemand über meine Frau redet, besonders nicht die verdammten Ratsmitglieder. „Ich habe sie gefunden."

„Und?"

Dieses Mal grolle ich. „Ich bringe sie nach Barcelona. Eine Art Flitterwochen." Ich sehe Sedona schuldig an, obwohl sie kein Spanisch spricht. Ich bin mir nicht sicher, ob sie es zu schätzen wüsste, wenn ich das hier eine Hochzeitsreise nenne, da sie nicht zugestimmt hatte, meine Gefährtin zu sein, aber ich sage nur, was Santiago hören will. Um ihn von meinem verdammten Arsch loszukriegen. „Ist meine Mutter da?", frage ich ungeduldig.

„Ich gehe jetzt zu ihrem Quartier. Mal sehen, ob sie heute in Stimmung ist."

Ich knirsche mit meinen Zähnen, auch wenn es nicht Don Santiagos Schuld ist, ob sie in Stimmung ist oder nicht. In der Tat war ich immer darauf angewiesen, dass Don Santiago derjenige war, der mit mir direkt über meine Mutter wachte. Aber nach dem Vorschlag von Maria José, dass ich jemand anderen einen Blick auf sie werfen lasse, hat sich der Samen des Zweifels in mich eingeschlichen. Hat Don Santiago ihr bestes Interesse im Herzen? Was, wenn sie ihr nicht die bestmögliche Pflege geben? Was wäre, wenn ich sie nach dem Tod meines Vaters ihrer eigenen Familie hätte zurückgeben sollen?

Es ist nicht zu spät – ich kann es mir anschauen, wenn ich zurückkomme. Noch ein weiteres Problem zu lösen.

Ich höre Don Santiagos Stimme und meine Mutter antwortet, dann kommt sie ans Telefon. „Carlos?"

„Hallo, *Mamá*. Wie läuft es?"

„Carlos? Wo bist du?"

„Ich bin in Barcelona, *Mamá*, mit dem Mädchen, von dem ich dir erzählt habe."

„In Barcelona?" Sie klingt verwirrt. Nichts Neues hier.

„Ja, mit meiner Frau."

Meine Mutter gibt ein lautes Keuchen von sich und ein Hauch von Angst eilt durch mich, bevor sie verkündet: „Wie wunderbar! Carlos hat eine Gefährtin."

„Weinst du, *Mamá?*"

„Ich freue mich einfach nur so für dich, Carlos. Wann bringst du sie nach Hause?"

Ich bin mir nicht sicher. Eine Tatsache, die mich umbringt. „Bald, hoffe ich." Keine Lüge – ich kann immer noch hoffen.

„Enkelwelpen. Ich will Enkelwelpen, Carlos."

Ein Ansturm der Sehnsucht geht durch mich so stark, dass ich meine Augen schließen muss. *Sedona, schwanger mit meinem Welpen.* Mein ganzes Leben wäre lebenswert, wenn das der Fall wäre. Und ich würde verdammt gut dafür sorgen, dass ihr Leben perfekt ist.

Ich räuspere meine Kehle. „Das will ich auch, *Mamá.*"

Sedona schaut mich neugierig an und nimmt ihre Ohrenstöpsel aus ihren Ohren.

„Hör zu, *Mamá,* ich muss gehen. Ich rufe dich nächste Woche an. Pass auf dich auf."

„Ich liebe dich, Carlitos, *mijo.* Bring die Wölfin hierher zurück. Ich will sie kennenlernen."

„Ja, *Mamá.* Ich liebe dich auch. *Ciao.*"

Ich beende den Anruf und wende mich wieder zu Sedona und zucke mit den Schultern. „Meine Mutter."

„War sie–" Sedona scheint mit den Worten zu kämpfen. Ich schätze ihre Sensibilität.

„Sie war fast klar. Ich habe ihr von dir erzählt." Ich zappele mit den Croissants rum und ziehe eines aus der Papiertüte, um es ihr anzubieten.

„Was hast du ihr erzählt?"

„Nun, ich habe ihr von dir erzählt an dem Morgen, als du gegangen bist, aber sie hat es vergessen. Ich sagte ihr, dass ich jetzt bei dir bin. Sie weinte."

Sedona beobachtet mich zu aufmerksam, um mich zu trösten. Ich breche ein Stück Croissant ab und lege es zwischen ihre Lippen.

„Ich bin in der Lage, mich selbst zu versorgen, weißt du."

„Ich füttere dich gerne."

Sie lächelt, während sie kaut. „Ich weiß, dass du das tust. Also, warum hat sie geweint?"

„Sie freut sich für mich. Ich habe ihr nichts von der Geschichte erzählt. Nur, dass ich mit meiner Frau – einer Frau hier bin", korrigiere ich.

Die Traurigkeit, die ich letzte Woche auf Sedonas Gesicht sah, schleicht sich zurück und ich will mich erschießen, weil ich sie daran erinnert habe. Es gibt so viel Hässlichkeit in unserer Vergangenheit – wegen des Rates. Ich will es nicht ansprechen, aber ich weiß, dass wir es irgendwann angehen müssen. Ich atme tief durch.

„Hör zu. Wir werden es schon schaukeln. Ich weiß, es ist eine Menge – was wir durchgemacht haben, unsere Unterschiede, wo wir leben. Aber gib uns eine Chance, Sedona."

„Ich weiß nicht, Carlos. Wir leben in verschiedenen Welten."

„Wir sind zwei gebildete, intelligente Wölfe. Wir können es schaffen."

Ihre Stirn runzelt sich, ihr Blick ist weit weg.

Ich packe ihre Hand, um sie zurückzuholen. „Ich habe darüber nachgedacht, wie die Dinge in Monte Lobo sind. Ich habe immer geplant, Dinge zu ändern, sobald ich Alpha geworden bin. Ich bin erst seit ein paar Wochen zurück und es war nicht so einfach, wie ich es erwartet hatte, aber ich verspreche dir, die Dinge werden anders sein.

Sedona, zuerst möchte ich, dass du weißt, dass ich versucht habe, deine Entführung zu rächen, aber jemand kam mir zuvor."

„Garrett. Mein Bruder."

Ich nicke.

„Zweitens möchte ich sagen, dass das, was der Rat dir – uns – angetan hat, falsch war. Wenn ich zurück bin, werde ich die Dinge auf den Kopf stellen. Es gibt viele

gute Wölfe im Rudel und sie verdienen etwas Besseres."
Etwas in mir wandelt sich, während ich spreche. Ich
schwöre in meinem Herzen, als ich zu Sedona sage: „Ich
werde die Korruption ausrotten und das Rudel aus dem
dunklen Mittelalter bringen. Ich werde der Alpha sein, den
sie brauchen."

Sedona studiert mein Gesicht. Ich bleibe sehr still und
frage mich, was sie in mir sieht.

„Okay." Etwas entspannt sich in ihr. „Ich bin froh."

„Danke." Ich bin froh, dass sie mir zugehört hat. Ich
kann aber nicht sagen, ob ich ihr Vertrauen gewonnen
habe.

„Eines ist sicher", sagt sie. „Dein Rat …" Sie schüttelt
ihren Kopf. „Du kannst ihnen nicht trauen. Nicht nach
dem, was sie getan haben."

„Ich weiß. Nachdem mein Vater gestorben ist, haben
sie die Show geführt. Ich war zu jung, um zu führen, und
es gab keinen anderen eindeutigen Alpha. Sie haben viel
zu viel Macht bekommen. Es wird eine Weile dauern, den
Schaden, den sie angerichtet haben, rückgängig zu
machen."

„Also kehrst du nach Mexiko zurück?", fragt sie und
mein Herz setzt aus. Dies ist das Thema, das ich
vermieden habe.

Ich atme tief durch. „Ich will Nein sagen. Siehst du, da
ist diese schöne Wölfin, die mich verzaubert hat …"

Sedona lächelt.

„Aber sie würde mich nicht respektieren, wenn ich
meine Pflichten aufgeben würde."

„Nein, das würde sie nicht."

„Aber ich musste sie wiedersehen. Selbst wenn nur für ein paar Tage. Monte Lobo ist so bedrückend, aber der Anblick von ihr erinnert mich an daran, wofür ich kämpfe. Ich hoffe, sie wird die nächsten Tage mit mir genießen. Wir können so tun, als wären wir Touristen, die sich gerade kennengelernt haben und aus Lust und Laune zusammen reisen."

Sie hebt eine Braue an.

Es ist einen Versuch wert, aber ich hoffe, sie wird es verstehen. Ich brauche das hier. Selbst wenn nur für ein paar Tage.

„Ich verstehe", sagt sie leise, ein Schatten zieht über ihr Gesicht.

„Hey." Ich ergreife ihre Wange. „Wir müssen nichts entscheiden. Konzentrieren wir uns einfach darauf, Spanien zusammen zu genießen."

„Okay."

Ein Gewicht fällt von meiner Brust. Ich habe keine Antworten für die Zukunft, aber mein Wolf ist glücklich, im Jetzt zu verweilen und sich in der Gegenwart seiner auserwählten Gefährtin zu sonnen.

Ich bringe ihr noch einen Bissen Croissant zum Mund. „Darf ich deine Zeichnung sehen?"

Sie greift nach dem Block, zögert dann und schenkt mir einen unergründlichen Blick.

„Bitte?"

Ich halte den Atem an, als sie ihn langsam an mich weitergibt in der Hoffnung, dass ich die richtigen Dinge sage. Die Fee ist zuckersüß – riesige, weit gesetzte Augen, ein Kussmund und rote Zöpfe. Zierliche lange Linien bilden ihren Körper, um den Eindruck von Bewegung zu geben, als würde sie gleich zur nächsten Blume flitzen. Sie hat ihre Hände hinter ihrem Rücken verschränkt wie Degas *Kleine Tänzerin*, aber so viel süßer. Es gibt ihr eine freudige, schelmische Qualität – ich weiß nicht genug über Kunst, um zu verstehen, wie Sedona sie produziert hat, aber sie ist da.

„Es ist … *perfekt*. Du hast echtes Talent, Sedona.“

„Oh bitte.“ Sie versucht die Skizze zurück zu schnappen, aber ich halte sie außer Reichweite. „Es ist nichts. Cartoonartiges Zeug.“

„Das ist nicht nichts. Es ist wunderschön. Es ist bezaubernd. Und vor allem ist es das, was du kreieren möchtest.“ Ich kann nicht anders, als daran zu denken, ihre Kunst zu Geld zu machen – es wurde mir in Harvard eingebläut. „Diese würden perfekte Grußkarten machen. Oder Kinderbücher. Sogar T-Shirts.“

Sie knabbert an ihrer Lippe, aber ich sehe einen Funken Hoffnung in ihren Augen und ich will die Faust gen Himmel recken. Ich habe das Richtige gesagt. „Ich-ich weiß es nicht wirklich. Ich bin nicht gut mit Marketing oder Verkauf. Ich mag es einfach zu erschaffen.“

„Dann lass sie mich für dich verkaufen. Ich werde als dein Agent agieren. Oder Geschäftsmanager – was auch immer Künstler haben.“ Ich grinse.

„Das wäre cool.“ Sie sagt es, als ob sie glaubt, dass es nicht passieren wird, was mich wütend macht. Es macht mich noch entschlossener, ihr zu beweisen, wie hart ich für ihr Glück arbeiten würde.

Ich blättere eine Seite zurück und sie versucht, mir den Block wegzureißen. Ich drehe mich, um es aus ihrer Reichweite zu halten, wo ich es sehen kann.

Ich bin es – mein Wolf, in liebevollen Details. Sie hat meine Färbung richtig getroffen, meine Augen. Sie erinnerte sich an alles, obwohl sie ihn nur einmal gesehen hat.

„Sedona." Ich wende mich ihr wieder zu, die Augen weit mit Ehrfurcht. „Du hast *mich* gezeichnet."

Ihre Wangen sind rosa. Sie zuckt mit den Schultern, als wäre es nichts. „Warum sollte ich es nicht tun?"

„Darf ich es haben?"

„Nein." Sie greift danach und dieses Mal lasse ich sie es widerwillig haben.

Enttäuschung durchdringt mich. „Warum nicht?"

„Ich will es behalten", murmelt sie.

Mein Selbstvertrauen nimmt eine scharfe Wendung. Sie will es behalten. Die Zeichnung von *mir*. Ich will so viel zwischen den Zeilen lesen, aber ich weiß, dass es ist nicht klug wäre. Sie hat noch keine Gefühle für mich zugegeben.

„Dann will ich ein Bild von dir", verlange ich.

Sie schnaubt. „Ich zeichne mich nicht selbst." Ihre Wangen kriegen einen bezaubernden rosa Farbton.

„Versuch es."

Sie rollt ihre Augen, aber ein Lächeln umspielt ihren Mund. „Ich werde darüber nachdenken."

Ich setze mich wieder auf meinen Sitz, trinke den Kaffee und lege eine Hand auf ihr Bein. Sie zu berühren beruhigt mich, lindert meine Angst, auch wenn es die Motoren der Lust immer in ihrer Gegenwart zum Brennen bringt.

Es fühlt sich einfach und bequem mit ihr an und ich wage es kaum zu denken, aber ich fange an zu glauben, dass wir einen Weg finden können, um das Schiff zu schaukeln.

Ich weiß noch nicht wie, aber ich will es versuchen.

~.~

ÄLTESTENRAT

ICH SETZE mich in meinen Erste-Klasse-Sitz im Flugzeug nach Europa und ziehe meinen Laptop hervor. Ich habe sehr viele Laborergebnisse aus den Tests in Mexiko-Stadt zu überprüfen. Zum Glück waren sie in einem Labor, nicht im Lagerhaus. Ich bin das Risiko nicht eingegangen, falls es beobachtet wird. Nicht vom Staat, die können bestochen werden. Aber von den Wandlern. Es heißt, ein Wolf, der nicht Teil der amerikanischen Gruppe war, ist freigekommen, als sie da waren, und sein Rudel ist jetzt auf der Jagd.

Ich wünsche ihnen viel Glück. Ich habe hervorragende Arbeit geleistet, um hinter den Kulissen zu bleiben. Es ist einfach, wenn man bereit ist, Höchstpreise für erbrachte Leistungen zu zahlen.

Ich scanne die Ergebnisse, studiere die genetischen Markierungen der amerikanischen Wölfin sowie die ihrer Rudelmitglieder. Alle gesund. Schade, dass ich keine Zeit hatte, Eier und Sperma zu extrahieren, um eine *In-vitro*-Befruchtung einzuleiten.

Umso mehr muss Carlos seine Frau auf dieser Reise schwängern, wenn die Tat nicht bereits vollbracht ist.

Barcelona.

Carlos hätte meinen Job nicht einfacher machen können. Ich habe dort ein Lagerhaus mit zwei Wölfinnen, einem Jaguar und zwei Bären in Gefangenschaft, alle aus Sibirien eingeführt.

Ich könnte sie nach Mexiko bringen lassen, aber Carlos hat mir die Entscheidung leicht gemacht. Ich erschlage zwei Fliegen mit einer Klappe.

Wenn Carlos nicht kooperiert, werde ich ihn und seinen kleinen Amerikaner inhaftieren und auf andere Weise züchten. Besser als ihn zu töten. Wie seinen Vater. Was für eine Verschwendung.

Ich schicke eine Nachricht an Aleix, einen der Menschenhändler. *Es gibt zwei neue Wölfe in deiner Stadt. Finde sie, pass auf sie auf, aber fass sie nicht an – sie stehen unter meinem Schutz.*

~.~

SEDONA

CARLOS HÄLT MEINE HAND, als wir entlang der Las Ramblas, dem Freiluft-Fußgängereinkaufszentrum in Barcelona, gehen. Ich versuche, nicht zu viel zwischen den Zeilen zu lesen – ob ich ihn meine Hand halten lassen sollte oder mich um die Botschaft sorgen müsste, die es sendet. Er schläft bereits in meinem Zimmer und weckt mich nachts, um mir das Hirn rauszuvögeln. Wahrscheinlich sollte Händchenhalten keine harte Grenze sein.

Die Straße ist voller Touristen und Verkäufer und ich muss zugeben, ich genieße die Art und Weise, wie Carlos Sicherheit und Schutz verkörpert.

Ich halte an, um mir einen Straßenkünstler anzuschauen, der vorgibt, für einen Moment eine Statue zu sein, dann führt Carlos mich zum Miró-Mosaik auf dem Bürgersteig, wo Touristen drüber trampeln, ohne zu wissen, dass es ein berühmtes Kunstwerk ist.

Ich überprüfe eine Sammlung von Ledertaschen bei einem Verkäufer und Carlos zieht seine Brieftasche heraus, so wie er es jedes Mal tut, wenn ich irgendwo anhalte. Er will mir alles kaufen, was mein Herz begehrt. Schade, dass ich keine verhungernde Künstlerin bin, sonst könnte er mich so an ihn binden.

Das war ein komischer Gedanke.

Es ist nur so, dass er mich so aktiv umwirbt. Er beweist, dass er mich versorgen kann, und kümmert sich um alle meine Bedürfnisse. Es ist höllisch süß, aber verunsichert mich auch, wenn ich zu doll darüber nachdenke. Ich fühle mich wie in einer Reality-TV-Serie, wo ich eine begrenzte Zeit habe, um Bachelor Nummer eins kennenzulernen und zu entscheiden, ob er der Typ ist, mit dem ich den Rest meines Lebens verbringen werde.

Ähm, nein.

Bei Carlos und mir stimmt die Chemie, daran besteht kein Zweifel. Aber ich kann nicht entscheiden, wie viel davon real ist. Macht er mir den Hof, weil seine Biologie ihn dazu zwingt? Sein Wolf mich jetzt nicht mehr gehen lässt, weil er mich markiert hat?

Gibt es nicht ein besseres Mädchen für ihn? Jemanden aus seiner eigenen Kultur, der die Sprache spricht und welchem der verrückte Rat egal ist?

Aber selbst als ich nur daran denke, hasse ich diese eingebildete Gefährtin. Sie wäre ganz falsch für ihn, dass weiß ich einfach.

Ich lege die Ledertasche ab, die ich mir angeschaut habe.

„Willst du eine?", fragt Carlos.

Ich schüttele meinen Kopf. „Nein danke, Geldsack."

Er hebt eine Braue an. „Geldsack?"

„Versuchst du mir zu zeigen, was für ein guter Versorger du bist?"

Er lacht leise. „Ich bin altmodisch. Oder so."

„Wie ist deine finanzielle Situation überhaupt?", frage ich, dann will ich mich aber sofort selbst treten, weil ich jetzt wie die Bachelorette klinge, die ihre Verehrer interviewt.

„Mein Rudel hat Reichtümer. Im Allgemeinen geht alles an die Hacienda und der Rest hat nichts."

Er sagt das sachlich, aber ich weiß, dass er es nicht akzeptiert hat, sonst würde er nicht meine Aufmerksamkeit darauf richten.

„Also wirst du den Reichtum umverteilen?"

„Es ist nicht ganz so einfach. Ich möchte das Geld an die Infrastruktur umleiten – Sanitäranlagen und Strom, bessere Häuser. Aber ich denke, wir könnten auch die Art und Weise ändern, wie wir Geschäfte machen, um die

Gewinne zu erhöhen. Ich habe die Buchhaltung untersucht und wir sollten mehr verdienen. Viel mehr."

„Glaubst du, jemand klaut es?"

Er begegnet meinem Blick. „Um ehrlich zu sein? Ja."

Ich drücke seine Hand. „Nun, ich bin mir sicher, du wirst herausfinden, wer es ist, und dich drum kümmern. Dafür bist du doch da, oder?"

Er schlingt einen Arm um meine Taille und wirbelt mich zu ihm, meine Brüste drücken gegen seine Rippen. „Alles scheint machbar, wenn ich bei dir bin."

Mein Herz stottert und ich schmelze in ihn hinein und hebe mein Gesicht für einen Kuss.

Er streicht mit seinen Lippen über meine. „Du gibst mir Grund", murmelt er.

Ein Teil von mir will sich zurückziehen, um ihn *mich* als seinen Grund zu verweigern. Ich bin nicht bereit für diese Verpflichtung. Aber Feuerwerke gehen in meiner Brust los und ich lächle ihn wie einen Doofie an.

Sein Kuss ist warm und zärtlich, durchtränkt mit etwas Tieferem als nur Leidenschaft.

Ich mache mir fast vor Angst in die Hose.

~.~

CARLOS

. . .

NACH EINEM TAG im Gaudí-Haus-Museum mit Sedona trete ich aus der Dusche. Ich schwöre, sie lässt alles magisch erscheinen. Gaudís Architektur ist zweifelsohne beeindruckend, aber es durch ihre Augen zu sehen, machte es umso glorreicher.

Mit einem Handtuch um meine Taille gewickelt gehe ich aus dem Bad in unser Hotelzimmer und finde Sedona in dem roten Kleid vor.

„Oh nein, *muñeca*. Das trägst du nicht draußen", sage ich mit voller Autorität. Ich muss diese Katastrophe verhindern, sonst steche ich jedem Mann, der sie heute Abend sieht, die Augen aus.

Ganz zu schweigen von dem zusätzlichen Problem, dass wir es nicht zum Abendessen schaffen werden, weil ich sie jetzt gegen die Wand drücken und ihr das Gehirn rausvögeln will.

„Kleid aus. Das kannst du nicht tragen." Schlechter Schachzug meinerseits, aber ich kann die Ansage nicht davon abhalten, aus meinem Mund zu kommen.

Sie stemmt ihre Hände auf ihre Hüften. „Fick. Dich. Ich werde tragen, was ich verdammt nochmal will."

Okay, ja. Das habe ich total vermasselt.

Ich schleiche auf sie zu wie ein Jäger auf seine Beute. Ich unterdrücke meinen Wolf, bevor ich dieses Mal rede. „Vergib mir, *mi amor*. Ich meinte es nicht so." Meine Hände greifen nach ihren Hüften und ich schieben den Stoff hoch, um mehr von ihrem Oberschenkel freizulegen. „Ich meinte nur, wenn du das trägst, dann bist du das Einzige, was ich heute Abend essen werde."

Eines dieser schönen Lächeln lässt ihr Gesicht erstrahlen. „Darauf verlasse ich mich."

Ich stöhne. „Aber du bist am Verhungern. Du hast es schon zweimal gesagt, bevor wir hier zum Duschen und Umziehen zurückkamen."

„Du musst dich bis nach dem Abendessen zusammen-reißen." Sie bedeckt meine Handflächen mit ihren, um sie dort zu lassen.

„Unmöglich."

Sie zuckt mit den Schultern. „Dann gehe ich allein."

„Den Teufel wirst du tun", knurre ich. Dieses Mal kann ich nicht anders, als sie gegen die Wand zu drängen und sie zwischen meinen Armen gefangen zu halten. „Zieh es aus. Das Kleid."

Ihre Augen weiten sich. Die Enden ihrer Lippen drehen sich hoch. „Nein." Ich höre die Herausforderung in ihrer Stimme. Es ist dieselbe, die mir sagt, ich soll jagen, wenn sie rennt.

Aber irgendwie erinnere ich mich auch, dass sie hungrig ist. Es ist meine Pflicht, für meine Frau zu sorgen. Also muss ich das hier schnell machen. Ich drehe sie herum, um in Richtung Wand zu schauen, und ergreife den Stoff ihres Rockes am Rücken, um ihn hoch-zuziehen.

Sie trägt einen Witz von Unterwäsche – einen winzi-gen, G-String-Tanga mit Satinfäden und einem Stück Stoff zwischen ihren Beinen.

Ich reiße es von ihr, kann mich nicht genug zurückhal-ten, um es sanft auszuziehen. „Für wen war der?" Ich knurre, wahnsinnig eifersüchtig, weil sie diese Höschen bei sich hatte, als sie nach Paris kam, bevor sie wusste, dass ich mich ihr anschließen würde.

„Ganz ruhig, großer Mann", beruhigt sie mich. „Das ist

für dich. Nur für dich. Wie diese Muschi." Sie greift zwischen ihre Beine und berührt sich selbst.

Oh nein, das hat sie nicht getan.

Ich schlängele einen Arm um ihre Taille, um sie an Ort und Stelle zu halten, und versohle ihren üppigen Arsch, meine Hand arbeitet schnell und hart. Meine andere Hand gleitet ihren Bauch hinunter, um ihren Venushügel zu umfassen. Sie ist triefend nass. Ich drücke einen Finger in ihre nasse Hitze, um die Nässe bis zu ihrem Kitzler zu verteilen. Sie umschließt ihre Finger über meinen, sehnt sich nach mehr Aufmerksamkeit da unten.

Ich sauge meinen Atem über meine Zähne ein und höre auf, sie zu versohlen, quetsche und massiere ihre erhitzten Kurven, während ich ihre nasse Muschi streichle. „Dreh dich um." Meine Stimme ist drei Oktaven tiefer als sonst, mehr Tier als Mensch.

Sie dreht sich um und ich schüttle das Handtuch von meiner Taille. Als sie mir ein Bein um die Taille schiebt, bewege ich meinen Unterarm unter ihren Arsch und hebe sie an, um sie an meinen pochenden Schwanz zu ziehen.

Und dann bin ich in ihr. Genau da, wo ich den ganzen Tag sein wollte. Wo ich letzte Nacht sein musste und in der Nacht davor.

Ich stoße hinein und hoch, drücke ihre Schultern gegen die Wand, aber halte ihre Hüften, um meine zu treffen. Sie ist eine wilde Göttin mit dem Kleid um ihre Taille gewickelt, Haare an der Wand ausgebreitet. Ich ficke sie hart und tief, unerbittlich.

„Ich wollte es dir heute Abend langsam geben, Baby. Mir mit dir Zeit nehmen. Aber nein, du musstest *dieses* Kleid tragen", knurre ich, während ich in sie knalle.

Sie klammert sich an meine Schultern, kratzt mein Fleisch und markiert mich, wie ich sie markiert habe. „Carlos", würgt sie hervor. Die Verzweiflung ist bereits da, sie muss kommen.

Gut so, denn lange durchzuhalten ist für mich im Moment keine Option.

„Nimm ihn", knurre ich. „Nimm ihn tief auf, *muñeca.* Du hast darum gebettelt."

Wie immer ist meine Frau von meinem schmutzigen Gerede begeistert. Sie zerbricht, ihre inneren Schenkel drücken meine Taille, ihre Muschi krampft sich zusammen und gibt nach, als ihr letzter Schrei scheinbar in der Luft zwischen uns schwebend hängt, weil sie aufgehört hat zu atmen.

Ich knalle noch dreimal in sie und vögle sie tief bis zu meinem Ziel.

Sedonas Brust bewegt sich wieder und sie schiebt ihre Hände herum, vergräbt ihre Nägel tief in meinem Rücken und schließt ihre Augen.

Ich beanspruche ihren Mund, neige meine Lippen über ihre, lecke und sauge, bis ich aufhöre zu kommen. Ich erstarre. „Ich habe wieder ein Kondom vergessen." Ich hatte eins letzte Nacht übergezogen, aber in der Nacht davor, als ich sie im Schlaf gefickt hatte, hatte ich keines getragen, und jetzt habe ich es wieder getan. So schrecklich es klingt, ich muss unbewusst wollen, dass sie schwanger wird, um sie an mich zu binden.

„Es ist okay." Sie steckt ihr Gesicht in meinen Hals und erholt sich immer noch. „Du kannst mich nicht schwängern."

Erleichterung strömt durch mich. Nun ja, hauptsächlich

Erleichterung. Vielleicht mit zehn Prozent Enttäuschung. Sie muss die Pille nehmen. Seltsam, aber ich hatte es nicht gerochen, so wie ich es bei einer menschlichen Frau riechen kann.

Ihr Magen knurrt.

„Baby, du hast Hunger", schimpfe ich. Ich ziehe mich von ihr zurück und senke ihre Füße zu Boden. „Lass uns zum Abendessen gehen."

Sie steht still und ich schaue nach oben, von wo ich mich gebeugt hatte, um mein Handtuch zu holen.

„Sedona. Scheiße." Ich gehe zu ihr zurück und wickle das Handtuch um meine Taille. „Habe ich dir wehgetan? Ich war viel zu grob. Es tut mir leid, *ángel*."

Sie greift nach mir, was mich fast vor Erleichterung in die Knie zwingt. Wickelt ihre Arme um meinen Hals und lässt mich sie halten. „Ich mag es, wenn du grob bist", murmelt sie in mein Ohr. Ihr Körper zittert, obwohl ich mich wie der größte Arsch fühle, weil ich sie ficke und dann fallen lasse, während ich meinen Schwanz abwischen gehe.

Ich halte sie fest, streichle ihr den Rücken und vergrabe mein Gesicht in ihren dicken glänzenden Haaren. Ich spiele die Szene durch, versuche herauszufinden, ob etwas schiefgelaufen ist oder ob sie nur einen Moment Nachsorge braucht, als sie sagt: „Du schuldest mir aber Unterwäsche."

Ich belle vor Lachen.

„Und ich trage immer noch dieses Kleid."

Ich stöhne. „Okay, *muñeca*, trag das Kleid. Aber du wirst für all die Männer verantwortlich gemacht, deren

Gesichter auf meine Faust treffen, wenn sie dich
begaffen."

Sie lässt mich los und ich trete widerwillig zurück. „Du
wirst dich benehmen." Sie klingt, als ob sie es glaubt, was
mich schwören lässt, ihre Erwartungen zu erfüllen. Auch
wenn es mich verdammt noch mal umbringt.

~.~

SEDONA

ICH HABE NICHT GELOGEN. Nicht genau.

Er kann mich nicht schwängern, weil ich schon
schwanger bin.

Mein Inneres rumort und all die Probleme, die ich
vermieden habe, schlagen mir zurück ins Gesicht.

Es wird nicht lange dauern, bis er den Hormonwandel an
mir riecht. Bevor mein Körper beginnt, sich zu verändern,
um das neue Leben in mir zu beherbergen. Unseren Welpen.

Was wird es für ihn bedeuten?

Ich weiß nicht einmal, was es für mich bedeutet.

Schicksal, diese ganze Reise nach Europa war nicht,
um zu heilen, es war ein letzter Versuch, meine Flügel
auszustrecken, bevor ich mich mit einem Kind niederlasse.
Ich habe so getan, als gäbe es kein Kind, als gäbe es keine
meiner Probleme, während ich mich austobe, mir

berühmte Kunst anschaue und von einem triebhaften Werwolf an die Wand gefickt werde.

Aber ich muss mich bald der Musik stellen. Entweder verliere ich Carlos bald und versuche, die Schwangerschaft vor ihm geheim zu halten oder wir bleiben zusammen und er wird es in der einer Woche oder zwei von allein herausfinden.

Und was dann?

Wenn er jetzt schon über Bord gegangen ist, um mich auf dieser Reise zu beschützen, was wird er tun, wenn er weiß, dass ich seinen Welpen trage? Glaube ich wirklich, dass er jemals meine Seite verlassen wird?

Was hat Garrett gesagt? *Es würde ein ganzes Rudel brauchen, um ihn fernzuhalten.*

Ich schlüpfe in ein neues Höschen und glätte den Rock des Kleides wieder nach unten, während Carlos sich anzieht.

Er schaut mich an, als ob er weiß, dass etwas in meinem Kopf vor sich geht und es ihn beunruhigt. Er achtet auf alles, das muss ich ihm lassen. In Momenten wie diesen wünschte ich, er würde mir etwas weniger Aufmerksamkeit schenken.

Nein, das stimmt nicht.

Carlos begleitet mich und wir gehen wieder zu den Ramblas und finden ein Straßenrestaurant, wo wir alle Aktivitäten auf der von Bäumen gesäumten Straße beobachten können.

Ich bin wund und benutzt an all den richtigen Stellen, aber ich weiß, es wird innerhalb der nächsten Stunde nachlassen, sodass ich jedes Ziepen und Pulsieren genieße.

Carlos bestellt nach Rücksprache mit mir eine Flasche

Wein. Wenn er kommt, nehme ich einen Schluck, aber selbst wenn ich Alkohol trinken wollen würde, könnte ich nicht. Mein Körper lehnt es total ab. Ich würge kaum einen Schluck herunter.

Nachdem wir unser Essen bestellt haben, fragt Carlos: „Was geht in deinem schönen Verstand vor sich, Sedona? Du bist zu still."

Ich schüttele meinen Kopf. „Nichts. Ich versuche nur nicht darüber nachzudenken, was als Nächstes kommt."

Sein Ausdruck wird ernst. Er starrt ein Loch durch mich hindurch und ich kann nicht atmen. „Ich versuche gerade, dich nicht zu fragen, woran du nicht denken willst."

Ich lache kurz auf und bin dankbar für seine Fähigkeit, so ehrlich mit mir zu sein. Weil es nicht so einfach ist, über etwas so Schweres zu sprechen.

Der Kellner bringt unser Essen und ich haue rein und verschlinge mein Essen, als hätte ich seit einer Woche nichts gegessen. Ich hoffe, das ist nicht der Beginn von Schwangerschaftsgelüsten, denn ich will die nächsten neun Monate nicht alles in Sichtweite essen.

Uff. Und jetzt denke ich wieder an die Schwangerschaft. Nicht, dass ich je aufgehört habe.

Ich schaue auf die Fußgängerzone, auf ein paar Musiker, die gerade erst angefangen haben, und Carlos folgt meinem Blick. Er verschluckt sich an seinem Wein und ich schaue amüsiert rüber.

„Alles in Ordnung da drüben?"

Er tupft sich die Lippen mit seiner Serviette. „Ja. Ich werde die Toilette benutzen, *muñeca*. Ich komme gleich wieder."

Es dauert ungefähr 30 Sekunden, bis es in meinem Gehirn ankommt, dass er nicht in Richtung der Toiletten, sondern in Richtung Ausgang ging.

Meine Instinkte erwachen brüllend zum Leben, Haare stehen in meinem Nacken auf, meine Sicht verengt sich, als ob ich mich wandeln und weglaufen muss. Aber was ist die Gefahr? Ich schaue mich um und sehe Carlos auf den Ramblas und er redet mit …

Oh, Scheiße, nein.

Es ist eines der Ratsmitglieder. Ich würde mich überall an diesen alten Hurensohn erinnern. Er ist einer der beiden Männer, welche die Händler am Tor getroffen haben.

Ich werfe ein paar Euro auf den Tisch, stehe auf und marschiere aus dem Restaurant. Ich konzentriere mich so sehr auf Carlos und das Ratsmitglied, dass ich die Gruppe junger Männer nicht sehe, die auf mich zu kommt, bis sie mich anrempeln. Etwas sticht in meinen Arm und ich verliere fast mein Gleichgewicht, aber einer von ihnen fängt mich. Sie lachen und sprechen Spanisch – nein, nicht Spanisch – Katalanisch, die erste Sprache in Barcelona. Einer von ihnen hält meinen Ellenbogen und sagt etwas Freundliches zu mir, aber ich schüttle sie ab, rase immer noch zu Carlos.

Als ich das Piksen auf meinem Arm wegreiben will, merke ich, dass meine Hand blutig ist.

Es ist nicht schlimm, aber es treibt meine Wut und mein Gefühl von Missachtung weiter an. Eine Wut, die Carlos in vollem Ausmaß bald abkriegen wird.

~.~

CARLOS

DON SANTIAGO IST HIER in Barcelona.

Ich bin bereit, ihn unangespitzt in den Boden zu rammen. Ich weiß nicht, was sein Plan ist, aber ich will es herausfinden. Sofort.

Wenn wir nicht an einem öffentlichen Ort wären, hätte ich schon seine Kehle in meiner Hand.

„Entspann dich, *Mijo* – Don Carlos – ich *spioniere* dich nicht aus, wie du sagst. Ich musste mich hier um Geschäfte kümmern und dachte, es wäre eine gute Zeit für einen Besuch."

„Schwachsinn."

Don Santiago trägt immer noch diesen milden, amüsierten Ausdruck und ich bin bereit, ihn mit meiner Faust aus seinem Gesicht zu wischen. „*Bueno.* Du hast recht. Der Rat hat einen Anteil daran, wie es deiner Frau geht. Ich wollte sehen, ob ich helfen kann."

„*Helfen kann?*" Es braucht all meine Mühe, um die Worte nicht zu schreien. „Was willst du tun, eine Mango und Wein in unser Hotelzimmer schicken? Uns helfen, in Stimmung zu kommen?"

Don Santiago faltet seine Arme über seine Brust. „Muss ich das tun?"

Ich balle meine Fäuste so doll, dass sich meine Nägel in meine Handflächen graben.

„Ist sie schon schwanger?"

Don Santiago schaut mir über die Schulter in dem gleichen Moment, als ich Sedonas Duft bemerke.

Carajo!

Ich drehe mich um, aber es ist zu spät. Sie hat es gehört.

Ihr Gesicht ist so blass wie Schnee, aber Wut lodert in ihren Augen.

„Sedona – es ist nicht, wie du denkst."

Sie hat sich bereits von mir abgewandt und geht mit zielgerichteten Schritten in Richtung unseres Hotels.

„Sedona – warte! Lass mich erklären." Ich folge ihr. Ich halte mich auf, bevor ich nach ihr greife, denn ich bin mir sicher, sie wird mir eine pfeffern, wenn ich eine Hand an sie lege. Ich entscheide mich stattdessen dafür, mit ihr Schritt zu halten. „Ich weiß nicht, warum er hier ist. Ich wusste nicht, dass er kommt. *Hör mir zu.*"

„Nein." Sie hält an und schlägt eine Hand gegen meine Brust, hält mich auch an. „Ich muss dir nicht zu hören. In der Tat kann ich es nicht. Ich werde es nicht. Ich habe gehört, was er will. Egal, ob du behauptest, unschuldig in ihrem schmutzigen kleinen Plan deines Rates oder nicht zu sein, du bist ein Teil davon. Und das bedeutet, ich bin raus." Sie beginnt wieder zu laufen.

„*Scheiße!*" Ich kann nicht umhin, laut zu fluchen, bevor ich mein Tempo neben ihr aufnehme. „Das ist nicht, was ich–"

Außer es ist wahr. Sie hat den Nagel auf den Kopf getroffen. Ich kann nicht mit ihr darüber streiten, was hier vor sich geht.

„Sedona, ich bin nicht hier, um dich zu schwängern. Ich sehe dich nicht als Preis. Ich kam, weil ich nicht wegbleiben konnte. Ich wollte deine Bitte nach Freiraum erfüllen, aber … ich konnte es einfach *nicht*.“

„Nun, das wirst du tun müssen“, faucht sie. „Weil ich fertig bin mit dir.“

Sie ist mit mir fertig.

Ihre Worte treiben einen Nagel durch meinen Bauch.

Ich verlangsame meine Schritte, lasse sie ohne mich vorwärtskommen. Ich werde sie nicht davon überzeugen, bei mir zu sein, indem ich ihre Wünsche weiterhin missachte.

Sie blickt nicht einmal zurück und marschiert immer noch zum Hotel. Meine Brust fühlt sich an, als würde sie von 45 Kilo Gewicht zerquetscht werden. Ich sacke gegen die Seite eines Gebäudes, kaum in der Lage, Atem in meine Lunge zu ziehen.

Sie hat recht. Unsere Probleme sind unüberwindbar. Sie wird nie vergessen können, was der Rat ihr angetan hat, und ich bin Teil dieses Schreckens. Wie konnte ich überhaupt gehofft haben, sie mit mir zurückzubringen?

Die Idee ist lächerlich. Es würde sie nur ruinieren, so wie Monte Lobo meine Mutter ruiniert hat. Ihr ganzes Licht würde ausgehen, sie würde jeden Tag ein wenig mehr sterben, bis sie entweder verrückt würde, wie meine Mutter, oder nur eine leere Hülle wäre.

Vielleicht, wenn ich ihr noch einen anderen Plan anbieten könnte. Ein anderes Rudel, eine andere Option. Vielleicht, wenn ich bereit wäre, mein Rudel zu verlassen, mit ihrem zu leben. Aber ich kann meines nicht aufgeben. Meine Abwesenheit ist ein Teil dessen, warum dort alles so scheiße ist. Das Rudel braucht mich.

Nein, wenn ich mich um Sedona sorge – wirklich für

sie empfinde – und das tue, was das einzig Richtige für sie ist, dann lasse ich sie gehen.

Auch wenn es bedeutet, dass meine Brust von dem Gewicht davon zusammenbricht.

~.~

SEDONA

ICH SPÜRE es in der Sekunde, als Carlos zurückfällt und mich gehen lässt.

Ich weiß, ich sollte es als Geschenk betrachten, aber es verletzt mich genauso wie seine Täuschung. Ich marschiere vorwärts in Richtung des Hotels und weigere mich, zurückzuschauen. Ich will seinen Ausdruck nicht sehen. Ich will nicht darüber nachdenken, was er jetzt fühlt.

Ist sie schon schwanger?

Ich kann nicht glauben, dass sein Rat uns immer noch überwacht. Haben sie alles beobachtet? Unser Treffen in Tucson? Paris? Ich hasse sie. Ich tue es wirklich. Ich hasse sie mit einer Bitterkeit, die so tief geht, dass ich darin ertrinken könnte.

Aber nein. Diese Wut ist die andere Seite der Medaille, ein Opfer zu sein. Was ich beschlossen hatte, nicht zu sein.

Sie kontrollieren mich nicht. Sie werden weder mein

Leben noch meine Zukunft gestalten. Sie werden ganz besonders nicht die Zukunft meines Welpen gestalten.

Ich laufe zu unserem Hotelzimmer und werfe meine Sachen in meinen Koffer. Ich gehe nach Hause. Vielleicht habe ich Angst. Ja, ich habe Angst. Aber ich habe mehr als nur meine eigene Sicherheit zu bedenken. Ich habe die Sicherheit meines Babys zu bedenken.

Und das Ratsmitglied hier zu sehen, hat mich erschüttert. Sogar sehr. Jedes Haar auf meinen Armen steht ab, als ich die Szene wieder abspiele. Er hat uns beobachtet.

Ich dachte vielleicht, ich wäre entkommen, als ich Mexiko verließ, aber das bin ich nicht. Sie sind immer noch hier mit mir.

Und sie glauben immer noch, dass ich ihnen gehöre, um für Nachwuchs zu sorgen.

Tränen verwischen meine Sicht, als ich meinen Koffer packe und aus dem Hotelzimmer gehe. Ich erwarte fast, dass Carlos vor dem Zimmer steht oder unten in der Lobby oder auf dem Bürgersteig vor dem Hotel ist, aber das tut er nicht. Niemand hält mich auf, als ich ein Taxi anhalte und nach dem Flughafen frage.

Ich weiß, es gibt eine Chance, dass ich zu dieser Zeit keine Flüge finde, aber es ist mir scheißegal. Jede Zelle in meinem Körper schreit, dass ich hier wegkommen muss, und zwar schnell. Ich muss zurück zu meiner Familie kommen. Zu meinem Rudel, dass mich beschützen wird.

Carlos kann man nicht trauen. Ich weiß nicht mal, ob ich glauben kann, was er gesagt hat, alles, was zwischen uns passiert ist. Es könnte alles eine Fabrikation gewesen sein, um mich zu schwängern.

Ich bin froh, dass ich es ihm nicht gesagt habe.

Es besteht die Chance, dass er genauso bösartig ist wie sein Rat.

Dieser Gedanke tut schlimmer weh als jeder andere. Zu glauben, dass Carlos mich betrogen oder mit mir gespielt hat, dass er sich nie um mich gesorgt hat, lässt mich meine Brust umklammern, um den Schmerz zu lindern.

Ich will glauben, dass seine Gefühle echt waren. Aber es ist nicht genug. Er mag ein biologisches Bedürfnis haben, in meiner Nähe zu sein und mich zu beschützen, weil er mich markiert hat, aber das bedeutet nicht, dass er mich *liebt*. Das heißt nicht, dass wir als Gefährten gut füreinander geeignet sind.

Ich war verletzlich und ich interpretierte zu viel rein in seine Aufmerksamkeit. Jetzt muss ich selbst stark sein.

Für das Wohl meines Welpen.

~.~

ÄLTESTENRAT

ICH ÖFFNE die winzige Ampulle mit Blut und atme tief ein.

Gut. Die Amerikanerin ist schwanger. Ich hatte ein paar Leute engagiert, die sie anrempelten und eine Blutprobe holten. Es ist nicht genug für einen Labortest, aber ich bemerke es am Geruch.

Carlos wird nicht mehr gebraucht. Wenn er uns noch

mehr Ärger macht, bringen wir ihn schneller um, als er jammern kann, *Nenn mich nicht Mijo*.

Und jetzt habe ich auch die DNA seiner Frau. Perfekt für meine Genmanipulationstests. Bald werde ich Proben von jedem Typ von Wandler auf der Welt gesammelt haben. Genug, um eine umfassende DNA-Aufarbeitung aufzubauen und die Faktoren zu bestimmen, welche die Fähigkeit zur Wandlung, Heilung und Reproduktion verbessern oder einschränken.

Was in meinem Rudel passiert ist, wird nie wieder passieren müssen, weil ich Gene manipulieren kann, um Superwölfe zu erschaffen, die nicht nur die besten Eigenschaften von Werwölfen, sondern auch von anderen Wandlern haben.

Ich gehe mit einem Klemmbrett durch das Lager und ordne zu jeder Spezies ihre Blutprobendaten hinzu. Ein Tiger wirft sich gegen die Metallstäbe und knurrt mich an, während ich vor ihm stehe.

„Dieser hier ist wunderschön. Wo hast du ihn gefunden?", frage ich Aleix.

„Hab ihn von einem Iraner gekauft, aber er kommt aus der Türkei."

„Ein kaspischer Tiger? Sehr seltener Fund. Das tierische Gegenüber ist ausgestorben. Gute Arbeit. Ich zahle dafür einen kräftigen Bonus."

„Darauf zähle ich." Aleix faltet seine Arme über der Brust. Er will, dass ich jetzt zahle. Ich habe ihn und seinen Bruder Ferran in den letzten zehn Jahren sehr wohlhabend gemacht. Sie beteiligen sich nicht an der Jagd von Wandlern – nur am Kauf und an der Lagerung, der Blutentnahme sowie Laboruntersuchungen. Aleix ist der Geschäftsmann, Ferran der Biowissenschaftler.

Sie wären nicht beteiligt, außer dass ich ihnen versprochen habe, ihre Schwester von der genetischen Krankheit zu heilen, die sie langsam dahinvegetieren lässt. Die Wahrheit ist, ich hätte sie vor Jahren heilen können, aber sobald ich das tue, werden Aleix und Ferran zusammenpacken und sie sind zu wertvoll für mich. Besser, sie arbeiten zu lassen, um nach Antworten zu suchen.

Der Harvester braucht seine Handlanger.

KAPITEL ZWÖLF

 arlos

35 STUNDEN, seit Sedona mich verlassen hat.

Jede Minute, jede Stunde fühlt sich an wie eine Ewigkeit. Jeder Atemzug braucht Mühe, um ihn einzuatmen. Jeder Herzschlag schmerzt in meiner Brust.

Ich miete ein Auto, um von *el De-Efe* nach Monte Lobo zu fahren. Ich fühle mich immer schwer, wenn ich nach Hause zurückkehre, aber dieses Mal ist es schwer, sich überhaupt zu bewegen. So muss sein, wenn man hundert Jahre alt ist, die Schmerzen jedes Jahres, das auf die Knochen drückt. Nur in meinem Fall ist es das Gewicht von jeder Minute, die ich von Sedona entfernt bin.

Jede Minute in meinem Verstand dreht sich um unseren letzten Moment zusammen. Ich hasse es, dass sie denkt, ich könnte teilhaben an der idiotischen Besessenheit des

Rates über meinem zukünftigen Nachwuchs. Ich hasse es zu wissen, dass Don Santiago das Trauma ihres Martyriums wieder ausgelöst hat.

Aber jetzt weiß ich mit absoluter Sicherheit – es ist unmöglich für uns zusammen zu sein. Ich könnte sie nie hierher zurückbringen. Alles, woran sie sich erinnern würde, ist das Böse, das ihr angetan wurde.

Ein Knurren steigt in meinem Hals auf. Ich hätte jedes Ratsmitglied töten sollen, sobald sie uns freigelassen haben. Bin ich so ein Feigling, dass ich mich von Mord abwende?

Ich reibe mein Gesicht, aber es hilft nicht, die Spinnweben, die über meinen Augen hängen, wegzuwischen. Wenn ich nur meinen Weg aus diesem Vermächtnis der Finsternis finden könnte.

Juanito rennt mir entgegen, sein kindliches Gesicht leuchtet auf; es sieht manchmal so alt aus mit all den Lasten, die er mit sich trägt. „Don Carlos!" Er bleibt stehen und greift begeistert nach meinem Koffer. Ich lass ihn den Koffer nehmen, nicht weil er ein Diener ist und ich denke, es ist sein Job, sondern weil es ihm zu verweigern Enttäuschung verursachen würde.

Ich strubbele seine Haare. „Was gibt es Neues, mein Freund?"

Der Junge zuckt mit den Schultern. „Nichts. Hast du deine Frau mitgebracht? Sie sagten, du würdest es tun."

Das Loch in meiner Brust weitet sich noch mehr. „Nein. Sie kann nicht zurückkehren. Sie würde dem Rat nie verzeihen, dass er sie gefangen genommen hat."

Juanito schaut zu mir hoch. „Tust du es?"

„Nein." Das tue ich nicht. Und ich sollte wirklich unter

meinem eigenen Teppich kehren – sie alle mindestens rauswerfen. Aber ich weiß nicht, ob ich hier Verbündete habe außer meinen neunjährigen Freund.

Juanito nickt, als hätte er diese Antwort erwartet. „Ich auch nicht." Er drückt meine Schlafzimmertür auf und lässt den Koffer dort.

Ich seufze und gehe zu meiner Mutter. Je früher ich den Besuch hinter mir habe, desto eher kann ich raus und übers Land gehen. Ich hoffe, die Antwort kommt irgendwie zu mir.

Morgen werden Köpfe rollen. Auch wenn einer von ihnen mein eigener sein wird.

~.~

SEDONA

ES WAR EINFACHER, einen Flug nach Phoenix zu bekommen als einen nach Tucson, also rufe ich meine Mama an, um mich vom Flughafen abzuholen.

Sobald ich sie sehe, bin ich wieder wie ein Kind. Ich breche in Tränen aus und werfe mich in ihre Arme, während sie einen Schwall von Mutter-Geplapper rauslässt. „Schicksal, Sedona, ich war so besorgt – geht es dir gut? Bist du verletzt? Was haben sie dir angetan? Erzähl mir alles."

Ich entziehe mich ihrem Griff und wische mit dem

Handrücken meine Tränen weg. „Ich bin markiert und schwanger. Ich dachte, ich wäre verliebt, aber es funktioniert nicht mit uns. Also bin ich nach Hause gekommen."

„Für immer?" Meine Mama kann ihre Freude nicht verbergen. Natürlich würde sie gerne einen Enkel haben, um ihn oder sie zu verwöhnen.

„Ich weiß nicht, Mama." Die Tränen fangen wieder an. Ich weiß nicht, was ich sonst noch sagen soll.

Sie bringt mich zum Auto, wo mein Vater am Bordstein wartet. Er steigt aus und umarmt mich wie ein Bär und sagt einmal nichts. Vielleicht habe ich ihn verletzt, als ich mit Garrett mitging nach der Mexiko-Sache.

Nein, das ist dumm. Mein Vater ist nie verletzt. Er versucht mir wahrscheinlich Freiraum zu geben. Es gibt ein erstes Mal für alles.

Er nimmt meinen Koffer und wirft ihn in den Kofferraum.

„Sedona ist schwanger", flüstert meine Mutter, als ich auf den Rücksitz klettere. Großartig.

Mein Vater klettert rein und fährt in den Verkehr. „Alles okay, Baby?"

Ich schlucke und nicke. „Ja."

„Sind sie hinter dir her?"

Ein Schauer läuft durch mich durch. Sind sie das? Haben sie Carlos geschickt, um mich zurückzubringen, und als er versagte, kamen sie selbst? Oder ist Carlos in Wahrheit das Genie hinter dem Sedona-Zuchtprojekt?

Nein. Ich weiß in meinen Knochen, dass er es nicht ist. Er kann es nicht sein. Meine Instinkte liegen niemals so falsch.

„Ich weiß es nicht, Vater", gebe ich zu. „Vielleicht.

Oder sie werden es sein, wenn sie von dem Welpen erfahren."

„Dann bleibst du hier. Wo ich dich beschützen kann."

Ich sträube mich, obwohl ich wusste, dass er das sagen würde, und ich wirklichen seinen Schutz brauche. Es ist nur, dass er nicht fragt; er befiehlt es.

„Garrett kann mich beschützen", sage ich stur, obwohl ich nicht nach Tucson zurückkehren will. Jedenfalls jetzt nicht. Dort ist nichts für mich.

Aber hier ist auch nichts für mich.

Und es gab nicht viel für mich in Europa, bis Carlos auftauchte.

Zum Teufel. Fühlt es sich so an, mein Herz gebrochen zu bekommen? Das Leben ohne einen Geliebten ist nichts anderes als pure Scheiße?

Wird dieses Gefühl von Verlust und Einsamkeit jemals verschwinden? Kann ich wieder einen Sinn finden? Vielleicht mit unserem Kind. Schicksal, ich hoffe, ich kann diese überwältigende Traurigkeit überwinden, bevor er oder sie kommt.

Mein Vater schenkt mir ein unverbindliches Schnauben. Ich hoffe ernsthaft, er unterstellt nicht, dass ich entführt wurde, weil Garrett nicht gut genug auf mich aufgepasst hat. „Wir haben uns die Dinge angeschaut. Dein Bruder hat die Männer getötet, die dich entführt haben, aber sie waren nicht die Wölfe, welche die Macht hatten. Da ist jemand Größeres. Niemand kennt seine Identität, aber er heißt Harvester. Er kauft Wölfe – auch andere Wandler."

„Was macht er mit ihnen?" Meine Stimme ist heiser.

„Es ist unklar. Keine der Verschwundenen sind zurück-gekehrt außer dir."

Etwas kitzelt mein Bewusstsein, meine Instinkte laufen auf Höchstgeschwindigkeit und ich reibe einen Fleck auf meinen Arm. Ich erinnere mich an das Blut dort, als ich gegen die Gruppe der Menschen auf den Ramblas gestoßen bin. Ich greife meinen Arm und untersuche den Bereich. Dort ist nichts. Warum würde diese Erinnerung jetzt auftauchen?

Mein Blut. Hatte jemand mein Blut gewollt? War diese Menschenmenge eine Ausrede, um eine Blutprobe von mir zu nehmen? Aber warum?

Natürlich. Um zu sehen, ob ich schwanger bin. Aber war das der Rat oder der Harvester? Wahrscheinlich der Rat.

„Ich denke, sie *sind* hinter mir her, Papa." Meine Stimme klingt so heiser, dass ich sie nicht mal selbst erkenne.

„Wer? Dein Gefährte oder sein Rudel? Oder beide?"

„I-ich weiß es nicht. Sein Rudel, glaube ich." Übelkeit dreht sich in meinem Bauch. Ich lege eine Hand über meinen Bauch und schicke eine geheime Botschaft der Sicherheit an mein Baby.

Ich lasse nicht zu, dass sie dich bekommen.

„Es gibt eine Wandlerin in Flagstaff, von der wir denken, dass sie aus ihrem Rudel sein könnte. Alte Wölfin. Ich habe um ein Treffen gebeten."

„Was hat sie gesagt?"

„Ich warte darauf, von ihr zu hören. Ich habe ihren Alpha kontaktiert. Hoffentlich kontaktiert er mich heute und ich kann hochfahren, um mit ihr zu reden."

„Ich will auch gehen", sage ich.

Mein Vater zögert und trifft meine Augen im Rückspiegel. Er gibt ein einziges Nicken.

Ich bin überrascht – ich bin es gewohnt, dass er mich aus dem Kampf raushält. Die Dinge ändern sich.

~.~

CARLOS

ICH STÜRME in Don Josés Büro. Ich bin seit einem Tag zurück und es ist Zeit, hier einige Änderungen vorzunehmen. „Nach meinen Berechnungen ziehen wir jedes Jahr fünfzigtausend Unzen Silber aus dieser Mine und verkaufen trotzdem nur dreißig. Wo geht der Rest hin?"

Überraschung huscht über Don Josés Gesicht, aber er maskiert es schnell. „Wir verkaufen alles, was wir rausholen. Was unterstellst du mir? Dass jemand die Hälfte unseres Silbers stiehlt? Unmöglich." Er schimpft und winkt mit der Hand, als wolle er mich wegscheuchen.

„Komm schon, Carlos. Du bist temperamentvoll, seit du ohne deine Frau zurückgekehrt bist. Ich weiß, du gibst Don Santiago und uns allen die Schuld für das Scheitern, aber jetzt wirst du paranoid."

Ich ignoriere den Kommentar und knalle die alte Buchhaltung auf den Schreibtisch. „Hier sind die Berichte von jeder Mine über ihre Produktionsleistung." Ich zeige auf mehrere Spalten von Zahlen. „Diese stimmen nicht mit den Berichten überein, die Guillermos Team unten in der Mine abgegeben hat." Ich lege ein schmutziges Logbuch aus der Mine auf dem Schreibtisch ab.

Don José nimmt das Buch von der Mine und scannt die Zahlen selbst, dann gleicht er sie von Monat zu Monat im Logbuch ab. Seine Stirn runzelt sich, bevor sie sich glättet.

„Wer gibt diese Zahlen ein?" Ich tippe auf das Geschäftsbuch.

„Ich tue es", faucht er. „Aber ich benutze diese Minen-bücher nicht. Ich benutze die Berichte von Don Santiago."

Unsere Augen treffen sich. *Santiago.* Ich weiß, dass wir beide darüber nachdenken. Hurensohn. Er muss das Geld für seine wissenschaftlichen Hobbyprojekte verwen-den. Aber Don José verzieht sein Gesicht und sagt: „Don Santiago weiß, was los ist. Ich bin sicher, das hier sind unbereinigte Zahlen, und die, die er eingibt, sind die fina-len. Wenn es eine gewisse Diskrepanz gibt, wird der Rat sie überprüfen."

Ich stürze mich auf ihn und ergreife sein Hemd mit der Faust unter seinem Kinn. „Bist du dir sicher? Du bist dir über viel sicher, nicht wahr? Bist du dir auch sicher, warum und wie der Reichtum dieses Rudels in den letzten fünfzig Jahren erschöpft wurde und die Mehrheit unserer Bevölkerung in Armut zurückgelassen wurde?"

Er kämpft nicht, wahrscheinlich, weil ich einen Kampf gewinnen würde. Aber er gibt mir nicht die Genugtuung, sich anmerken zu lassen, wie verängstigt er ist. Er behält seine ruhige, herablassende Haltung. „Du bist aus dem Gleichgewicht, Carlos. Benimm dich oder wir müssen dich wie deine Mutter medizinisch behandeln lassen."

Ich knalle seinen Kopf auf den Schreibtisch und breche ihm die Nase. Als ich ihn hochhebe, läuft Blut über seine Lippen und über sein Kinn. Ich bringe mein Gesicht nah zu seinem. *„Versuch es"*, knurre ich. „Probier es und ich töte jeden einzelnen von euch Wichsern."

Don José zwingt sich zu lachen, als er nach einem Taschentuch in seiner Tasche sucht. „Du bist wahnsinnig, Carlos."

„Bin ich das, José?" Ich lasse das ‚Don' weg, weil er nicht den Respekt verdient, den es impliziert. „Ich werde weiter Steine umdrehen, bis ich entdecke, wohin die Hälfte des Reichtums unseres Berges verschwunden ist. Und du solltest lieber beten, dass ich sein Verschwinden nicht mit dem Rat in Verbindung bringen kann."

Ich drehe mich um marschiere raus, Don José kneift seine Nase mit dem Taschentuch.

Mein Kampf um die Kontrolle hat begonnen.

~.~

Carlos

ICH GEHE ZUR MINE, um das Logbuch zurückzugeben. Ich schäme mich, dass ich nicht viel Zeit in den Minen verbracht habe. Ich weiß nicht, wer dort hineingeht, noch kenne ich die Namen und Gesichter der Männer, die dort arbeiten. Ich finde Guillermo, den Vorarbeiter, der mir das Logbuch gegeben hat, der neben den anderen arbeitet.

Die Mine besteht größtenteils aus Silber und Blei, aber ursprünglich, als unsere spanischen Vorfahren sich hier ansiedelten, bauten sie auch Gold daraus ab.

Guillermo macht sich grade, als ich reinkomme. Er ist ein riesiger Wolf, aber Gesicht ist vorzeitig gealtert und schroff von der harten Arbeit. Er mustert mich mit seinen Augen, wobei er meine ordentlich gebügelte, feine italienische Hose und mein Hemd wahrnimmt. Ich sehe hier so fehl am Platz aus wie eine Blume auf einem Haufen Scheiße. Seine Augen landen auf meinem Kragen und ich ziehe ihn mir vor das Gesicht, um zu sehen, was er sieht.

Oh ja. Etwas von Don Josés Blut ist darauf. Ich biete keine Erklärung an – ich muss es nicht, ich bin der Alpha.

Ich halte das Logbuch hoch. „Ich habe die Aufzeichnungen zurückgebracht."

Guillermo nimmt sie. Ich schwöre, ich sehe Misstrauen unter seinem neutralen Blick, aber ich weiß nicht, weswegen. „Hast du irgendetwas … Interessantes gefunden?"

Ich nicke.

Ich bin mir nicht sicher, wie viel ich teilen soll. Ich weiß nicht, wer für den Dieb oder die Diebe arbeitet. Ich kann nicht sagen, ob irgendein Wolf hier auf meiner Seite wäre, wenn ich versuche, ihn oder sie zu Fall zu bringen. Ich schätze, der Rat steckt dahinter, aber ich brauche mehr Beweise.

„Die Zahlen passen nicht zu den Berichten des Rates." Ich entscheide mich für die Wahrheit und beobachte die Gesichter um mich herum.

Manche sehen vorsichtig aus, manche wütend. Die

meisten halten ihre Gesichter vorsichtig ausdruckslos, als wären sie es gewohnt, ihre Gedanken zu verdecken.

Guillermo kreuzt seine Arme über seine massive Brust. „Meine Zahlen sind korrekt."

„Ich habe keinen Zweifel. Wenn jemand hier Silber aus dem Rudel gestohlen hat, würdest du es sicher nicht in diesem Logbuch berichten."

„Vom Rudel oder vom Rat stehlen?", murmelt einer von ihnen. Ich kann nicht sagen, wer gesprochen hat, weil sie alle ihre Augen senken, als ob sie Angst haben, dass ich aggressiv werde.

„Dem Rat gehört der Berg nicht, sondern dem Rudel. Der Reichtum, der aus diesen Minen kommt, sollte allen zugutekommen." Ich mache jetzt Wahlkampf. Wenn ich hier Änderungen vornehmen will, brauche ich Unterstützung.

Keiner von ihnen zeigt irgendeine Reaktion auf meine Worte.

„Wo ist deine Frau?", fragt jemand von hinten.

Die Frage trifft mich wie ein Schlag in den Bauch. Ich hätte jede Frage beantworten können, war für jede Diskussion vorbereitet, aber nicht diese hier.

Carajo.

Das Rudel will einen Alpha mit einer Frau. Sie müssen wissen, dass ich unsere Alpha-Linie bewahre. Das hat mir der Rat gesagt, aber jetzt sehe ich, wie wichtig es ihnen ist.

Verdammt.

Ein Anführer gibt anderen nicht die Schuld, wenn er scheitert. Ich werde den Rat nicht vorschieben, obwohl ich glaube, dass ihr Eingriff meine Chancen bei Sedona ruiniert hat.

Sedona – *Schicksal*. Ich habe den ganzen Tag versucht, nicht an sie zu denken, aber jetzt ist sie hier, ganz vorne in meinem Verstand, so wie ich sie zuletzt gesehen habe. Verletzt, wütend und ängstlich. Ihr Gesicht blass vor Wut, die blauen Augen blitzend. *Meine Sedona.* Ich falle fast vor Schmerz um, als dieser meinen Magen erfasst.

Ich räuspere meine Kehle. „Ich arbeite daran, eine Gefährtin zu finden. Ich verspreche, ich werde bald eine nehmen, um die Montelobo-Linie fortzuführen."

Die Wölfe treten unruhig auf ihren Füßen und der Duft des Misstrauens wird stärker. Sie erkennen eine schwachsinnige Lüge, wenn sie eine hören.

Ich schulde ihnen mehr. Trotz der Schmerzen in meiner Brust versuche ich es noch einmal. „Ihr habt vielleicht gehört, dass ich eine Gefährtin über den letzten Mond genommen habe, und es ist wahr. Aber meine Gefährtin wurde gegen ihren Willen hierhergebracht, aus ihrem Rudel in Amerika gestohlen. Ich weigere mich, sie hier gefangen zu halten. Ich habe sie freigelassen."

Unglaublicherweise nicken einige der Wölfe, als ob sie meiner Entscheidung zustimmen. Vielleicht brauchen sie nur Kommunikation von mir, damit sie die Entscheidungen verstehen, die ihr Alpha trifft. Anstatt die Schuld an meinem Scheitern als Alpha mich runterziehen zu lassen, wage ich den Schritt nach vorne, gebe ihnen mehr.

„Ich weiß, ich war ein schlechter Alpha für euch. Ich war weg, während sich die Verhältnisse hier verschlechterten. Aber ich bin jetzt zurück. Ich bin bereit, mich der Verbesserung des Monte-Lobo-Rudels zum Wohle aller zu widmen, nicht nur derjenigen, die in der Hacienda leben." Ich winke eine Hand in Richtung des Logbuchs. „Ich fange mit den Finanzen an. Einige Dinge passen hier nicht zusammen, aber ich werde verfolgen, wohin unser Geld geht. Unser Rudel sollte mehr Geld haben, um hier Verbesserungen vorzunehmen. Sanitäranlagen und Strom für alle – für den Anfang."

Auch hier spüre ich Misstrauen. Oder vielleicht ist es Skepsis. Wie kann ich es ihnen verübeln? Ich bin unbewiesen als Alpha.

Ich versuche es ein letztes Mal. „Meine Tür ist offen. Wenn ihr etwas zu melden oder einen Wunsch habt, besucht mich in der Hacienda. Ich will von euch hören."

Ein paar Männer nicken.

Ich neige meinen Kopf leicht und wende mich ab, um aus der Mine zu gehen, mit dem Gewicht von mindestens zwanzig Augenpaaren auf mir.

„*Señor!*", ruft jemand, als ich in die Sonne trete. Ich schütze meine Augen und blinzle, bis ich das verwitterte Gesicht sehe. Es ist Marisol, die Frau des alten Bauern Paco.

„Don Carlos, willkommen zu Hause." Sie macht einen Knicks.

„*Señora*", grüße ich sie. Wenigstens ist jemand froh, mich zu sehen.

Sie tritt näher. „Mein Mann sagte mir, ich soll dich nicht belästigen, aber …" Sie kommt vom Thema ab und beißt sich auf die Lippe.

„Du bist eine von meinem Rudel. Du bist immer willkommen, dich an mich zu wenden."

Die ältere Wölfin studiert mich. Ich rieche einen Hauch ihrer Gefühle – Sorge, Resignation und ein Hauch von etwas mehr als nur Nervosität. Terror?

„Du hast nichts von mir zu befürchten", betone ich.

„Dein Vater – er war ein guter Wolf", flüstert sie. „Er wollte das Beste für das Rudel. Und du – du bist wie er. Wir sehen ihn in dir."

Ich habe das nicht erwartet, also schweige ich.

Sie senkt ihren Blick, ihre Schultern fallen in Unterwerfung. „Ich meine das nicht respektlos, Alpha."

„Marisol." Ich berühre ihre Schulter. „Ich bin dankbar, dass du gesprochen hast. Ich hoffe, die Erinnerung meines Vaters zu ehren." Ich suche nach den richtigen Worten. „Ich will auch das Beste für das Rudel. Nicht nur für ein paar Wölfe, für alle. Ich verspreche, ich werde hart arbeiten, um der Alpha zu sein, den du verdienst." Ich lehne mich zu ihr. „Die Dinge werden sich hier ändern. Zum Besseren." *Ob es dem Rat gefällt oder nicht.* Eines Tages könnte das Rudel hinter mir stehen. Bis dahin werde ich daran arbeiten, ihr Vertrauen zu gewinnen.

Die Hoffnung auf Marisols Gesicht sagt mir, dass dieser Tag bald kommen könnte.

„Möge Gott dich segnen, Don Carlos", flüstert sie und knickst wieder. Ich lasse sie weghuschen.

Ich meinte jedes Wort, das ich sagte. Jetzt kann ich nur noch meine Versprechen erfüllen.

Auch wenn ich nicht die Motivation habe, die Dinge perfekt für Sedona zu machen.

Auch wenn ich nicht sicher bin, wie mein Herz ohne sie weiter schlagen wird.

Ich werde mich in meiner Arbeit vergraben und einen Unterschied für mein Rudel machen. Und eines Tages kann ich es vielleicht noch einmal mit meiner lieblichen Gefährtin versuchen.

KAPITEL DREIZEHN

 *edona*

MEIN VATER und ich fahren zwei Stunden hoch nach Flagstaff, um Rosa, die Wandlerin aus Mexiko, zu besuchen.
Ich spiele mit dem Radio, aber jeder Sender verursacht mir
Kopfschmerzen. Seit vier Tagen lebe ich in einem Stupor.
Die Schwangerschaft macht mich müde – ich schlafe fünf-
zehn Stunden pro Nacht –, aber etwas von der Müdigkeit
muss auch Depression sein.

Ich sehe die besorgten Blicke, die meine Eltern austau-
schen, wenn sie denken, ich schaue nicht. Jeder behandelt
mich, als wäre ich aus Glas. Es ist genau das, was ich nicht
wollte, als ich aus Mexiko zurückkam. Schicksal, ich fühle
mich jetzt noch schlimmer als davor.

Damals war ich verwirrt. Jetzt bin ich ruiniert. Carlos
hat mich für alle anderen Männer ruiniert. Mich für die

Liebe ruiniert. Ich sehe wirklich kein Licht in meiner Zukunft.

Nein, das stimmt nicht. Ich habe dieses Baby, auf das ich mich freuen kann. Das gibt mir wenigstens einen Zweck.

Wir kommen bei einer winzigen Hütte im Wald an. Es ist ein süßes Domizil für einen Wolf – alles in Flagstaff ist das, eine kleine Stadt umgeben von Bergen und Wäldern.

Eine kleine, robuste Latina-Frau kommt auf die hölzerne Veranda und wischt ihre Hände an einem Geschirrtuch ab. Sie beobachtet mit einem festen Blick, wie ich aus dem Auto steige.

Mein Vater marschiert rüber und schüttelt ihre Hand. Aus irgendeinem Grund schlägt mein Herz schneller als normal. Sie ist ein kleines Stückchen von Carlos – jemand aus seinem Rudel.

Ich folge meinem Vater die Stufen hinauf und in ihre kleine Hütte. Sie winkt uns heran, um an ihrem runden Küchentisch zu sitzen, der in einer Ecke unter einem großen Panoramafenster steht. Ihr Hinterhof hat ein paar Pinien und ein Hundehaus. Der Hund, ein schwarzes Labrador, befindet sich direkt unter dem Fenster, sitzt höflich, Ohren spitz und Schwanz wedelnd.

Sie gießt Kaffee ein und bringt Kaffeesahne auf den Tisch zusammen mit einer Schüssel Zucker. Ich werfe zwei Löffel Zucker in meinen Kaffee und gieße genug Milch ein, um ihn hell zu färben.

„Also", sagt Rosa und setzt sich endlich zu uns. „Wie kann ich euch helfen?"

„Wie ich am Telefon sagte, wurde meine Tochter vom Monte-Lobo-Rudel gefangen genommen. Wir haben sie zurück, aber wir wollen alles wissen, was du uns über sie erzählen kannst."

„Sie haben dich für ihren Alpha ausgewählt? Als Preis?"

„Ja." Ich räuspere meine Kehle. „Für Carlos."

„Carlos, ja. Ich erinnere mich natürlich an ihn."

Sie führt es nicht weiter aus, aber mein Vater und ich warten beide und lassen die Stille als Einladung stehen.

„Ich beginne, indem ich erzähle, warum ich gegangen bin. Du musst den Unterschied zwischen Arm und Reich gesehen haben."

Ich nicke.

„Ich war eine der Armen. Mein Vater arbeitete in den Minen, meine Mutter in der Landwirtschaft. Es war gutes Leben, ich kannte es nicht anders. Ich verpaarte mich jung, folgte den Fußstapfen meiner Eltern. Ich hatte es schwer, eine Schwangerschaft zu behalten. Ich trug nur einen Welpen voll aus und obwohl er perfekt war, für mich, fanden wir heraus, als er in die Pubertät kam, dass er sich nicht wandeln konnte. Passierte mit vielen Welpen in dieser Generation – zu viel Inzucht, das weiß ich jetzt. Wir waren alle in diesem Rudel miteinander verwandt. Don Santiago, einer der Ratsmitglieder, hatte ihn von mir genommen. Er sagte, er könnte ihn ‚besser' machen. Er fuhr ihn nach Mexiko-Stadt, aber er brachte ihn nie zurück."

Ihre Augen füllen sich mit Tränen. „Er sagte, er hatte die Behandlung nicht überlebt. Als mein Mann Aufsehen erregte, kam er bei einem Bergwerksunfall ums Leben."

Mein Vater lehnt sich nach vorne. „Willst du damit sagen, dass es kein Unfall war?"

Sie zuckt mit den Schultern. „Jedes Rudelmitglied, das Wellen schlug, verschwand in den Minen. Es ist ein einfacher Weg, Störenfriede loszuwerden."

Ein Knurren ertönt im Raum. Zuerst denke ich, es muss mein Vater sein, dann bemerke ich, dass es von mir kommt.

„Es gibt Alphas, die ihre Rudel mit eiserner Faust regieren, die ihre Rudelmitglieder bestrafen, sogar mit dem Tod als Konsequenz. Als Wölfe folgen wir, wir gehorchen. Es liegt in unserer Natur. Aber nichts an diesem Rat ist natürlich."

Die Haare stehen auf meinen Armen ab. Ich knurre wieder.

„Hinterhältige Todesfälle, stille Todesfälle, es hält das Rudel in Angst und ruhig. Die Spione des Rates sind überall. Niemand spricht aus Angst, sie könnten als Nächster dran sein. Aber nachdem mein Mann gestorben war, wusste ich, dass ich gehen musste. Meine Schwester Marisol half mir bei der Flucht. Sie wollte ihren Mann nicht verlassen, aber sie sagte mir, ich solle verschwinden, solange ich noch könnte."

„Was ist mit dem Alpha?", fragt mein Vater. „Konntest du nicht zu ihm gehen, um Hilfe zu holen?"

„Sie haben ihn getötet."

Mein Mund fällt auf. Carlos hatte mir das nicht gesagt. Wusste er es?

„Wenn sie den Alpha nicht kontrollieren können, stirbt er. Sie kümmern sich nur darum, dass er die Alpha-Blutlinie rein hält. Es ist ihnen egal, ob sie wirklich einen Alpha haben, um sie anzuführen. Dein Carlos, er ist jetzt in Gefahr."

„Jetzt?"

Sie nickt, ihre Augen sehen gespenstisch aus. „Jetzt, da du schwanger bist, werden sie ihn nicht mehr brauchen."

~.~

MEINE BEINE SIND SCHWACH, als wir wieder ins Auto steigen. Ich wusste, dass Carlos' Rudel turbulent war, aber ich dachte nie, dass er in Gefahr wäre.

Aber ich hätte es mir denken sollen. Sie hatten so wenig Respekt vor ihm, dass sie ihn mit mir in eine Zelle eingesperrt hatten. Ihren eigenen Alpha. Mein Gefährte ist in Gefahr. Der Vater meines Welpen.

Meine Hände zittern, als ich mein Handy herausziehe.

„Wen rufst du an?" Mein Vater beobachtet mich mit Sorge.

„Garrett."

„Warum?"

Ich schüttle ungeduldig meinen Kopf und wähle die Nummer.

„Hey Schwesterlein. Alles in Ordnung?"

„Ja. Nein, nicht wirklich. Hey, könntest du mir Ambers Telefonnummer schicken?"

Ich kann praktisch hören, wie mein Bruder mit den Zähnen knirscht. „Willst du mir sagen, worum es geht?"

„Ich will nur ein paar Informationen überprüfen, die Vater und ich von einer Wandlerin in Flag bekommen haben. Sie ist aus Carlos' Rudel."

„Okay. Aber nur damit du es weißt, Amber fühlt sich mit ihren Gaben noch nicht ganz wohl und wird nicht gerne unter Druck gesetzt."

„Hast du das nicht mit ihr gemacht, um mich zu finden?"

„Ja, Klugscheißer, das habe ich. Vergiss es. Ihr seid beide erwachsen, ihr könnt es zwischen euch beiden regeln."

„Danke."

„Lass mich wissen, wie ich dir helfen kann, okay, Schwesterlein?"

„Ja, werde ich."

„Kommst du zurück in deine Wohnung hier? Wir haben all deine Sachen rübergebracht."

Ich blicke zu meinem Vater, der mürrisch auf die Straße schaut. Natürlich hat er jedes Wort mitgehört. „Vielleicht. Ich weiß es nicht. Ich muss hier viel regeln."

„Ich weiß." Seine Stimme ist sanft vor Mitgefühl, was ich nicht will, also lege ich auf, aber schnell.

Als er mir die Nummer schreibt, drücke ich sofort auf *Wählen*. Amber antwortet mit ihrer professionellen Stimme und sagt: „Amber Drake am Apparat."

„Hi Amber, hier ist Sedona."

„Hallo Sedona. Was ist los?"

„Kann ich dir eine Frage stellen? Eine Ja-oder-Nein-Frage?"

Amber schweigt einen Moment und ich bin mir sicher, sie denkt darüber nach, wie sie höflich sagen soll, ich solle aufhören, sie so zu benutzen, aber stattdessen sagt sie: „Ich kann es versuchen."

„Ist Carlos in Gefahr?"

Sie ist für einen Moment still, dann höre ich, wie sie ihren Atem einsaugt. „Lebensgefahr", würgt sie hervor.

„Scheiße", murmele ich. „Danke. Vielen Dank. Ich weiß es zu schätzen." Ich lege auf.

Mein Vater runzelt die Stirn. „Ich wusste, ich hätte das Rudel zerreißen sollen, als wir dich abgeholt haben."

„Nein, Vater", zische ich. „Weil du Carlos auch getötet hättest. Und nichts davon ist seine Schuld."

Die Augenbrauen meines Vaters ziehen sich zusammen. „Wir gehen zurück. Nehmen nur den Rat auseinander. Dann kannst du die richtige Wahl über deinen Gef–, Carlos, treffen. Ich will nicht, dass deine Entscheidungen von Angst um deine Sicherheit, die des Welpen oder den Vater des Welpen getrübt sind."

Ich nicke stumm. Deshalb liebe ich meinen Vater so sehr, auch wenn er ein kontrollsüchtiger Arsch sein kann. Er kümmert sich um Dinge.

Carlos würde das auch für unsere Tochter tun. Aus irgendeinem Grund bin ich mir plötzlich sicher, dass unser Welpe ein Mädchen ist. Seine Sicht über das Rudel wurde durch Lügen vom Rat verschleiert. Wenn er wüsste, dass sie seinen Vater getötet haben, kann ich mir einfach nicht vorstellen, dass er nicht schnell handeln würde. Er ist kein Feigling, nicht mein Carlos. Es geht ihm nur darum, das Richtige für sein Rudel zu tun.

Und für mich. Ich realisiere mit totaler Klarheit, warum er mich gehen ließ. Es ist nicht aus Mangel an Liebe. Es ist, weil er mich mehr als genug liebt. Beide Male ließ er mich gehen. Weil er mich nie gegen meinen Willen festhalten würde.

Tränen fließen aus meinen Augen, aber im Gegensatz

RENEE ROSE & LEE SAVINO

zu denen, die ich in den letzten Tagen geweint habe, sind diese nicht voller Selbstmitleid. Meine Brust ist voller Liebe. Liebe für meinen Gefährten, für Carlos.

Und jetzt ist er in Gefahr.

Ja, ich glaube, mein Vater kann sich um den Rat kümmern, aber ich will zuerst da sein. Carlos sagen, was ich weiß, und ihm helfen, Dinge aufzuklären, bevor mein Vater mit den großen Knarren kommt. Ich kann es meinem Vater aber nicht sagen, er würde es nie zulassen.

Heute Nacht. Sobald ich zurück in Phoenix bin, finde ich einen Flug hier raus.

KAPITEL VIERZEHN

arlos

„CARLOS, SIE HABEN IHN MIR WEGGENOMMEN", jammert meine Mutter. Ich bin in ihrem Zimmer und sie läuft vor dem Fenster auf und ab und hält hin und wieder an, um rauszuschauen.

„Nein, ich bin hier, Mamá." Ich lege meine Hände auf ihre Schultern und versuche, ihren Blick zu erhaschen.

„Dein *Vater*, flüstert sie. „Sie haben deinen Vater genommen."

„Papi ist tot. Erinnerst du dich? Ein Unfall in der Mine."

Sie schüttelt ihren Kopf schnell. „Nein, kein Unfall. Sie haben ihn *genommen*."

Ich seufze und schaue Maria José an, die mit ihren Händen in der Ecke ringt. „Sollen wir sie ruhigstellen?"

Für eine Sekunde sehe ich einen kurzen Ausdruck der

Verurteilung in Maria Josés Gesicht und ich bin verblüfft. Dann erinnere ich mich, was sie mir letztes Mal erzählt hatte.

„Du denkst, die Medikamente machen es schlimmer. Ich habe sie noch nicht überprüfen lassen." Ich streiche mit meinen Fingern durch meine Haare. „Es tut mir leid. Ich bring sie morgen in die Stadt. Don Santiago Abwesenheit macht es einfacher, eine zweite Meinung zu bekommen."

Maria Josés Augen weiten sich und sie schreitet vorwärts. „Ja, ja, Don Carlos. Das wäre gut. Bring sie von hier weg. Sie ist nicht sicher–"

Sie hört auf zu sprechen und ich erwische Horror in ihren Gesichtszügen, bevor sie sich abwendet.

Meine Instinkte verschärfen sich, meine Sicht tunnelt, als wäre ich bereit, mich zu wandeln. Ich zwinge mich, sanft zu bleiben, während ich zu ihr gehe und ihre Schultern packe, um sie umzudrehen. „Was meinst du damit, sie ist nicht sicher?"

Sie schüttelt ihren Kopf schnell. „Nichts, *Señor*. Nichts."

Ich verstärke meinen Griff. „Lüg nicht. Lüg mich *nie* an", knurre ich. Als ich das Weiß ihrer Augen wachsen sehe, zwinge ich mich, sie loszulassen, atme tief ein. Ich werde nicht weit kommen, wenn ich die schweren Geschütze auffahre. „Maria José, das ist meine *Mutter*, von der wir hier reden. Ich muss wissen, was du gemeint hast."

„Die Medikamente–" Sie ringt wieder mit ihren Händen. „Was ist, wenn die Medikamente sie verrückt *machen* – nicht umgekehrt?"

Ich schaue meine Mutter an, die in ihrem weißen und rosa geblümten Nachthemd und gelbem Hausmantel dort steht und uns mit Unsicherheit beobachtet. Es ist schon so lange her, dass sie normal ist, aber ich sehe jetzt ihr altes Selbst. Als ob sie verstehen *will*, was wir sagen. Sie tut es fast.

„Denk darüber nach, wann hat der Wahnsinn angefangen?", flüstert Maria José.

„Nachdem mein Vater gestorben ist. Sie trauerte–" Ich unterbreche mich, als Maria José ein leichtes Kopfschütteln gibt.

„Denk darüber nach, was sie über den Tod deines Vaters sagt."

Sie haben ihn mir genommen.

Es trifft mich wie eine Kugel in den Kopf. „Sie halten sie ruhig."

Maria José geht einen Schritt zurück, als ob sie nicht glauben kann, was sie getan hat.

Ich gehe zur Kommode, wo ihre Medikamente gestapelt sind, und werfe sie alle auf den Boden. „Werde sie los. Keine Medikamente mehr, bis sie untersucht wurde. Und lass sie keine Sekunde allein. Hat jemand außer Don Santiago sie jemals injiziert?"

Marie José schüttelt den Kopf.

„Gut. Ich will nicht, dass jemand in ihre Nähe kommt. Niemand außer mir, verstanden?"

„Ja, Don Carlos." Sie nickt zustimmend mit dem Kopf.

Ich schaue zurück auf meine Mutter. Sie erscheint fast klar, als würde sie verstehen, was wir sagen. Sie zeigt mit einer zitternden Hand auf den Boden bei ihrem Bett.

„Was ist, Mamá?"

Schicksal, das Parkinson-ähnliche Zittern in ihren

Händen bricht mir das Herz. Eine Nebenwirkung der Medikamente.

Meine Mutter eilt rüber und fällt auf die Knie zu Boden.

Carajo. Mehr Wahnsinn.

„Mamá, steh vom Boden auf. Es ist oka–" Ich höre auf, als ich sehe, dass sie eine der Dielen hochreißt.

„Was ist da drin, Mamá?" Ich schaue Maria José fragend an, die ihren Kopf schüttelt.

Sanft hebe ich meine Mutter auf das Bett zum Sitzen, ziehe das Brett hoch und schaue darunter. Dort sind Hunderte von Pillen in einem Regenbogen von Farben und in verschiedenen Größen. Aber darunter ist ein Tagebuch. Ich erinnere mich daran, als ich ein Kind war. Meine Mama hatte immer Gedichte geschrieben und sie mir vorgelesen. Ist das ein Moment der Nostalgie oder zeigt sie mir etwas Bedeutendes?

Ich schaue ihr über die Schulter, aber ihr Ausdruck ist einfach und ausdruckslos.

Ich ziehe das Tagebuch raus, schüttle die Pillen ab und stecke es in meine Tasche. Ich weiß nicht, ob sie mir etwas sagen will oder ob das mehr von ihrem Wahnsinn ist, aber ich nehme es zur Verwahrung mit.

Ich beuge mich herunter und küsse meine Mutter auf den Kopf und nicke Maria José zu. „Pack eine Tasche für euch beide. Wir reisen morgen früh ab."

Als ich sehe, wie Maria José zögert, errate ich ihre Angst. „Wir nehmen auch Juanito mit. Ich werde euch beide beschützen, versprochen."

Sie entspannt sich und macht einen Knicks. „Danke schön, Señor."

~.~

SEDONA

DURCH EIN WUNDER finde ich heute Abend einen Flug nach Mexiko-Stadt und rufe ein Uber an, um mich einen Block entfernt vom Haus meiner Eltern abzuholen. Das Letzte, was ich tun will, ist, ein Rudelmitglied in Schwierigkeiten zu bringen, weil ich zum Flughafen gefahren wurde, und ich weiß, dass mein Vater mich nie gehen lassen würde. Ich schlüpfe mit nichts weiter als einem Rucksack aus dem Haus, weil ein Koffer meiner Familie signalisieren könnte, dass ich irgendwo hingehe.

Ich weiß, sie werden auf meiner Fährte sein, und das ist in Ordnung. Ich will nur zuerst da sein.

Ich steige in das Flugzeug, stark vor Entschlossenheit. Ich lasse niemanden den Vater meines Welpen nehmen. Nicht ihr. Nicht mir. Es ist lustig, wie die Dinge kristallklar werden, wenn du dabei bist, alles zu verlieren.

Ich werde Carlos nicht verlieren. Er ist mein. Mein Gefährte. Der Vater meines Welpen. Er hat ein riesiges Herz – kümmert sich so sehr um seine Mutter, den kleinen Diener, der mich befreit hatte, sein Rudel.

Um mich.

Es ist jetzt so offensichtlich für mich, wie sehr er sich um mich sorgt und mich respektiert. Er vergötterte meinen

Körper, dominierte mich, gab mir aber dennoch immer meinen Freiraum. Ich bin nicht bereit, ohne ihn zu leben.

Ich weiß nicht, wie es funktionieren wird, aber wir werden es herausfinden. Wenn der Rat von der Bildfläche verschwindet, könnten mein Trauma und der Groll gegenüber meiner Gefangenschaft zur Ruhe gelegt werden. Ich würde ihm helfen, die Änderungen vorzunehmen, die er für sein Rudel sieht. Wenn wir zusammenarbeiten, könnten wir dort sicher tolle Dinge vollbringen.

Schau, was mein Bruder in Tucson tat, mit nur ein wenig Startkapital und einem runtergekommenen Rudel von jungen Männern. Jetzt hat er ein florierendes Immobiliengeschäft, einen Nachtclub und ein starkes, loyales Rudel, das bereit ist, alles für ihn zu tun. Und eine Gefährtin. Amber zu haben wird die Dinge noch mehr verändern – ich kann es kaum erwarten zu sehen, wie. Vielleicht schenken sie uns einen Cousin für unseren Welpen.

Aber ich denke viel zu weit voraus. Ich muss Carlos zuerst retten.

Den Rest werden wir schon schaukeln.

~.~

CARLOS

ICH WACHE mit meinem Kopf auf meinem Schreibtisch auf und Sabber läuft mein Kinn herunter. Ich muss eingeschlafen sein, während ich die Buchhaltung überprüft habe. Ich habe die Nacht damit verbracht, mehr Finanzpapiere zu durchforsten und den Spuren des Geldes zu folgen. Da Don Santiago das einzige technisch versierte Mitglied von *el consejo* ist, kümmert er sich um die Online-Konten. Er scheint derjenige zu sein, der das Rudel bestiehlt. Ob es mit der Komplizenschaft von *el consejo* geschieht oder nicht, bin ich mir nicht sicher.

Ich schwöre, für einen Moment Überraschung in Don José Augen gesehen zu haben, als ich ihm sagte, was ich gefunden hatte, aber er vertuschte es schnell. Das war, was mich wütend gemacht hat. *El consejo* arbeitet immer allein, ohne mich in Diskussionen oder Entscheidungen zu involvieren. Ich weiß, dass es so nicht sein sollte.

Mein Vater war Mitglied des Rates. Ich erinnere mich, wie er stundenlang im Konferenzraum eingesperrt war, wie erschöpft und fertig er aussah, wütend und gestresst durch jede Diskussion, die sie hatten.

Ich wurde nicht einmal zu solchen Meetings eingeladen. Ich bin bereit, den ganzen verdammten Rat aufzulösen. Wenn ich denken würde, ich hätte Unterstützung aus dem Rudel, würde ich es heute tun. In dieser Minute. Bevor ich meine Mutter nach *el De-Efe* fahre.

Was mich daran erinnert, dass ich nie in ihr Tagebuch geschaut habe. Ich ziehe es aus meiner Tasche und blättere durch die Seiten. Es ist so, wie ich mich dran erinnere – Poesie, Zitate. Schnipsel der Schönheit, die meine Mutter gerne mit mir teilte.

Ich blättere in Richtung zur Rückseite des Tagebuches. Schreibt sie immer noch in dieses Ding? Ich kann nicht glauben, dass sie mit ihren zittrigen Händen und ihrem verwirrten Hirn überhaupt in der Lage dazu wäre. Nein. Die letzten Einträge sind datiert vor 15 Jahren.

Das wäre etwa zum Zeitpunkt des Todes meines Vaters. Ich werde langsamer und lese. Ihre Handschrift ist unordentlicher, als ob sie in Eile oder unter Zwang geschrieben hätte. Die Tinte auf den letzten Seiten ist mit Tränen verschmiert.

MEIN GEFÄHRTE, mein Carlos, ist heute verschwunden. Wie soll ich ohne ihn nur weitermachen? Wie kann das nur sein? Ich weiß, wer ihn getötet hat. Es ist für mich so sonnenklar wie der Tag.

Der Streit mit dem Rat gestern Abend war bis spät in die Nacht gegangen. Als er zurückkam, sagte er mir, sie hätten die Kontrolle über das gesamte Barvermögen ergriffen und ihm gesagt, dass er keine finanziellen Entscheidungen mehr für das Rudel treffen dürfe. Er war wütend. Er lief die ganze Nacht im Schlafzimmer auf und ab und ging heute früh, aber er kehrte nie zurück.

Don José sagt, es gab einen Unfall in der Mine, aber ich weiß, es ist eine Lüge. Sie haben ihn getötet, genau wie sie jeden töten, der etwas gegen sie tut. Jeder weiß, dass es in der Mine einen Haufen von Leichen gibt. Jeder junge Wandler, der eine physische Bedrohung sein könnte. Jeder Wolf, der in jeglichem Punkt widerspricht. Jeder Mann oder jede Frau, die nicht in Reih und Glied stehen.

Jeder lebt hier in Angst. Ich habe nur eine Möglichkeit – Carlitos hier rauszuholen, bevor er ihr nächstes Opfer wird. Wenn ich nur wüsste, wem ich vertrauen könnte.

. . .

Eis lässt meine Adern gefrieren, während ich lese.

Der Rat hat meinen Vater getötet. Ich dachte immer, es wäre ein Unfall in der Mine gewesen. Wie so viele andere. Aber meine Mutter vermutete, dass es keine Unfälle waren.

Sind das einfach die Fantasien einer Wahnsinnigen? Sie scheinen es nicht zu sein. Paranoid, vielleicht. Aber völlig kohärent. Logisch. Sie müssen ihr die ersten Medikamente angeboten haben, um sie zu beruhigen, ihre Trauer zu lindern. Dann hielten sie sie ruhig all die Jahre.

Aber warum sie nicht einfach töten? Wäre das nicht einfacher, als sie in der Nähe zu behalten? Vielleicht fürchteten sie, es würde zu viel Misstrauen erwecken.

Ich springe auf meine Füße und gehe zuerst ins Zimmer meiner Mutter, Angst um ihre Sicherheit überkommt mich plötzlich.

Maria José hat sie angezogen, gepackt und fertig gemacht.

„Sie hat gefrühstückt, wir sind jederzeit bereit."

„Sie fingen an, sie zu narkotisieren – wann? Unmittelbar nach dem Tod meines Vaters?"

Erkenntnis funkt in den Augen von Maria José. Sie weiß, was ich weiß. Sie nickt.

„Und meine Mutter verdächtigte sie, meinen Vater ermordet zu haben. Wusstest du das?"

Wieder nickt sie.

„Also haben sie sie mit Medikament zum Schweigen gebracht, die sie verrückt gemacht haben?"

„Ich fürchte, so ist es, Don Carlos."

„Warte hier. Schließ die Tür ab. Lass nur mich rein. Verstanden?"

Sie nickt mit dem Kopf. „*Sí, Señor.*"

Ich renne die weißen Marmorstufen hinunter und finde Don José mit Don Mateo auf der oberen Terrasse beim Frühstück vor.

Seine gebrochene Nase ist schon verheilt, deshalb will ich sie gleich wieder brechen. Diesmal packe ich Mateo. „Was ist mit meinem Vater passiert? Die Wahrheit."

„Ein Minenschacht brach zusammen. Du weißt das." Mateo hält die Augen gesenkt, zieht nicht diesen herablassenden Schwachsinn ab, den José immer versucht.

Mein Wolf ist nah an der Oberfläche, bereit hervorzukommen und alle Bedrohungen zu töten. Ich schüttle ihn. „Schwachsinn. Du hast ihn töten lassen. Wie hast du es arrangiert?"

Diener versammeln sich in der Tür, um zu beobachten. Von meinem Augenwinkel aus sehe ich Juanito im Schatten. Mein Bedürfnis, ihn zu beschützen, lässt mich gröber mit Mateo umgehen.

„Meine Mutter wusste es und du hast angefangen, sie zu narkotisieren. Die Medikamente machen sie verrückt – nicht umgekehrt."

„Beruhige dich, Carlos", beschwichtigt José. „Deiner Mutter geht es nicht gut und dir auch nicht." Sein Handy summt und er zieht es heraus und schaut auf den Bildschirm. „Wir haben ein Sicherheitsproblem am Tor."

Das ist wahrscheinlich eine Lüge, aber ich ziehe mich zurück, weil ich merke, dass ich Don Josés direkt in die Karten spiele, mich zum Verrückten zu erklären. Ich habe keine Beweise außer dem Tagebuch einer wahnsinnigen Frau. Wofür ich Beweise habe, ist finanzieller Betrug.

Ich lasse Mateo los und richte meine Jacke zurecht.

Die Diener haben sich versammelt, um uns zu beobachten, zusammen mit ein paar Rudelmitgliedern. Ich sehe Marisol aus dem Augenwinkel und sie scheint ihren Mann Paco rauszuschicken, möglicherweise um andere zu versammeln.

Ich habe jetzt ein Publikum, es ist Zeit, eine Erklärung abzugeben. „Ich übernehme die Finanzen dieses Rudels. Jemand hat die Hälfte der Gewinne der Mine abgezweigt, mindestens zehn Jahre lang, und ich werde herausfinden, wer. Alle, *jeder*, der eine Rolle bei dem Diebstahl mitgespielt *oder es vertuscht hat*, wird bestraft. Streng bestraft."

Das sorgt bei den Dienern für Aufsehen. Mateo ist blass geworden. Jetzt zum *Putsch*.

„Ich löse auch den Rat auf." Meine erhobene Stimme trägt über die Weite der Terrasse hinaus, weiter ins Land.

Das hörbare Keuchen und Murmeln hallt nach. Wölfe sind überall erschienen, hören in den Fenstern mit, kommen von den Gärten und Feldern näher. Ich sehe, wie Paco zurückkommt, gefolgt von Guillermo und seinen Männern aus der Mine. Sie sind die stärksten Wölfe. Wenn es einen Kampf gibt, werden sie diejenigen sein, die gewinnen. Ich wünschte, ich wüsste, zu welcher Seite sie tendieren.

„Dies geschah unter eurer Aufsicht. Unser Rudel wird ärmer, kränker. Schwächer. Man kann euch nicht trauen, das beste Interesse der Wölfe hier zu schützen. Als Alpha ist das mein Job und ist einer, den ich akzeptiert habe. Eure Hilfe bei der Führung des Rudels wird nicht mehr gewollt oder akzeptiert."

Das Geräusch eines Fahrzeugs, das die Straße zur Zitadelle erklimmt, rumpelt an mich heran.

José bricht in ein lautes falsches Lachen aus. „Junge, denkst du, dieses Rudel würde dir jemals die Kontrolle über sie geben – einen unerfahrenen, ungeübten Jungen –, um sie anzuführen? Du bist so verrückt wie deine Mutter. Du hast vielleicht Alpha-Blut in dir, aber du hast nicht, was es braucht, um die harten Entscheidungen zu treffen."

Die anderen beiden Ratsmitglieder kommen hervor und richten ihre Krawatten und Jacken zurecht. „Was ist hier los?", fragt Don Julio.

„Der Rat wurde aufgelöst. Jeder, der meine Autorität infrage stellt, wird verbannt. Ist das klar genug?", schreie ich, damit jeder es hören kann. „Wer ist der Erste?" Ich mache eine Wink-Bewegung mit meiner Hand und richte meinen Blick auf jeden Wolf. Ich bin bereit zu kämpfen, in menschlicher oder Wolfsform.

„Der Junge ist verrückt geworden!", verkündet Don José laut. „Er ist gefährlich. Schnappt ihn euch und steckt ihn ins Verlies."

Es geht los.

Drei der Lakaien des Rates ziehen sich zum Wandeln aus. Die vier Mitglieder des Rates kommen auf mich zu. Allein könnte ich es mit jedem von ihnen aufnehmen. Wahrscheinlich sogar mit allen sieben. Aber werden die anderen zurückbleiben, um zuzuschauen? Oder werden sie mitmachen?

Aus dem Augenwinkel sehe ich, wie Guillermo seine Stiefel auszieht und sich auf den Kampf vorbereitet. Ich werde wohl herausfinden, auf welcher Seite er sich befindet. Knurrend reiße ich mein Hemd aus und ziehe meine Hose runter, wandele mich in der Minute, in der meine Kleidung ausgezogen ist.

Knurren bricht überall aus. Ich springe und warte nicht darauf, dass die Ältesten sich ausziehen und wandeln. Warte nicht, bis das Rudel eine Seite wählt. Die Warnglocke ertönt und ruft das ganze Rudel, um sich dem Nahkampf anzuschließen.

Ich kralle mir einen der Lakaien des Rates und werfe seinen Körper in einen anderen, reiße eine tiefe Wunde in seine Schulter. Wir rollen auf dem Boden, aber er gönnt mir nicht das devote Jammern, um seine Niederlage zu signalisieren. Bis zum Tod dann. Ich befreie meinen Kiefer, passe ihn an und versenke ihn in seiner Kehle. Zwei andere Wölfe greifen mich von beiden Seiten an, aber Guillermos Wolf schlägt einen von ihnen nieder und schnappt sich seinen Hals mit einem Knirschen von Knochen. Ich zerreiße das Fleisch des dritten Wolfes.

In einem Blitz von unscharfen Bewegungen bereitet sich jedes Rudelmitglied vor, sich zu wandeln. Ohne Zeit zu verschwenden, drehe ich mich auf meinen Füßen um und stürze mich auf den Ältestenrat, der zu denken scheint, dass er vom Kampf ausgeschlossen ist. Ich springe in die Luft und schnappe nach Don Mateo.

Schüsse erklingen und treffen meine Brust. Zu spät sehe ich die Waffe in Mateos Hand. Mein Körper dreht sich in der Luft. Die Luft entweicht schlagartig meinen Lungen und ich komme vom Kurs ab, lande auf meiner Seite. Zähnefletschen und Jaulen – die Geräusche eines Wolfskampfes – erfüllen die Luft.

Bevor meine Sicht klar wird, springe ich wieder hoch, knurrend, voller Erwartung auf einen weiteren Angriff von den Wölfen, die sich aus allen Richtungen uns anschließen. Ein verschwommener Fleck aus weißem Fell blitzt vor mir auf. Ich springe instinktiv hoch, dann jammere ich und drehe mich so schnell weg, dass ich auf der Blutlache auf dem Marmor ausrutsche.

Sedona.

Irgendwie ist meine weiße Wölfin hier, zähnebleckend, auf vier Pfoten direkt vor mir.

Nein, das kann nicht sein. Das ist eine Halluzination. Bin ich an den Schusswunden gestorben?

Ich rappele mich auf meine Füße auf, meine Sicht ist verschwommen. Ein enger Kreis aus Fell und Beinen schließt sich nur um uns herum. Kann es sein? Die Wölfe stehen mit den Rücken zu uns, von uns weggerichtet. Sie beschützen ihren Alpha und seine Gefährtin.

Seine *schwangere* Gefährtin.

Ich knurre mit einem wütenden Bedürfnis, sie zu beschützen, als ich die Veränderung in Sedonas Duft bemerke. Ich drehe mich im Kreis, schaue überall nach Gefahr, aber wir sind völlig geschützt. Sie knurrt an meiner Seite und sieht verdammt großartig aus. Größer, gesünder als jeder Wolf hier.

Die wilden Geräusche der Wölfe, die bis zum Tod kämpfen, erreichen meine Ohren, aber ich kann nicht über die Mauer der Wölfe sehen, die uns bewachen. Es geht gegen meine Natur, andere für mich kämpfen zu lassen. Ich knabbere an den Flanken meiner Wachen, um durchzukommen, und sie lassen widerwillig ab und fallen auf ihre Bäuche, während ich an ihnen vorbeigehe, um Unterwerfung zu zeigen.

Die Terrasse ist voll mit Wölfen und Menschen, die sich nicht wandeln können. Jedes Rudelmitglied muss hier sein, die Minen und Felder sind leer. Leichen sind auf der

Terrasse verstreut. Eins, zwei, drei … neun. Alle Ratsmitglieder außer Don Santiago, der noch nicht aus Europa zurückgekehrt ist. Einige ihrer engsten Lakaien und Wachen. Andere werden von kleinen Rudeln weggejagt, das Jammern und Jaulen der Jagd liegt in der Luft, als sie sie von uns wegbringen.

Mein Körper ist schwach, aber ich gebe mir Mühe, es nicht zu zeigen. Ich setze mich auf und heule. Stimmen erheben sich um mich herum, paaren sich mit meinem Heulen, antworten auf meinen Ruf. Dankbarkeit durchflutet mich über das Gefühl der Einheit, des Rudels, der Familie, als sich alle uns anschließen.

Ich schwenke herum und hinke zurück zu Sedona, die immer noch versucht, sich aus dem Schutzring der Wölfe zu befreien. Als sie mich kommen sehen, gehen sie noch einmal auf ihre Bäuche runter und sie eilt raus und trifft mich auf halbem Weg. Wir jammern, lecken und umkreisen uns und jeder Wolf dort fällt zu Boden und ehrt uns.

Ihre Alphas.

Wenn ich Sedona überzeugen kann, zu bleiben.

 *edona*

JUANITO BRINGT die blutigen Handtücher weg und breitet eine Decke über Carlos aus. Ich lege mich mit ihm auf das Bett, denn nur so kann ich ihn dazu bringen, liegenzubleiben. Er weigert sich, von mir getrennt zu sein, er nimmt seine Augen nicht für eine Sekunde von mir.

Ich zupfe die Decke höher über seine fast nackte Gestalt. Er zog Boxershorts an, aus Respekt für seine Mutter, die darauf bestand, das Blut von ihm mit einem Schwamm abzuwaschen. Sie erschien mir klar, obwohl sie viel über einen Wolfskampf plauderte, der in der Vergangenheit gewesen sein musste.

Carlos greift nach mir und ich kuschele mich näher ran, damit er sich nicht bewegen muss. „Leg dich einfach still hin und lass deinen Körper die Schusswunden heilen", schimpfe ich.

Wandler haben unglaubliche Heilkräfte, aber in einem so ernsten Fall wie der von Carlos, mit großem Blutverlust, braucht es ein paar Tage Ruhe. Oder zumindest eine Nacht.

Wir sitzen Nase an Nase und er streichelt meine Haare von meinem Gesicht zurück und lehnt seine Stirn an meine. „*Mi corazon*, ich hatte Angst, dir nie wieder so nahe zu sein."

„Was bedeutet *corazon*?"

„Mein Herz. Du bist mein Herz. Was hat dich hierhergebracht?" Er streichelt mit einer Hand über meine Hüfte.

„Bist du gekommen, um mir von unserem Welpen zu erzählen?"

Ich schüttle den Kopf und eine Welle von Schuldgefühlen überkommt mich, weil ich das die ganze Zeit in Europa von ihm ferngehalten hatte. „Carlos–" Ich verstumme, unsicher, wie ich ihm sagen soll, was ich erfahren habe.

Er versteift sich, als ob er denkt, dass ich mit ihm Schluss mache – schon wieder.

„Ich traf eine Wandlerin aus deinem Rudel. Sie sagte mir, der Rat hat deinen Vater getötet." Ich presse es schnell hervor, damit er keine Ungewissheit erleiden muss.

Er nickt ernst.

„Du wusstest es?"

„Nein, ich habe letzte Nacht herausgefunden, dass meine Mutter das glaubte. Ich glaube, der Rat hat sie narkotisiert, damit sie schweigt. Ich wollte sie heute in die Stadt bringen, um einen Psychiater zu sehen. Ich weiß nicht, wie viel bleibender Schaden entstanden ist, aber ich hoffe, dass ihre geistigen Fähigkeiten wiederhergestellt werden können."

„Wurden alle Ratsmitglieder heute getötet?"

„Alle bis auf einen – Don Santiago, den wir in Barcelona gesehen haben. Er ist noch weg, aber ich kümmere mich um ihn, wenn er zurückkehrt. Er ist derjenige, der vom Rudel gestohlen hat."

Ich reibe wieder die Stelle, an der mein Arm gestochen wurde. „Ich denke, er hat dort Blut von mir entnommen."

„*Was?*" Carlos richtet sich abrupt auf und ich muss ihn zurück auf die Matratze drücken.

„Als du mit ihm geredet hast, hat sich diese Menschenmenge gegen mich gedrängt und etwas hat meinen Arm gepikst. Ich glaube, er wollte sehen, ob ich schwanger bin."

Carlos grimmiges Gesicht verblasst. „Santiago … spielt Doktor mit meiner Mutter. Mit dir. Interessiert an Gen-Manipulation. Gesunde junge Wölfe verschwinden aus diesem Rudel – wie Juanitos Bruder und sein Vater. Riesige Mengen an Geld verschwinden … Könnte er der sogenannte *Harvester* sein?"

Ich zittere unwillkürlich. „Es gab viele Käfige in dem Lagerhaus, in dem ich gehalten wurde. Viele Wölfe waren dort gefangen. Und sie nahmen meinen Bruder und seine Rudelgefährten gefangen, anstatt sie zu töten. Denkst du, er experimentiert mit Wandlern?"

„Das tue ich." Carlos springt vom Bett und auf seine Füße.

Schicksal, er mutet sich zu viel zu. „Carlos, warte. Er ist jetzt nicht hier – es kann warten. Oder tue das, was du tun musst, im Bett. Mit mir." Ich füge den letzten Teil hinzu und wackle mit meinen Augenbrauen und er schmilzt bei meinem Lächeln. Er sinkt wieder auf das Bett. „Nun, wenn du es so sagst …" Seine Handfläche landet direkt auf meinem Arsch und er drückt lustvoll zu.

Aber sein Lächeln verschwindet wieder und er hält mich mit seinem Blick an Ort und Stelle. „Sag mir, Sedona. Kannst du mir je vergeben? Meinem Rudel vergeben?"

„Ja. Ich weiß, du hattest nichts damit zu tun. Und der Rat ist jetzt weg. Ich sollte dir sagen – mein Vater und Bruder und ihre Rudel werden bald hier sein." Ich habe meinem Vater eine SMS geschrieben, als ich letzte Nacht gelandet bin. Er ließ mich wissen, dass sie direkt hinter mir sind, einen Flug heute Morgen genommen haben. Ich ziehe mein Handy wieder heraus und lasse ihn wissen, dass ich in Sicherheit bin. „Nachdem wir mit der Wandlerin von deinem Rudel gesprochen haben, glaubte er, dass der Rat eine Gefahr darstellt, also kommt er, um dir beim ‚Säubern' zu helfen. Ich lasse ihn wissen, dass es schon geschehen ist."

„Dann wird er hier für unsere Verpaarungszeremonie sein." Carlos' Ton ist leicht, aber er beobachtet mich ganz genau und ich glaube nicht, dass er atmet.

Ich werfe ein Bein über seines. „Ich glaube, wir sind schon verpaart."

Sein Lächeln blitzt sexy und neckisch auf. „Ist das ein Ja? Du wirst mich als deinen Gefährten annehmen?"

Mein Nicken fühlt sich etwas wacklig an. „Wir werden das schon schaukeln."

„Natürlich." Carlos wird besonnen. „Ich würde dich nie hierbehalten, wenn du keine Freude dabei empfindest.

Aber ich verspreche dir, ich werde hart arbeiten, um dich glücklich zu machen, *mi amor.* Und wenn du deine Zeit zwischen den USA und hier aufteilen willst, verstehe ich das auch. Du wirst wie Persephone sein und eine Pause von der Hölle machen."

„Nein", antworte ich sofort. „Mein Platz ist bei dir. Ich meine, ja, ich will zu Hause besuchen, aber dort ist nichts für mich. Nicht ohne dich. Und dieser Ort ist nicht die Hölle. Es ist wunderschön. Ein Paradies, Carlos."

Er blinzelt schnell. „Danke", würgt er hervor und nimmt mein Gesicht in beide Hände, drückt seine Lippen auf meine und raubt mir meinen Atem. „Ich denke, es kann ein Paradies sein. Es ist ein Renovierungsobjekt, aber wenn ich es für dich tue, gibt es nichts, was ich nicht tun kann. Schicksal, ich kann es nicht glauben. Ich hatte befürchtet, ich könnte dich nicht glücklich machen."

„Ich bin hier", flüstere ich.

Er küsst mich wieder. „Das sehe ich, *preciosa. Gracias.*"

Ich blicke in seine warmen schokoladenbraunen Augen und ich spüre die Liebe, die von ihm strömt. „Als ich dachte, du wärst in Gefahr, fielen all die Mauern, die ich errichtet hatte, all die Ängste und Unsicherheiten darüber, ob du mich wirklich liebst oder ob es nur deine Biologie war, die darauf bestand, dass du mir folgst, nur weil du mich markiert hattest. Ich wusste, dass ich ohne dich keine Zukunft haben will, dass ich bereit wäre zu sterben, um dich zu beschützen. Also bin ich hier."

„*Muñeca*, ja, Biologie spielt eine Rolle – Schicksal, *so eine große –,* aber meine Liebe zu dir geht weit über das Physische hinaus. Du bist alles, was auf der Welt schön ist.

Und ich weiß, dass ich noch nicht alles über dich weiß – ich kenne weder dein Lieblingslied noch deinen Lieblingsfilm oder deine Lieblingsfernsehserie. Ich kenne deine Familie noch nicht oder deine Kindheitsgeschichten. Aber ich weiß, dass ich jeden Teil von dir begehre, sogar die Teile, die du versteckst." Seine Hand krümmt sich um meinen Nacken und er zieht mein Gesicht zu seinem. Er küsst mich mit einer weichen, forschenden Bewegung seiner Lippen.

Hitze durchflutet meinen Körper, aber ich tue mein Bestes, um es zu ignorieren. Carlos muss heilen. Ihn zu bespringen würde definitiv nicht helfen. Dafür wird es morgen Zeit geben.

Er muss meine Stimmung bemerkt haben, weil seine Augen glühen, als er sich wegzieht. „Glaube nicht, dass du nicht dafür bestraft wirst, dass du dich da draußen in Gefahr gebracht hast, *ángel*. Es ist nicht deine Aufgabe, mich zu beschützen. Ich würde lieber sterben, als dich je verletzt zu sehen."

Und einfach so läuft meine Muschi über. Ich muss mich beherrschen, um den Abstand zwischen unseren Hüften nicht zu schließen und mich gegen die Wölbung in seinen Boxershorts zu reiben. Ich kann nicht verhindern, dass sich meine Lider zum Schlafzimmerblick senken. Meine Zunge fährt über meine Lippen. „Wie willst du mich bestrafen, Carlos?"

Sein Schwanz erhebt sich zu einer vollen Erektion in seinen Shorts und er presst meinen Körper gegen seine harten Muskeln. „Du hast Glück, dass du angezogen bist, sonst wäre ich schon in dir drin", knurrt er.

Ich drücke gegen seine Brust, aber er lässt mich nicht

frei – nicht, dass ich es will. „Ganz ruhig, großer Wolf. Du hast immer noch fünf Löcher in deinem Bauch."

Er drückt meinen Arsch, schiebt einen Finger zwischen die Spalte und arbeitet sich tiefer, bis er durch meine Hose gegen mein hinteres Loch drückt. „Morgen, m*uñeca*. Morgen werde ich diesen Arsch ficken, bis du schreist. *Das* ist deine Strafe."

Ein winziges Wimmern entweicht meinen Lippen, als mein ganzer Körper bis zu meinen Zehen in Flammen aufgeht. Ich beiße in seine prallen Brustmuskeln. „Versprochen?"

arlos

ICH WACHE mit Sedona in meinen Armen auf. Ich vergrabe meine Nase in ihrem dicken Haar und atme ihren Duft ein. Irgendwie habe ich es geschafft, mit ihr neben mir zu schlafen, und ich musste sie nicht einmal an den Bettpfosten binden und sie besinnungslos ficken.

Es müssen die Schusswunden gewesen sein und das Bedürfnis meines Körpers, zu heilen.

Obwohl mein Schwanz steinhart ist, bewege ich mich nicht, nur um meine Gefährtin schlafen zu sehen. Ich habe sie schon markiert, aber heute wird sie mein werden vor den Augen meines Rudels und ihres. Ihre Mutter und Garretts Gefährtin fliegen heute Morgen sogar ein, um es zu sehen.

Der gestrige Haufen Scheiße endete besser, als ich mir

hätte wünschen können. Sedonas Vater und Bruder nahmen mich schonungslos ins Verhör, aber ich denke, sie haben endlich zugestanden, dass ich Sedona liebe und mein Leben geben würde, um sie zu beschützen und sie glücklich zu machen.

Wir haben letzte Nacht eine weltweite Suche nach Santiago gestartet, der, wie ich glaube, der „Harvester" sein muss. Laut einer Hacker-Freundin von Garrett ist Santiago abgetaucht. Die Hacker-Freundin fand jedes Bankkonto, mit dem er auf irgendeine Weise verbunden war, und sorgte dafür, dass die Konten vom FBI gesperrt wurden. Sie entfernte ihn auch von jedem Rudel-Finanz-konto, sodass ich hoffe, ihn von seiner finanziellen Unter-stützung abgeschnitten zu haben, um seine Aktivitäten schneller zu stoppen. Sedonas Vater und Bruder schwören, die Jagd auf ihn fortzusetzen.

Sedonas Lider blinzeln auf und diese azurblauen Augen richten sich auf mein Gesicht. Ihre weichen Lippen teilen sich und sie lehnt sich nach vorne. Ich denke, sie wird meinen Hals küssen, aber sie beißt rein. Hart.

Ein Lachen entschlüpft meiner Kehle, als ich sie auf den Rücken werfe und ihre Hände über ihrem Kopf fest-halte. „Jemand ist bereit für seine Strafe."

Sie errötet und windet sich, aber das Flackern ihrer Pupillen und der Duft ihrer Erregung sagen mir, dass ich recht habe.

Schicksal, wie konnte ich nur so viel Glück haben?

Ich stoße ihre Beine mit meinem Knie auseinander und beiße in ihre Schulter.

„Bist du sicher, dass du dafür bereit bist?" Sie schaut unschuldig unter ihren Wimpern hervor.

Ich knurre und rolle sie zur Seite und klatsche meine Hand mehrmals auf ihre Kehrseite. Nichts ärgert einen Alpha mehr als die Annahme, dass er nicht bereit ist.

Sie kichert und wackelt mit ihrem Arsch. Sie trägt ein Höschen und eines meiner T-Shirts, was mein Wolf sehr befriedigend findet. „Steh auf. Benutze das Badezimmer, wenn du musst. Zieh deine Kleidung aus. Ich kümmere mich um dein Fehlverhalten, wenn du zurückkommst."

Sie schießt aus dem Bett, die Aufregung ist offensichtlich in ihrem Sprint zur Toilette und ihrer schnellen Dusche. Sie taucht feucht und nackt vor mir auf.

Ein Knurren rumpelt in meiner Kehle in dem Moment, als ich ihren nackten Körper sehe. Sie wirft sich auf mich von quer durch den Raum, drückt mich nach unten auf die Matratze, als ich sie fange. Ich drehe sie auf ihren Bauch und ziehe beide Hände hinter ihren Rücken. „Lass die dort. Denk nicht mal daran, sie zu bewegen, sonst verdopple ich die Strafe."

„Ja, Sir."

Eine Explosion von Lust donnert durch mich über ihre devote Antwort. Sie ist so heiß.

Ich ziehe ihre Hüften hoch, bis sie auf den Knien ist, ihr Gesicht gegen die Matratze gedrückt. „Mach diese Beine breit." Meine Stimme hat noch nie so tief geklungen.

Sie spreizt ihre Knie auseinander und ich greife ihre oberen Schenkel, ziehe sie ran und spreize sie. Dann lecke ich sie, trenne ihre äußeren Schamlippen mit meiner Zunge auf und fahre entlang der Inneren.

Ihre Muschi tropft wie Honig und ich schlecke alles auf und sauge an ihrem Kitzler. Ihre Oberschenkel beben.

Ich fahre mit der Zunge hoch zu ihrem Anus, umkreise das Loch, während ich sie zwischen ihren Beinen verhaue.

Sie schreit auf mit einem mutwilligen, bedürftigen Geräusch und ich versohle ihre nasse Muschi weiter, während ich ihren Anus lecke. „Nein, nicht mehr. Oh Schicksal, ja. Bitte, mehr, Carlos."

Ich versohle sie härter, schneller, bis sie kommt, ihre Arme fliegen von ihrem Rücken, die Knie schnappen zu.

Ich ändere meine Strategie und versohle ihren süßen Arsch während ihres Orgasmus, während sie flach auf dem Bett liegt, ihr Körper weich und geschmeidig von ihrer Erlösung.

Ihr Arsch leuchtet rot und der Schmerz muss einsetzen, weil sie wimmert und ihren Kopf dreht. „Es tut mir leid! Es tut mir leid, Carlos."

Ich falle sofort auf sie, drücke und reibe ihre gezüchtigten Pobacken, während ich ihre Beine auseinanderschiebe. Ich küsse eine Linie ihren Rücken hoch, bewundere die schlanken Konturen, die weiblichen Muskeln meiner Alphawölfin.

Wir könnten achtzig Jahre lang verpaart sein und sie würde immer noch meinen Atem mit ihrer Schönheit stehlen. Ich streichle ihren Nacken, lege ihre Haare zur Seite, um ihr Ohr zu beißen. „Beweg dich nicht", murmele ich.

Ich raffe mich hoch, um etwas Gleitmittel zu holen, dass immer noch in der Tasche aus Europa gepackt ist. Als ich zurückkomme, ziehe ich ihre Pobacken auseinander und drücke einen Klacks auf ihren Anus. Mit einem mittelgroßen Analstöpsel dehne ich ihre Öffnung. Sie wimmert und stöhnt, während ich den Plug in sie drehe und pumpe.

„Was kommt jetzt, Sedona?"

Ihr Hintern wölbt sich um den Stöpsel. „I-ich weiß es nicht."

„Doch, das tust du." Ich gebe jeder ihrer Backen einen Schlag. „Was mache ich jetzt mit dir, *ángel*?"

„M-meinen Arsch ficken?"

Ich greife jede ihrer Backen grob, drücke und knete sie. „Das stimmt, *mi amor*." Ich ziehe den mittelgroßen Stöpsel raus und trage mehr Gleitmittel auf. Ich beschmiere auch meinen pochenden Schwanz. Dies ist vielleicht eine Strafe, aber es wird keine Schmerzen geben, nur Lust.

„Du wirst alles annehmen, weißt du, warum?"

„Nein."

„Doch, das tust du. Weil du ein böses Mädchen warst. Du hast dich in Gefahr gebracht. Das ist nicht erlaubt, Schönheit."

„S-sorry." Sie keucht, hebt ihren Arsch für mich an, aufgeregt.

Ich greife ihren Arsch und ziehe ihre Backen auseinander, dann stoße ich den Kopf meines Schwanzes gegen ihre Rosette. „Nimm ihn."

Irgendwie erinnert sie sich, sich zu entspannen, und die Spitze meines Schwanzes taucht rein. Ich presse langsam vor und gebe ihr Zeit, sich daran zu gewöhnen.

Sie saugt ihren Atem ein und beißt die Bettdecke, ergreift sie mit ihren Fäusten, während ich mich zentime- terweise reinbewege.

„Braves Mädchen."

„Ja!", keucht sie auf.

Ich bin mir nicht sicher, wozu sie *ja* sagt, aber ich nehme es als Zeichen, dass es okay ist, und versenke mich weiter in sie.

Sie ist eng, ihre Hitze wickelt meinen Schwanz wie eine Faust ein. Ich werde nicht lange durchhalten. Es ist irgendwie so tabu, so verdammt heiß, sie auf diese Weise zu bestrafen. Ich will in sie hineinstoßen und meine Erlösung finden, aber ich zwinge mich, meine Bewegungen langsam und gleichmäßig zu halten.

Ich schiebe eine Hand unter ihre Hüften und umschließe ihren Venushügel. Ihre geschwollene, triefende Muschi begrüßt meine Finger. Ich fingere sie mit drei Fingern, schiebe sie tiefer, während sich mein Schwanz abwechselnd wieder zurückzieht.

„Bitte, Carlos, bitte. Oh Schicksal. Oh ja … " Ihre Schreie wachsen zu einem hohen Kreischen an, das nicht aufhört.

Mein Atem wird ruckartig und ich pflüge härter in sie und tue mein Bestes, um die Stöße gerade und kontrolliert zu behalten. Meine Augen rollen sich in meinem Kopf zurück, Sterne explodieren in meiner Sicht. Ich vergrabe mich tief in ihrem Arsch und komme.

Sobald ich es tue, kommt sie auch, ihre inneren Muskeln zittern um meine Finger. „Carlos, Carlos, Carlos …"

„Sag weiter meinen Namen, *mi amor*. Ich bin der Einzige, der dich zum Kommen bringt."

„Ja!" Ein weiterer Krampf ihrer Muschi.

Ich ficke ihren Arsch mit ein paar kurzen Stößen und lege meinen Körper über ihren, küsse ihren Hals. Als unsere Atmung langsamer wird, rolle ich mich zur Seite und wickle sie in meine Arme, ihr Rücken zu meiner Vorderseite. „Ich liebe dich, Schönheit. Ich liebe dich so sehr."

Sie bedeckt meine Hände mit ihren kleineren. „Ich liebe dich auch, Carlos. Wie sagt man das auf Spanisch?"

„*Te quiero. Te adoro. Te amo.*"

Sie lacht ein heiseres Lachen, das meinen Schwanz wieder hart werden lässt. „All das. Und mehr."

~.~

SEDONA

ICH STEHE am Eingang zur Terrasse, meine Hand eingehakt am Ellenbogen meines Vaters. Die Terrasse wurde verwandelt. Der Marmor glänzt und ist sauber geschrubbt vom Blut des gestrigen Kampfes. Lichterketten funkeln von jedem Geländer, von jedem Baum. Runde Tische mit weißen Tischdecken bedecken den Raum und jeder Sitz wird von den Mitgliedern aus Carlos' Rudel und meinem gefüllt.

Der Duft von traditionellem Essen erfüllt die Luft und ein langer Bankettisch steht bereit mit Haufen von herzhaftem Fleisch, Gemüse, Obst und Süßigkeiten. Ich kann es kaum erwarten, das Hühnchen-Mole zu probieren, was, wie Carlos verspricht, das Beste in Mexiko ist.

Mein Körper hat sich heute Morgen schon von Carlos'

köstlicher Strafe erholt, aber ich fühle mich völlig von ihm beansprucht.

Nachdem wir uns geliebt hatten, nahm er mich, Garrett und meinen Vater mit auf eine Tour durch den Berg, zeigte uns seine unglaubliche Schönheit und seinen Reichtum und stellte uns seinen Rudelmitgliedern vor.

Meine Mutter und Amber kamen heute Mittag an und halfen mir diesen Nachmittag bei den Vorbereitungen. Amber webte eine Schnur von winzigen Perlen in mein Haar und flocht eine Krone um die Spitze meines Kopfes. Den Rest hat sie zu Locken gewellt, die meinen Rücken hinunterhängen.

Ich passe auf wundersame Weise in das Hochzeitskleid meiner Mutter, ein Spaghettiträgerkleid in Weiß und Silber mit einem V-Ausschnitt, der fast bis zu meinem Arsch im Rücken geht, und ein bescheidener passender Ausschnitt, der mein Dekolleté zeigt. Amber lieh mir ein paar silberne Riemchensandalen. Ich fühle mich wie eine Prinzessin, die bald Königin eines neuen Reiches wird.

Die Mariachi-Band beendet eine schöne Ballade und jeder schaut erwartungsvoll auf Carlos, der zu einem erhöhten Podium in der Mitte am Rand getreten ist. Er sieht unglaublich gut aus heute Abend in seinem Smoking. Er sagt etwas Großartiges über mich auf Spanisch. Ich kenne die Worte nicht, die er spricht, aber die Bedeutung geht nicht verloren, weil er mich mit einer Ehrfurcht anstarrt, die meinen Körper vibrieren lässt.

Sein.

Jede Zelle in meinem Körper weiß es. Ich gehöre ihm. Zu ihm.

Er wendet sich an die Gruppe der Amerikaner und sagt: „Zu sagen, ich fühle mich geehrt, Sedona als meine Gefährtin zu nehmen, wäre eine Untertreibung. Sie ist mein Leben, mein Licht. Der Engel, der mir half, den Weg zu finden, die Unterdrückung und Korruption zu beseitigen, die mein Rudel geplagt hat. Ich werde jeden Tag unseres Lebens damit verbringen, das Unrecht auszugleichen, das ihr hier angetan wurde." Er legt Acht darauf, meinen Vater anzuschauen, dann meinen Bruder, als er das sagt.

Mein Vater nickt, als ob er auf diese Aussage gewartet hätte, und er führt mich herein. Wir haben keine echte Hochzeitszeremonie, wie es manche amerikanische Wölfe tun. Dies ist nur eine Feier der Verpaarung, die bereits stattgefunden hat. Trotzdem hält Juanito im Anzug eine kleine Schmuckschatulle zu Carlos und mein Gefährte nimmt einen Ring heraus, den er auf die Spitze seines Zeigefingers steckt.

Er hat nur Augen für mich, als ich auf ihn zukomme. Mein Vater hält vor dem erhöhten Podium an und küsst meine Wange. Carlos greift mit beiden Händen nach meinem Gesicht und zieht meinen Mund zu seinem, presst seine Lippen auf meine.

Ich stöhne sanft in seinen Mund und er lächelt gegen meine Lippen. „Ich liebe dich, meine weiße Wölfin." Er nimmt meine Hand und schiebt ein schlankes Goldband mit drei ovalen Smaragden meinen Finger hoch. „Ich werde dir bald einen echten Ring besorgen, aber ich wollte dir heute Abend etwas geben. Dieser gehörte meiner Großmutter."

Er ist locker, also ziehe ich ihn aus und schiebe ihn stattdessen auf meinen Mittelfinger, wo er passt.

Er hält meine Hände und blickt in meine Augen. „Heirate mich."

Ich lache. „Wieder einmal denke ich, dass du zu spät dran bist. Ich trage schon einen Ring." Ich halte meine Hand hoch und wackle mit den Fingern.

Er schiebt seine Nase nah an meine. „Ich will es auf alle Arten – legale Ehe, Familienzeremonie, mondmarkiert."

Ich drücke meine Lippen auf seine. „Du hast mich. Ich bin dabei. Ich bin komplett dabei."

Carlos grinst und hält unsere verflochtenen Hände in einer klaren Geste des Sieges hoch und wendet sich wieder den Tischen zu. „Ich habe meine Gefährtin gefunden und beansprucht. Bitte, lasst das Fest beginnen!"

Die Mariachis fangen an und ich lehne mich zu Carlos, genieße seine Anwesenheit, so fest und warm. So richtig.

„Ich liebe dich, Carlos." Er weiß es schon, aber es fühlt sich wichtig an, es jetzt zu sagen, in diesem Moment.

Er neigt mein Gesicht hoch und starrt mich an, ohne sich zu bewegen.

„Was tust du?"

„Diesen Moment in mein Gedächtnis brennen. Ich will nie vergessen, wie wunderbar es sich anfühlt, zu wissen, dass du mein bist."

Ich steige auf meine Zehenspitzen und streife meine Lippen über seine. „Ich beanspruche dich auch, schwarzer Wolf. Du gehörst genauso mir wie ich dir."

Ein jungenhaftes Grinsen breitet sich über sein Gesicht aus. „Versprochen?"

ENDE

ALPHAS HERAUSFORDERUNG - AUSZUG

oxfire

EIN KLEINES *PLOPP* war meine einzige Warnung, bevor meine Suppe explodierte.

„Verdammt." Ich reiße die Mikrowellentür auf. Nur die Hälfte meiner Tomatensuppe ist übriggeblieben und das Innere meiner Mikrowelle sieht aus wie der Tatort eines Mords.

Gut, dass ich schon eine Pizza bestellt habe.

Mit einem Seufzer schließe ich die Tür zu den grausamen roten Spritzflecken. Mein Magen gurgelt, als hätte ich seit einem Tag nichts mehr gegessen. Vielleicht habe ich das auch nicht. Ich weiß kaum, welcher Tag es ist. Tag acht der Trennung der Hölle, und das Einzige, was mich mit der Außenwelt in Verbindung hält, ist meine beste Freundin.

Apropos beste Freundin ... Ich habe nur eine einzige Kurzwahlnummer gespeichert. Sie geht direkt zur Mailbox und es überrascht mich total. Amber sollte zu Hause sein, nachdem ich sie vor ihrem Date aus der Hölle gerettet habe.

Ich gebe das Anrufen auf und schicke eine SMS ab. *Grade Pizza bestellt - willst du kommen und teilen?*

Es ist wahrscheinlich zu früh, um ihre Dating-Katastrophe zu erwähnen. Sie kannte den Kerl erst ein paar Tage, aber er war ihr Nachbar. *Peinlich.* Und ja, er war heiß, aber seit wann ist es für einen Kerl okay, eine Frau am Rande eines Berges mitten beim ersten Date zurückzulassen?

Mein Ex ist ein Riesenarsch und selbst er würde das nicht tun.

Bring ein Bild von Garrett mit. Ich habe eines von Benny und einen Haufen Dartpfeile ... Ich fange an zu simsen und lösche es dann. Stattdessen tippe ich: *Ich gebe für immer Männer auf. Lass uns fett werden und viele Katzen adoptieren.*

Da. Das wird sie zum Lachen bringen.

Ich laufe im Haus herum, bemerke Poststapel und entferne Abfälle, die sich in den letzten Tagen gestapelt haben. Seit der Trennung habe ich mich ziemlich abgeschottet. Benny ist immer noch nicht vorbeigekommen, um seine Sachen abzuholen.

Nicht, dass ich es will. Rattenbastard.

Amber hat mir immer noch keine SMS zurückgeschrieben. Seltsam. Es ist 18 Uhr an einem Samstagabend, aber meine beste Freundin ist normalerweise allein zu Hause. Wie ich.

Mann o Mann, wir sind erbärmlich. Vielleicht sollten wir wirklich ein paar Katzen adoptieren.

Ich schreibe Amber noch mal. *Adoptiere keine Katzen ohne mich.*

Meine Mutter hatte recht. Männer sind scheiße. Ich würde mich freuen, wenn ich den Rest meines Lebens keinen anderen Mann mehr sehen würde. Außer den Pizzaboten. Ich mache eine Ausnahme für ihn.

Als die Türklingel klingelt, renne ich aus dem Wohnzimmer und öffne die Tür, vielleicht ein bisschen zu eifrig.

„Was schulde ich–" Meine Stimme erstirbt. Ich schaue hoch. Und weiter hoch. Und noch weiter.

Verdammt, dieser Pizzabote ist groß. Und ein Muskelprotz. Wie ‚The Rock' oder so was. Ein Meter neunzig und dann noch was, mit Schultern fast zu breit für die Tür. Militärhaarschnitt. Verspiegelte Sonnenbrille auf seinem Gesicht … bei Abenddämmerung.

Hey, großer Junge, wollen meine weiblichen Füchschen-Körperteile schnurren. Nein! Böse Foxfire!

„Foxfire Hines?" Er sieht ein bisschen ungläubig aus, als ob er nicht glauben kann, dass das mein Name ist. Das höre ich super oft.

„Meine Mutter war ein Hippie", sage ich.

„Was?" Seine Augenbrauen schießen über den Rand der Sonnenbrille.

„Mein Name. Es ist wegen … meiner Mutter. Sie fand es hübsch."

„Deine Mutter."

„Ja."

„Dein Name ist also wirklich Foxfire." Er klingt fast resigniert, als könnte er nicht glauben, dass sein Leben ihn an meine Tür gebracht hat. Ich verstehe schon. Ich habe noch nie einem Pizzaboten mental meine unsterbliche Lust versprochen. Wir haben beide ein erstes Mal in dieser Nacht.

„Hast du auf mich gewartet?", fragt er.

„Äh, ja." Dann trifft es mich durch die Wolke des Verlangens. Das, was mein Gehirn über meine Libido schreit. „Warte … Wo ist die Pizza?"

~.~

Tank

FOXFIRE, verdammt lächerlich. Die Tussi sieht so verrückt aus wie ihr Name. Auf Papier sieht sie okay aus. Grafikdesignerin, gute Kundenliste, zahlt ihre Rechnungen pünktlich. Lebt in einem respektablen Lehm-Backsteinhaus in der Nähe der Universität. So weit, so gut. In Person ist sie ein gehende, sprechende Freak-Show. Haare gefärbt wie ein Regenbogen wie aus einem Cartoon. Sie ist auch winzig, eine zierliche Elfe in kurzen Shorts und Spaghetti-trägeroberteil. Ich könnte sie hochheben und in einer Hand halten.

Oh, und sie ist atemberaubend. Auch mit den Clown-Haaren.

Dieser Job wird entweder einfach sein oder mir groß in den Arsch beißen.

„Wo ist die Pizza?", fragt sie und blickt um mich herum. Bevor sie protestieren kann, drücke ich sie hinein und bemerke die Explosion von Papierhaufen auf jeder Oberfläche, Sitzsäcke auf dem Boden, ein paar Traumfänger in den Fenstern und eine Lava-Lampe in der Ecke. Die Cartoon-Fee lebt im La-La-Land.

„Was tust du?" Sie blinzelt mich an, ihre hellen Augen weit aufgerissen. Völlig ohne Angst. Ein Mann, der doppelt so groß ist, drängt sich gerade in ihr Haus und sie fragt nach Pizza. Die meisten Frauen hätten Angst.

Nicht diese.

Wie gesagt, La-La-Land.

„Ich muss mit dir reden", sage ich.

„Okay", sagt sie und fügt in einem hoffnungsvollen Ton hinzu: „Hast du die Pizza im Auto gelassen?"

„Keine Pizza. Es geht um Amber."

„Amber?" Ihr Kopf fällt zurück und sie saugt einen Atemzug ein.

„Setz dich besser hin", sage ich. Zu meiner Überraschung fällt sie auf den einzigen anständigen Sitzplatz in diesem Ort, eine ramponierte Couch. Sie reagiert sofort auf Autorität. Wenn sie im Rudel wäre, würde ich sagen, sie wäre eine feurige, aber unterwürfige Wölfin.

Vielleicht wird das einfach sein.

„Stimmt etwas nicht? Ist Amber in Schwierigkeiten?"

„Noch nicht. Nicht, wenn du kooperierst."

„Was?", flüstert sie, als das Blut aus ihrem Gesicht fließt. Der Duft ihrer Angst erfüllt den Raum und mein Wolf hebt den Kopf. Weil er es verdammt noch mal *hasst*.

Ich bin dran, einen Atemzug einzusaugen. Mein Wolf

achtet nie auf Menschen. Nicht einmal auf hübsche Frauen mit ausgeflippten Haaren.

„Ich bin nicht hier, um dir wehzutun." Nun, warum habe ich das jetzt versprochen? Ich sollte sie einschüchtern. Mein Job war es, reinzukommen, zu sehen, was diese Frau weiß und wie ich sie unter Kontrolle bringe. Mein Rudel sicher halten. Einfach. Aber jetzt ist mein Wolf in einer Zwickmühle, weil wir ihr vielleicht Angst machen müssen. Was lächerlich ist. Seit wann kümmert er sich mehr um die Gefühle eines Menschen als um die Sicherheit des Rudels?

„Ich möchte das hier so schnell und schmerzlos hinter mich bringen wie möglich, aber es liegt an dir. Amber hat heute Nachmittag mit dir geredet. Ich muss wissen, was sie gesagt hat."

Sie starrt mich an.

„Das hier wird einfacher laufen, wenn du tust, was ich sage", füge ich hinzu.

Sofort versteift sich ihr Rücken. „Hast du mir gerade gedroht?"

„Miss–"

„Hast du Amber wehgetan? Wo ist sie?" Sie ist jetzt auf den Beinen, ihre Stimme steigt zu einem Schrei an. Diese eins fünfzig große Fee tut so, als würde sie mich herausfordern. Und mein Wolf … Er denkt, dass sie noch süßer ist, wenn sie wütend ist.

„Du hast sie besser nicht angefasst, Kumpel", zischt Foxfire. „Ich habe es diesem Idioten Garrett schon gesagt und ich sage es dir auch. Wenn es um Amber geht, verschwinde."

Sie fordert mich heraus. Sie nannte meinen Alpha einen Idioten. Sie ist entweder verrückt oder selbstmordgefährdet.

„Miss Hines–" Ich versuche es auf die professionelle Art.

„Ich meinte es ernst." Sie pikst mir in den Bauch und meine dominante Seite kommt zum Vorschein. Ich fange ihr Handgelenk und ziehe sie nach vorn, drehe sie in letzter Minute, sodass sie am Ende gegen mich gedrückt ist, mein Körper ist über ihren gebeugt und meine Nase in ihrem regenbogenfarbenen Haar vergraben. Ich atme den Duft von ihr ein: Erdbeer-Shampoo, Druckertinte, ein bisschen Hippie-Weihrauch und ein wilder Geruch, der außer meiner Reichweite schwebt, vertraut, aber nichts, das ich platzieren kann.

Sie kämpft, aber sie ist gefangen, gerade mal ein Arm voll, kurvig an all den richtigen Stellen. Mein Schwanz nutzt diesen unglücklichen Moment, um sich aufzurichten.

„Lass mich dir sagen, wie das hier ablaufen wird, Schätzchen", flüstere ich ihr ins Ohr. „Ich werde die Fragen stellen. Du wirst mir Antworten geben. Und wenn du dich sehr gut benimmst, wird es dir und deiner Freundin gut gehen. Verstanden?"

„Lass mich los." Sie richtet sich auf und stampft ihre Füße auf meine. Da meine in Biker Stiefel gehüllt sind und ihre nackt sind, tut es ihr wahrscheinlich mehr weh als mir. Ich hebe sie von ihren Füßen und bekomme fast eine Ferse gegen meinen Schwanz getreten. Ich schiebe sie im letzten Moment zur Seite und ihr Fuß prallt von meinem Oberschenkel ab.

„Hilfe, Mord! Vergewaltigung!", kreischt Foxfire. Ich klemme meine Hand über ihren Mund und sie beißt mich. Mein Wolf entscheidet sich, dass er verliebt ist.

In den nächsten Sekunden sind wir unten auf dem Boden, meine Hand immer noch über ihrem Mund, mein Körpergewicht, das sie runterdrückt. Eine interessante Position, um alle möglichen Dinge zu tun, macht mein Wolf klar. Mein Schwanz stimmt zu.

Ich drehe sie um, damit sie mir gegenüber ist. Ihre Brust hebt und senkt sich schnell, ihr Duft ist voller Angst, aber ihre Augen spucken Feuer.

„Das ist genug." Ich zwinge genug Dominanz in meinem Ton, um ein ganzes Rudel Wölfe zu züchtigen. „Wirst du kooperieren oder muss ich dich fesseln?"

Sie macht ein Geräusch gegen meine Handfläche, das so klingt wie *fick dich*. Ich würde ihr ja sagen, dass ich ihr gerne dabei helfen würde, als es an der Tür klingelt. Die verdammte Pizza ist hier.

Vielleicht wird das doch nicht so einfach.

~.~

Alphas Herausforderung … kommt im November 2020 raus!

MEHR WOLLEN?

Bitte genieße diesen kurzen Auszug aus dem nächsten alleinstehenden Buch in der *Bad-Boy-Alpha*-Serie

Alphas Versuchung
    Alphas Gefahr
    Alphas Preis
    Alphas Herausforderung
    Alphas Besessenheit

RENEE ROSE: HOLEN SIE SICH IHR KOSTENLOSES BUCH!

Tragen Sie sich in meine E-Mail Liste ein, um als erstes von Neuerscheinungen, kostenlosen Büchern, Sonderpreisen und anderen Zugaben zu erfahren.

https://www.subscribepage.com/mafiadaddy_de

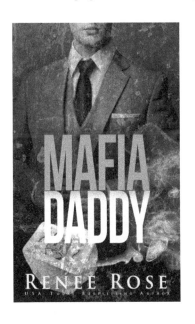

Alpha Bully - Buch 1

Alpha Knight - Buch 2

Bad Boy Alphas

Alphas Versuchung

Alphas Gefahr

Alphas Preis

Alphas Herausforderung

Alphas Besessenheit

Die Meister von Zandia

Seine irdische Dienerin

Seine irdische Gefangene

Seine irdische Gefährtin

Die Berserker-Saga

Verkauft an die Berserker

Gepaart mit den Berserkern

Entführt von den Berserkern

Übergeben an die Berserker

Gefordert von den Berserkern

Die Frauen der Berserker

Gerettet vom Berserker – Hasel und Knut

Gefangen von den Berserkern – Weide, Leif und Brokk

Verschleppt von den Berserkern – Salbei, Thorbjorn und Rolf

Gebunden an die Berserker – Laurel, Haakon und Ulf

Berserker-Nachwuchs – die Schwestern Brenna, Sabine, Muriel, Fleur und ihre Gefährten

(demnächst)

Die Nacht der Berserker – die Geschichte der Hexe Yseult

Eigentum der Berserker – Farn, Dagg und Svein

Gezähmt von den Berserkern – Ampfer, Thorsteinn und Vik

Beherrscht von den Berserkern

Unschuld mit Stasia Black (Eine dunkle Liebesgeschichte)

Das Erwachen (Unschuld 2)

Königin der Unterwelt: Eine Dunkle Liebesgeschichte (Unschuld 3)

Die Gefangene des Biestes: Eine dunkle Romanze (Die Liebe des Biestes 1)

Die Rache des Biestes: Eine dunkle Romanze (Die Liebe des Biestes 2)

Der Soldat, der mich verführt

Draekons (Drachen im Exil) mit Lili Zander (Eine Sci-Fi Dreierbeziehung Romanze)

Draekon Gefährtin

Draekon Feuer

Draekon Herz

Draekon Entführung

Draekon Schicksal

Tochter der Dragons

Draekon Fieber

Draekon Rebellin

Draekon Festtag

ÜBER DIE AUTORIN

USA TODAY Bestseller-Autorin RENEE ROSE liebt dominante, verbalerotische Alpha-Helden! Sie hat bereits über eine Million Exemplare ihrer erotischen Liebesromane mit unterschiedlichen Abstufungen verruchter sexueller Vorlieben und Erotik verkauft. Ihre Bücher wurden außerdem in *USA Todays Happily Ever After* und *Popsugar* vorgestellt. 2013 wurde sie von *Eroticon USA* zum nächsten *Top Erotic Author* ernannt und freut sich ebenfalls über die Auszeichnungen Spunky and Sassy's *Favorite Sci-Fi and Anthology Autor*, The Romance Reviews *Best Historical Romance* und Spanking Romance Reviews *Best Sci-fi, Paranormal, Historical, Erotic, Ageplay and Couple Author*. Bereits fünfmal gelang ihr eine Platzierung in der USA-Today-Bestsellerliste mit verschiedenen literarischen Werken.

Besuchen Sie ihren Blog unter www.reneeroseromance.com

ÜBER DIE AUTORIN

Lee Savino ist *USA Today*-Bestsellerautorin. Außerdem ist sie Mutter und schokosüchtig. Sie hat eine ganze Reihe von Büchern geschrieben, die alle unter die Rubrik »smexy« Liebesgeschichten fallen. *Smexy* steht dabei für »smart und sexy«.

Sie hofft, dass euch dieses Buch gefallen hat.

Besucht sie unter:
www.leesavino.com